TU COMPRENDRAS QUAND TU SERAS PLUS GRANDE

Virginie Grimaldi est l'autrice des best-sellers *Le Premier Jour du reste de ma vie* (City, 2015 ; Le Livre de Poche, 2016), *Tu comprendras quand tu seras plus grande* (Fayard, 2016 ; Le Livre de Poche, 2017), *Le parfum du bonheur est plus fort sous la pluie* (Fayard, 2017 ; Le Livre de Poche, 2018), *Il est grand temps de rallumer les étoiles* (Fayard, 2018 ; Le Livre de Poche, 2019), *Quand nos souvenirs viendront danser* (Fayard, 2019 ; Le Livre de Poche, 2020) et *Et que ne durent que les moments doux* (Fayard, 2020 ; Le Livre de Poche, 2021). Grâce à des personnages attachants et à une plume délicate, ses romans ont déjà séduit des millions de lecteurs et sont traduits dans plus de vingt langues. Virginie Grimaldi est la romancière française la plus lue de France en 2019 et en 2020 (palmarès *Le Figaro* : GFK).

Paru au Livre de Poche :

CHÈRE MAMIE

CHÈRE MAMIE AU PAYS DU CONFINEMENT

ET QUE NE DURENT QUE LES MOMENTS DOUX

IL EST GRAND TEMPS DE RALLUMER LES ÉTOILES

LE PARFUM DU BONHEUR EST PLUS FORT SOUS LA PLUIE

LE PREMIER JOUR DU RESTE DE MA VIE…

QUAND NOS SOUVENIRS VIENDRONT DANSER

VIRGINIE GRIMALDI

Tu comprendras quand tu seras plus grande

FAYARD

Sources des citations :
p. 200 : « Non je ne regrette rien », paroles de Michel Vaucaire, musique de Charles Dumont, interprété par Édith Piaf.

p. 363 : Ernst Jünger, *Le Mur du temps*, traduit de l'allemand par Henri Thomas.
p. 374 : Marcel Pagnol, *Le Château de ma mère*, Éditions de Fallois, coll. « Fortunio ».

ISBN : 978-2-253-06984-3 – 1re publication LGF

Pour William

Prologue

C'était un samedi soir comme les autres. Il n'avait pas vocation à rester gravé dans ma mémoire, pourtant je me souviens de chaque détail. C'est l'apanage des moments traumatisants, paraît-il. Ils s'incrustent si profondément dans le cerveau et dans la chair qu'on ne cesse de les revivre par la suite, comme un film dont on visionne la même scène à l'infini.

Le ventre de Marc me servait d'oreiller, on regardait un épisode de *Game of Thrones*, le 9 de la saison 3, on avait mangé des sushis qu'on s'était fait livrer, le ventilateur tournait, on était bien. Si j'avais été un chat, j'aurais ronronné.

Quand la sonnerie du téléphone a retenti, j'ai soupiré. Qui me dérangeait à cette heure ?

Quand j'ai vu « Maman » inscrit sur l'écran, j'ai râlé. Elle le savait, pourtant, que les appels tardifs m'inquiétaient.

J'aurais voulu ne pas répondre. J'aurais voulu que ça n'arrive pas.

C'était il y a six mois, et j'ai toujours les tripes à l'air.

Février

« Notre plus grand mérite n'est pas de ne jamais tomber,
mais de nous relever à chaque fois. »

Ralph Waldo Emerson

Chapitre 1

Lundi, pluie, mois de février : combo gagnant pour une journée de merde.

Plus ma voiture avance, plus j'ai envie de reculer. Je m'engage dans l'allée ; un panneau cloué sur un arbre m'indique que c'est tout droit. Peut-être que personne ne me remarquera si je fais demi-tour. Je débouche sur un petit parking qui n'a pas vu de jardinier depuis longtemps. Je le contourne et me gare face à la grande bâtisse.

« Maison de   traite Les Tamaris »

Si même les lettres en fer forgé se font la malle, j'ai du souci à me faire. Si ça se trouve, c'est l'offre d'emploi qui comportait une faute, ce n'est pas une maison de retraite et je vais vraiment me retrouver à faire la conversation à des vaches opprimées… À vrai dire, cette idée me semble nettement plus réjouissante que ce qui m'attend.

Les derniers pas qui me séparent de l'entrée durent une éternité.

Une marche. Je peux encore partir.

Deux marches. Il me suffit de regagner ma voiture.

Trois marches. Personne n'en saura rien, après tout.

— Entrez, nous vous attendions !

Je n'ai pas le temps d'atteindre la porte qu'une femme apparaît dans l'encadrement. Elle est grande, elle est robuste, et ses cheveux sont tellement frisés qu'ils lui servent de porte-crayon. Je cherche mentalement une issue de secours, une excuse pour fuir, mais rien ne vient. Alors je souris poliment, lui tends la main et la suis vers mes huit prochains mois.

Chapitre 2

Ses talons hauts résonnent sur le carrelage blanc. Elle marche d'un bon pas, je la suis en respectant une distance suffisante. Deux carreaux, je suis trop près ; quatre carreaux, je suis en sécurité.

J'ai envie, au choix ou tout à la fois, de disparaître, de devenir invisible, de mourir, de me désintégrer, de faire demi-tour, de rembobiner. Oui, voilà, c'est ça. On peut rembobiner, s'il vous plaît ? On se donne rendez-vous il y a quelque temps, quand tout allait bien. Quand ma vie ne ressemblait pas à un film d'horreur dans lequel je serais la fille qui se prend cent coups de tronçonneuse et qui se relève à chaque fois. Rendez-vous avant que tout bascule, avant que tout s'écroule. Avant que je me dise que ce serait l'idée du siècle de répondre à cette annonce.

Mais qu'est-ce que je fous là ?

Nos pas s'arrêtent devant une porte blanche. Mon hôtesse insère une clé dans la serrure. Je lève les yeux, une petite pancarte indique :

Directrice
Anne-Marie Rouillaux

C'est donc avec elle que je me suis entretenue plusieurs fois par téléphone. Elle entre, fait le tour de son bureau et s'installe sur son siège.

— Fermez la porte et asseyez-vous.

J'obtempère tandis qu'elle ouvre un dossier et consulte les documents en plissant les yeux. Un cactus posé à côté de son écran d'ordinateur semble annoncer la couleur. En fond, le tic-tac d'un réveil marque les secondes, semble-t-il au ralenti. Ou alors c'est mon cœur qui bat trop vite.

Je prends une inspiration et me lance :

— Je suis désolée pour mon retard. Il y a des travaux à l'entrée de Biarritz, j'ai mis un temps fou à passer le feu provisoire.

Elle retire le crayon de ses cheveux et note quelques mots sur une feuille vierge.

— Ça va pour cette fois, mais j'espère que cela restera exceptionnel. On ne peut pas se permettre de faire attendre les résidents, vous comprenez ?

— Oui, je comprends.

— Bien. Je vais vous laisser la matinée pour vous installer, visiter l'établissement et prendre vos marques. Cet après-midi, vous rencontrerez Léa Marnon, que vous remplacerez dès demain. En raison de son état, elle ne peut pas rester pour vous former, mais elle tâchera de vous en apprendre un maximum en quelques heures. Cela devrait suffire, comme je vous l'ai expliqué par téléphone, il n'y a pas beaucoup de résidents, vingt et un exactement, dont un couple qui partage le même studio.

— Ah, il y a des studios ?

— C'est le nom que l'on donne aux logements, répond-elle en se levant. Chacun est composé d'une petite chambre, d'une pièce à vivre avec kitchenette, et d'une salle de bains. Bon, si vous n'avez pas de question, j'ai un autre rendez-vous. Allez à l'accueil, Isabelle vous indiquera votre studio.

Je me lève à mon tour et la rejoins à la porte.

— Bienvenue aux Tamaris, sourit-elle en glissant le crayon dans ses boucles. Vous ne le savez pas encore, mais vous allez vous plaire ici !

Tandis que, d'un geste, elle m'invite à sortir, je songe que j'ai plus de chances de devenir amie avec une licorne que de me plaire dans un hospice. Cette femme n'a pas toute sa tête, sans aucun doute.

Bon sang, mais qu'est-ce que je fous là ?

Chapitre 3

Isabelle mérite la deuxième partie de son prénom. Elle a de longs cils noirs plantés sur des yeux verts et un sourire que même les caries ne doivent pas oser attaquer. Manifestement, les fées qui se sont penchées sur son berceau venaient d'avoir une augmentation. Lorsque je me présente, elle fait le tour du comptoir d'accueil et vient me faire la bise.

— On se tutoie, d'accord ? propose-t-elle sans vraiment attendre de réponse. On se tutoie tous ici, sauf Anne-Marie et les résidents, bien sûr. Mais on les appelle quand même par leurs prénoms, c'est plus sympa. Toi, c'est Julia donc ?

— C'est ça.

— Il paraît que tu vas vivre ici le temps de ton contrat. Viens, je vais te montrer ton studio, il est dans l'annexe.

Elle me prend la main et m'entraîne vers l'extérieur, à l'avant du bâtiment. Sur le parking pavé sont posés une dizaine d'arbres et quelques bancs. Assise sur l'un d'entre eux, une vieille dame semble attendre un bus imaginaire. Sa canne à la main, son petit sac de cuir noir en bandoulière, elle a assorti ses lèvres à ses mocassins roses.

— Tout va bien, Lucienne ? s'enquiert Isabelle tandis que nous passons devant elle.

La vieille dame cherche d'où vient la voix, finit par faire la mise au point à travers ses verres teintés et esquisse un sourire.

— Tout va très bien, mon petit, j'attends mon fils pour aller au marché. Ah, et je suis enfin allée à la selle ce matin !

— Ça, c'est une bonne nouvelle ! s'exclame ma nouvelle collègue. Vous savez ce qu'on dit : caca du matin, journée sans chagrin !

Je marque un temps d'arrêt. Ma voiture se trouve à quelques mètres, si je cours vite elles ne me verront pas déguerpir. Pourtant, mue par une sorte de résignation, je laisse mes pieds reprendre leur marche dans le sillage d'Isabelle.

L'annexe est un petit bâtiment à un étage, à quelques dizaines de mètres du principal. Comme son grand frère, il est composé de pierres parsemées de fenêtres blanches et de balcons façonnés.

— Il y a sept studios ici, m'explique Isabelle. Les quatre du bas sont réservés aux familles des résidents qui souhaitent séjourner ici et aux personnes âgées qui veulent se faire une idée avant de s'installer. Les trois de l'étage sont pour le personnel. Suis-moi, je vais te montrer le tien.

— Les deux autres sont occupés ? je demande en grimpant l'escalier.

— Oui, par Marine et Greg. Marine, c'est une aide-soignante qui habite ici depuis sa séparation avec son amoureux, elle est rigolote, mais, entre nous, je la trouve un peu trop familière. Greg, c'est l'animateur, il vit là pendant les travaux dans son appartement. Tu verras, il est beau comme un dieu, mais il nous manque quelque chose pour le séduire, si tu vois ce que je veux dire... Voilà ton nouveau chez-toi !

Isabelle ouvre une porte blanche et s'engouffre à l'intérieur pour procéder à la visite guidée. Elle est rapide, il y a seulement deux pièces : une salle d'eau sombre équipée pour les personnes à mobilité réduite et un salon-chambre lumineux, mais qui a certainement été décoré par quelqu'un qui avait dépassé la date de péremption. Un canapé deux places en velours moutarde, une table ronde recouverte d'un napperon, un buffet d'époque-mais-on-ne-sait-pas-laquelle, une télé du Moyen Âge, un petit lit collé contre le mur et des rideaux occultants en velours bordeaux constituent mon nouvel environnement. J'ai envie de pleurer, et pas de joie.

— Voici le clou du spectacle ! s'exclame-t-elle en ouvrant la porte-fenêtre. Viens voir la vue !

Je la rejoins sur le balcon. Le parc de la maison de retraite s'étend sur plusieurs dizaines de mètres, avec son chemin de cailloux blancs qui serpente entre les arbres massifs, le potager, les buissons fournis, et les bancs en bois parsemés de-ci de-là. L'herbe paraît fausse tant elle est verte, comme nulle part ailleurs qu'au Pays basque. Tout au bout du terrain, une barrière pose la limite. Au-delà, c'est le vide, et l'océan en contrebas, à perte de vue.

— Alors, c'est pas magnifique ? crâne-t-elle.

— Si, c'est vraiment beau, réponds-je, mesurant à quel point l'océan m'a manqué.

— Ah ! Je te l'avais dit, hein ! C'est le paradis ici. Allez, je te laisse t'installer ! Si t'as besoin, tu sais où me trouver.

Perdue dans mes pensées, j'entends à peine la porte se refermer. La vue est splendide, c'est indéniable. Mais qualifier un mouroir de paradis me semble pour le moins optimiste. Pour la millième fois, je me demande ce que je suis venue faire ici. Comme si je ne le savais pas…

Tout a basculé un samedi soir. Celui où mon père est mort.

Chapitre 4

Lorsque j'ai décroché, j'ai entendu le silence. Ce n'est jamais bon signe, quand le silence nous parle au téléphone.

— Maman ?

— …

— Maman, ça va ?

Mes lèvres tremblaient. Comme si elles avaient compris avant moi.

Marc a mis sur « pause », je me suis assise et j'ai raccroché. Le téléphone de ma mère ne devait pas capter. Ou alors elle avait lancé l'appel sans le vouloir. Voilà, c'était juste ça. Je l'ai quand même rappelée pour m'en assurer. Elle a décroché, sa voix nageait dans les larmes.

— Ma puce, ton père a fait une crise cardiaque.

— Il va bien ?

— …

— Maman ! j'ai crié. Maman, il va bien ? S'il te plaît…

— Il est mort, ma puce. Il est mort…

Elle m'a raconté, mais seuls quelques mots me parvenaient. Cuisine, rôti, tombé, SAMU, massage cardiaque, pas réussi, désolée. Puis on est restées de longues minutes à pleurer en silence, ensemble. Je serrais mon téléphone dans ma main, j'aurais préféré que ce soit ma mère dans mes bras. On a fini par raccrocher, j'ai dit à Marc, mon futur mari, qu'il pouvait relancer l'épisode et j'ai laissé tomber ma tête sur son ventre, comme si de rien n'était. Chaque parcelle de mon corps refusait la réalité.

C'est en me démaquillant avant d'aller au lit, face au miroir qui réfléchissait mon regard terrifié, que je l'ai reçue en pleine face. Mon père était mort. Il n'existait plus. Il n'existerait plus jamais. Il ne me pincerait plus la joue en m'appelant Juju, il ne râlerait plus à chacun de mes retards, il ne lirait plus *L'Équipe* dans son fauteuil vert, il ne m'accompagnerait pas à l'autel, il ne mangerait plus le coin du pain avant de passer à table, il ne laisserait plus ses chaussures devant la porte. Je ne verrais plus ses cheveux blanchir, je n'entendrais plus sa voix, je ne me moquerais plus de la cuisine de Maman avec lui, je ne grimacerais plus en sentant sa barbe piquer mes joues. Je ne dirais plus jamais Papa. L'une de mes plus grandes peurs venait de se réaliser. On y était, à cet instant où tout bascule. Rien ne serait plus jamais pareil.

Face à moi, mon reflet s'est déformé et un son animal est sorti de ma gorge. Puis un autre. Puis de nombreux autres. J'ai crié sans discontinuer jusqu'à en perdre le souffle, à genoux dans cette petite salle de bains.

Je n'avais qu'une idée en tête : rejoindre ma famille, me blottir dans les bras de ma mère, serrer ma sœur fort contre moi, être auprès de lui. Mais j'étais à Paris, ils étaient à Biarritz, je devais attendre le lendemain pour prendre le premier train. Cette nuit-là, j'ai fait connaissance avec la douleur.

Il arrivait que, durant quelques secondes, je pense à autre chose et j'oublie ce qui était en train de se passer. Et puis, brutalement, la réalité m'électrocutait. Mon père était mort. J'étais allongée sur le sable, paisiblement, et une vague s'abattait sur moi de toute sa violence. Les mois qui ont suivi ont été une succession de déferlantes. Mon père, mon mec, ma grand-mère. J'étais en train de me noyer. Alors, la semaine dernière, en lisant cette offre d'emploi, c'est une bouée que j'ai vue. Une maison de retraite de Biarritz recherchait en urgence une psychologue qualifiée pour un remplacement maternité. Le logement sur place était possible. La perspective de travailler avec des personnes âgées m'emballait à peu près autant que d'embrasser une araignée, mais c'était une question de survie.

Le vent froid me fait frissonner. Je jette un dernier regard à mon tout nouvel environnement avant d'aller chercher mes valises. Un rayon de soleil fait une percée dans les nuages pour se planter dans l'océan. Dans un accès de confiance, j'y vois un signe et je me prends à espérer que j'ai fait le bon choix. Fol espoir vite anéanti par la voix d'Isabelle qui me parvient depuis le parc :

— Vous avez encore oublié de mettre votre couche, Paulette !

Chapitre 5

La psychologue est en train de ranger ses objets personnels à l'intérieur d'une petite caisse quand je la rejoins dans son bureau. Elle s'avance vers moi, la main tendue et le ventre aussi.

— Ah, tu dois être Julia ! Je suis Léa, enchantée.

— C'est bien moi, enchantée aussi ! Tu as besoin d'aide ?

— J'ai bientôt terminé, répond-elle en ramassant une pile de livres. Anne-Marie t'a expliqué pourquoi je partais ?

— C'est un remplacement maternité, alors je suppose que tu es enceinte ?

— De quatre mois, et j'ai déjà des contractions. Je dois éviter le stress autant que possible, alors mon gynéco m'a prescrit un congé pathologique. T'as des enfants ?

— Non.

— Nous, on essayait depuis deux ans, alors je peux te dire que je ne vais pas prendre le risque de le perdre à cause du boulot. Faut dire que, mine de rien, c'est fatigant ici… Tu exerçais où avant ?

— Dans une clinique de chirurgie esthétique, à Paris.

— C'est génial, ça ! Tu avais les opérations gratos ?

— Uniquement le changement de sexe.

Elle marque une pause et s'efforce tant bien que mal de maintenir son sourire.

— Ah ?

D'accord, elle me prend au sérieux. J'hésite à lui détailler l'ablation de mon pénis, mais je ne voudrais pas lui déclencher de contractions.

— Je plaisantais. Non, je n'avais pas de prix sur les opérations, ça ne m'aurait servi à rien de toute manière. J'en ai trop vu pour être tentée.

— Ça ne m'étonne pas... Ici, c'est un peu la même chose. Côtoyer des vieux toute la journée, ça donne envie de mourir jeune. Bon, assez papoté, au boulot !

Elle m'invite à faire le tour du bureau. J'ouvre mon bloc-notes pour assurer ma mémoire.

— Tous les dossiers des résidents sont classés dans le logiciel, explique-t-elle en cliquant successivement sur plusieurs icônes. C'est là que l'on entre toutes les infos récoltées chaque jour, mais finalement on travaille peu dans le bureau. On doit voir chaque résident au moins une fois par semaine, et les entretiens se font dans leur studio. C'est plus facile de les faire parler dans un environnement familier. Tu as déjà travaillé avec des personnes âgées ?

— J'ai fait mon stage de fin d'études dans un service de gériatrie, mais ça remonte.

— C'est particulier, tu verras. Ils ont l'impression qu'on ne leur apporte rien, alors ils ne se confient pas beaucoup. Je me contente de leur demander leur humeur du jour : la plupart du temps, ça va à peu près, quand ce n'est pas le cas on fait prescrire des antidépresseurs. Faut pas hésiter, de toute manière à leur âge, on ne peut pas grand-chose pour eux.

Bravo la psychologue. Elle a l'air fine comme du gros sel, celle-là.

— Ah bon ? J'avais le souvenir qu'au contraire ils avaient besoin de s'épancher…

— On verra si tu fais mieux que moi, mais j'en doute. Ils sont difficiles. Je vais te dire un truc, je suis bien contente de partir en congé avant l'heure. Si tu tiens jusqu'à mon retour, ce sera un exploit. Allez, viens, je vais te présenter à tout le monde et je file.

Léa s'envole vers la salle de vie commune. Littéralement. Je cours presque à ses côtés pour ne pas me laisser distancer.

Elle est pressée, je la comprends. Si je le pouvais, moi aussi je courrais vers la sortie. Son pronostic sombre a fini d'effacer toute trace d'enthousiasme en moi. J'avais envisagé l'infime éventualité que, dans cette maison de retraite, les résidents puissent être adorables et me faire changer d'avis sur la vieillesse. Je dois être lucide : cela n'arrivera pas.

Je n'aime pas les vieux. Si je veux être totalement exacte, ce n'est pas que je ne les aime pas, même si je ne peux pas dire que je les aime, c'est qu'ils me font peur. Ils tutoient la mort, et moi, je préfère la vouvoyer. Je la fuis tellement que j'ai souvent séché les cours d'histoire, parce qu'il m'était trop douloureux d'étudier la vie de personnes qui n'existaient plus que dans les livres. Et puis, il faut bien l'avouer, ils ne sont pas très intéressants. Rien ne ressemble plus à un vieux qu'un autre vieux, un peu comme les bébés ou les caniches abricot. Ils ont tous les mêmes cheveux – qu'ils soient vrais ou synthétiques –, le même dos voûté, les mêmes lunettes, les mêmes tremblements et les mêmes regrets plein la voix.

— On y est ! m'annonce Léa.

La porte à double battant est fermée. Elle appuie sur la poignée et la pousse. Je serre mon bloc-notes contre ma poitrine, barrière de papier entre eux et moi, et j'entre dans la salle de vie commune. À l'intérieur, en arc de cercle face à l'entrée, une vingtaine de visages froissés s'exclament en chœur :

— Bienvenue Juliaaaa !

Je sélectionne mon sourire le plus professionnel et le colle sur mon visage. Comment je vais faire pour les distinguer les uns des autres ?

Chapitre 6

Léa est partie. Elle m'a donné les clés du bureau, a lancé un « au revoir » à la cantonade, puis a détalé avec une hâte qui ne m'a pas rassurée. Désormais, la psychologue de la maison de retraite Les Tamaris, c'est moi.

La peur doit se lire dans mes yeux, car un grand brun, dont je peux affirmer qu'il ne fait pas partie des résidents, s'avance vers moi avec un large sourire.

— Salut, je suis Greg, l'animateur. Pas facile le premier jour, hein ?

— Je suis un peu perdue, mais ça va aller. Merci !

— T'inquiète, tout va bien se passer. Je suppose que Léa t'a dépeint un tableau horrible, cette fille est l'incarnation du pessimisme. Viens, on va changer ça !

Il glisse son bras sous le mien et m'entraîne vers les résidents, qui n'ont pas bougé.

Tour à tour, il me les présente. Je serre la main à chacun en essayant de retenir leurs prénoms, mais j'abandonne vite. J'en retiens cinq : Lucienne, la dame au sac noir qui attendait son fils sur le banc ce matin, Léon, qui ne daigne pas lever les yeux de son smartphone, Maryline, qui arbore fièrement une écharpe « Miss Mamie 2004 », Louise, qui a conservé ma main dans la sienne un peu plus longtemps que les autres, et Gustave, qui me demande « Ça va, Lise ? » et rit fort quand je rétorque que je m'appelle Julia. Il me faut plusieurs secondes pour comprendre son jeu de mots. C'est encore lui qui, alors que je viens de donner la dernière poignée de main, se met à taper dans ses mains en scandant « Un discours, un discours ! », immédiatement suivi par ses colocataires. Greg m'adresse un hochement de tête qui a tout l'air de signifier que je n'ai pas le choix. Je me racle la gorge, enfonce mes ongles dans le bloc-notes et me lance, avec ma voix d'aéroport.

— Bonjour à tous, je suis Julia, votre nouvelle psychologue. À compter de demain, je passerai chaque semaine dans votre chambre afin que nous fassions le point sur votre bien-être. Bien entendu, si vous avez besoin de moi, je serai disponible pour vous à tout moment. Je suis très heureuse de venir travailler aux Tamaris avec vous et je ferai de mon mieux pour vous accompagner au quotidien.

Quelques tièdes applaudissements accueillent mon discours. Tandis que les résidents s'éloignent, avec ou sans canne, fauteuil roulant ou déambulateur, Greg me rejoint.

— Il faudra parler plus fort la prochaine fois, beaucoup de résidents entendent mal. Sinon, tu t'en es bien sortie, même Léon n'a pas été trop désagréable.

— Léon, c'est celui qui pianotait sur son téléphone, c'est ça ?

— Tout à fait, un vrai *geek*. Il ne lâche jamais ses écrans, à part pour râler ou se plaindre. Je lui cherche des qualités depuis deux ans, sans succès. J'ai plus de chances de trouver une zone sans Botox dans le visage de Madonna que de l'humanité en Léon.

Pour la première fois depuis mon arrivée, je ris. Un peu trop fort, un peu trop longtemps, mais j'ai du mal à me contenir, comme si chaque éclat expulsait une particule d'anxiété.

— J'ai un peu de temps avant le Bingo, tu veux que je te fasse visiter le centre ? me propose-t-il.

J'accepte volontiers, et pas seulement parce que son sourire mériterait sa place parmi les sept merveilles du monde. Je ne connais pas les lieux, je me sens comme une nouvelle élève à la rentrée des classes, je suis bien contente qu'un camarade propose de me tenir la main. Alors que je le suis, prête à noter sur mon carnet toutes les infos qu'il me délivre, dans mon dos une voix chevrotante me parvient :

— Elle est plus jolie que l'autre, mais elle a l'air encore moins aimable.

Chapitre 7

Quand les voix me parviennent, alors que je me trouve dans le parc des Tamaris en pleine nuit, je manque de faire une attaque.

Je suis une peureuse. Fut un temps où j'étais affublée du surnom *Bouh,* et je dois avouer que cela me sied mieux que Julia. Je sursaute à chaque fois que je croise quelqu'un sans m'y attendre, descendre des pistes bleues en chasse-neige s'apparente à un sport extrême et je me transforme en sirène de pompier dès qu'un chien m'approche.

Une fois, je devais avoir quinze ans, j'ai entendu ma mère crier dans la cuisine. Je me suis précipitée. Elle tentait de maîtriser les flammes qui s'échappaient d'une poêle. Dans ma tête, je me suis vue attraper un torchon, le passer sous l'eau et étouffer le feu avec le plus grand flegme. Dans ma tête seulement. Parce qu'en réalité j'ai juste réussi à articuler « Adieu Maman » avant de détaler en hurlant.

Une autre fois, alors que j'attendais Marc dans la voiture devant son bureau, un homme a tapé avec insistance à la vitre. Il faisait nuit et il arborait un chaton sur son tee-shirt, c'était suspect. Ni une ni deux, je lui ai vidé ma bombe lacrymogène dans les yeux. Il s'agissait en fait du collègue de Marc, qui venait gentiment m'avertir qu'il aurait du retard.

Alors, cette nuit, quand les voix me parviennent dans le parc, mes jambes deviennent molles, ma gorge se noue et mon cœur joue du David Guetta.

Vraiment, c'était une riche idée de sortir à cette heure-là.

Je ne parvenais pas à dormir, trop de choses m'encombraient l'esprit. Le moment parfait pour une cigarette. J'en avais un paquet dans la voiture, alors je suis descendue le chercher et, tant qu'à être dehors, j'ai entrepris de faire quelques pas dans le parc. À la lueur de la lune, je ne me suis pas vue m'éloigner autant du bâtiment. C'est en entendant quelqu'un parler que je prends conscience que je suis au fond du parc, là où personne ne m'entendra si je crie. La fatigue me fait faire n'importe quoi.

Respirons. Il est plus de minuit et il fait, à vue de nez gelé, la même température que dans un pot de Häagen-Dazs. Il est fort peu probable que quelqu'un d'autre que moi soit suffisamment dingue pour s'aventurer dehors. J'ai imaginé ces voix, c'est la seule explication valable. Je vais regagner mon studio austère, m'enfermer à clé, pousser la commode contre la porte et je m'endormirai paisiblement, voilà ce qui va se passer.

En quelques foulées rapides, je rejoins l'annexe et j'entreprends d'y pénétrer lorsque des pas résonnent près du bâtiment principal. Tout en tentant d'introduire la clé dans la serrure, acte machinal qui se transforme en épreuve digne de *Koh Lanta* quand on tremble comme une feuille, je lance quelques regards alentour pour identifier la source du bruit et manque de tourner de l'œil en apercevant une ombre qui se faufile derrière le potager. Je reste tétanisée quelques secondes, suffisamment pour voir la tête de l'individu émerger derrière le muret, se tourner dans ma direction et replonger brutalement. Je suis repérée. Vite, il faut que je monte me mettre à l'abri. Cette foutue clé va bien finir par glisser dans la serrure, je ne vais quand même pas mourir ici, étranglée par un dégénéré dans le parc d'une maison de retraite, avec mon pyjama rose en pilou, ma doudoune et mes chaussons à tête de chat !

Je change la clé de sens, appuie de toutes mes forces, invoque le dieu des portes, mais rien à faire, elle s'obstine à refuser d'entrer. Dans mon dos, je perçois les pas qui s'approchent lentement de moi. Mon cœur ne bat plus seulement dans ma poitrine, il bat dans mon cou, dans mes yeux, dans mes doigts, dans mes oreilles, dans mes cheveux, dans les moustaches de mes chaussons.

Alors ça fait ça, quand on sait que la fin est proche ? On se transforme en vibromasseur ?

Mon assassin n'est plus qu'à quelques mètres de moi, je peux presque sentir ses mains sur ma gorge. Quand même, mourir à trente-deux ans, c'est moche. Surtout qu'il n'avait qu'à pousser quelques mètres pour trouver une proie qui serait de toute manière décédée bientôt. Dans un dernier sursaut de lucidité avant le néant, je comprends que la clé que j'essaie désespérément d'insérer dans la serrure est celle du studio, pas celle du bâtiment. J'arrête de respirer le temps de saisir la bonne et lâche un cri de soulagement quand elle s'enfonce dans la fente. Je claque la porte derrière moi et monte les marches quatre à quatre avant de m'enfermer dans mon studio et de coller mon oreille contre la porte.

Au bout de quarante minutes, force est de constater que la seule chose qui m'ait suivie, c'est le silence.

Au bout de deux heures, mes muscles se sont décontractés, mes dents ont cessé de s'entrechoquer, mon cœur a repris son rythme normal.

Il se peut que je me sois très légèrement emballée.

Chapitre 8

— Comment vous vous sentez aujourd'hui ?

Louise est la première patiente de ma première journée. Assise dans un fauteuil tourné vers la baie vitrée, elle tricote tandis que je m'installe sur une chaise face à elle. Elle tremble un peu, effet de la vieillesse. Je tremble aussi, effet du trac.

La décoration de son studio est chargée. S'y entassent des meubles disparates, des bibelots, des cadres photo, des livres, des tricots. Ils n'ont l'air de rien, comme ça, mais chacun doit revêtir une valeur particulière à ses yeux. Elle a dû choisir avec soin ceux qu'elle consentait à voir disparaître de sa vie et ceux qui l'accompagneraient dans sa dernière chambre.

— Ça va de mieux en mieux, répond-elle en posant son ouvrage, je commence à prendre mes marques. Vous savez que je suis là depuis peu ?

— J'ai lu ça dans votre dossier. Depuis trois mois, c'est bien ça ?

— Bientôt trois mois, oui. J'ai d'abord passé cinq semaines à l'hôpital après mon stupide accident, puis les médecins ont décrété que je ne pouvais pas rentrer chez moi. Mes enfants m'ont donc trouvé une place ici, il paraît que c'est le meilleur établissement de la région. Je n'y suis pas trop malheureuse…

— Vous voulez qu'on parle de votre accident, Louise ?

— Oh, je n'ai pas grand-chose à en dire. J'étais en train de faire le marché et bim, on m'a retrouvée par terre, inconsciente. Quand je me suis réveillée quelques jours plus tard, j'avais oublié les quarante dernières années de ma vie. Vous vous rendez compte ? Quarante ans envolés en quelques secondes !

— Qu'avez-vous ressenti ?

— C'était terrible. L'année de mes trente ans, il y a eu un gros incendie dans la maison qu'on habitait avec mon mari et nos enfants. Il a tout détruit, tout. Nous avons perdu notre maison, nos meubles, nos papiers, nos vêtements… Mais ce qui m'affectait le plus, c'était la perte des souvenirs. Les photos des enfants lorsqu'ils étaient bébés, les diapositives, leurs dessins, leurs poèmes, les lettres qu'ils envoyaient depuis la colonie de vacances, les photos de mes parents, de notre mariage…

Elle fait une pause et regarde par la fenêtre.

— Sans tous ces objets, reprend-elle, notre mémoire n'a plus le droit de faillir. Elle n'a plus de doublure. Oh ! Quelle idiote, je ne vous ai rien proposé à boire ! Voulez-vous un café, un thé, un chocolat ? Ma fille m'a offert une machine très sophistiquée, il suffit de mettre une capsule et la boisson chaude se prépare automatiquement.

Vous n'avez pas du whisky plutôt ?

— Je veux bien un chocolat, merci ! Donc, on parlait de votre mémoire…

— Oh, je sais ! rétorque-t-elle en se dirigeant vers la kitchenette. Ma mémoire immédiate fonctionne très bien, heureusement. Je vous racontais cet incendie pour vous expliquer ce que j'ai ressenti. Perdre ses souvenirs, lorsqu'ils sont matériels, c'est déjà douloureux. Mais cela n'a rien de comparable avec ce que j'ai ressenti lorsqu'on m'a annoncé que quarante années avaient disparu de ma mémoire. Vous imaginez, il y a quarante ans mes enfants n'en avaient même pas vingt, mon mari était encore en vie, moi-même j'étais jeune, mes petits-enfants n'existaient pas encore… Et je ne vous parle pas des téléphones mobiles, des dizaines de chaînes télévisées, d'Internet et des boucles dans le nez !

Lorsque j'ai lu son dossier, j'enviais presque Louise d'avoir pu oublier une partie de sa vie. Je donnerais pas mal de choses pour que les six derniers mois de la mienne disparaissent. Mais, en la voyant lutter pour contenir ses larmes, je ne l'envie plus du tout.

— Merci ! dis-je en prenant la tasse qu'elle me tend. Comment vous avez fait pour accepter cette situation ?

— Eh bien, c'est simple, répond-elle en haussant les épaules comme si ça l'était vraiment. Lorsqu'ils m'ont dit que ma mémoire ne reviendrait pas, j'ai eu deux solutions : soit je ne l'acceptais pas et j'étais malheureuse pour le restant de mes jours, soit je l'acceptais et je vivais mes dernières années sereinement. J'ai toujours eu un goût du bonheur assez prononcé.

— C'est une belle philosophie !

— J'ai beaucoup de chance, vous savez. J'ai quatre-vingt-quatre ans, j'entends encore le moindre pépiement d'oiseau, je peux lire avec une simple paire de lunettes, j'ai même encore quelques vraies dents. Beaucoup n'arrivent pas à mon âge en si bonne forme. Et puis, mon passé n'a pas vraiment disparu, je ne m'en souviens pas, c'est tout. Mes enfants, mes petits-enfants et mes proches s'en souviennent, eux. Ces quarante années ont existé.

Elle se lève et attrape un cadre sur le buffet. Sur la photo, elle apparaît radieuse, entourée d'un groupe de personnes de tous âges.

— Regardez, dit-elle en me le tendant, ce sont mes enfants et mes petits-enfants. C'était il y a quinze ans. Il manque mon dernier petit-fils et mes deux arrière-petits-enfants, qui sont nés plus tard, mais c'est l'une des seules où nous sommes tous réunis. J'ai quatre enfants, dix petits-enfants et deux arrière-petits-enfants qui m'ont manifesté beaucoup d'amour depuis que j'ai repris mes esprits. Je vous prie de croire que je n'ai aucune raison d'opter pour le malheur. Vous avez une grande famille ?

Je hoche la tête avant de changer de sujet :

— Si je vous demande votre niveau de bien-être sur une échelle de 1 à 10 ?

Louise ne réfléchit pas longtemps avant de répondre :

— Je dirais 9. J'enlève un point pour le réveil : chaque matin, il me faut dix bonnes minutes pour m'extirper du lit. J'ai l'impression d'être un petit bout de papier plié en huit, qu'il faut déplier avec soin sous peine de le déchirer.

Elle me dévisage tandis que j'écris ces informations sur le bloc-notes afin de pouvoir les ajouter à son dossier informatique. Puis, sans que je m'y attende, elle me pose une question :

— Et vous, sur une échelle de 1 à 10, comment vous sentez-vous ?

Chapitre 9

Ce midi, c'est saucisses-purée. Le menu s'affiche en grosses lettres sur le tableau, comme s'il avait de quoi être fier de lui. Il est à peine onze heures et demie et les résidents ont déjà attaqué le plat de résistance. Ils pensent peut-être que la journée se terminera plus vite ainsi.

Cinq tables rondes sont disposées dans le réfectoire, suffisamment espacées pour que les fauteuils roulants et les déambulateurs puissent y circuler sans encombre. Greg m'a expliqué hier que les membres du personnel effectuaient le service à tour de rôle. « Aux Tamaris, "polyvalence" est le maître-mot », a-t-il dit. Pourvu que je n'aie à faire la toilette de personne, ça me va.

Aujourd'hui, c'est Isabelle et une petite blonde qui virevoltent entre les résidents pour en aider certains à manger. Obéissant aux grands signes de Greg, je rejoins ce qui doit être la table du personnel. Un couvert m'attend, je m'installe pendant qu'il fait les présentations. Je reconnais Anne-Marie, la directrice, trop occupée à couper sa saucisse en petits morceaux pour me saluer, et découvre tous ceux qui travaillent ici à plein temps : Jean-Paul, le médecin coordonnateur, Sarah, l'une des aides-soignantes, Laura, la kiné, Moussa, l'infirmier, Stéphanie, l'assistante administrative.

— Et tu connais déjà Isabelle, la chargée d'accueil, et Marine, aide-soignante, poursuit Greg en les désignant alors qu'elles tentent de persuader une résidente que la purée a été faite maison.

À peine mes fesses sont-elles posées sur la chaise que le bal des questions commence. On dirait des prisonniers qui n'ont rencontré personne depuis des années.

— Je viens de Paris, mais je suis originaire d'ici ; non, je n'ai pas d'enfant ; pas d'animal non plus ; dans une clinique esthétique ; juste le changement de sexe ; oui, je plaisante ; je ne suis pas mariée non plus ; Paris ; je ne suis pas du tout sportive ; parce que le poste me plaisait ; non, je ne dis pas ça parce qu'il y a Anne-Marie ; trente-deux ans…

Je suis à deux doigts de leur demander s'ils veulent voir mon dernier frottis lorsqu'une voix masculine nous interrompt :

— Que le coupable se dénonce ou je porte plainte contre chacun de vous ! rugit un vieil homme en se tenant droit comme un soldat au garde-à-vous.

— Qu'est-ce qui vous arrive encore, Léon ? demande Marine en levant les yeux au ciel.

— Il m'arrive que mon dentier a disparu alors que j'étais aux commodités. Je l'avais posé sur ma serviette et il n'y est plus.

— Mais pourquoi vous avez enlevé votre dentier ? interroge Isabelle.

— J'aime manger la purée sans dentier. J'ai encore le droit de faire ce qui me plaît, tout de même !

Autour de Léon, les résidents poursuivent leur déjeuner sans un mot. Il fulmine :

— Je vous préviens, si je ne récupère pas mon dentier dans la minute, je porte l'affaire devant les tribunaux. C'est de la maltraitance, je ne me laisserai pas faire !

— Vous nous emmerdez, Léon ! lance Miss Mamie 2004. On en a marre de vos scènes, vous savez pertinemment où est votre dentier.

— Et c'est reparti… dit l'infirmier en riant.

— Ça arrive souvent ? je demande.

— Régulièrement, oui. À croire qu'il le fait exprès… Il laisse traîner ses affaires et il sait très bien comment ça se termine.

Curieuse de ce spectacle, je ne lâche pas la scène des yeux. À la table voisine, Gustave, le papy farceur, recule sa chaise, prend appui sur son déambulateur et s'approche lentement de Léon. Une fois à sa hauteur, il pose une main sur son épaule et lui sourit.

— Alors mon vieux, on n'a pas d'humour ?

— Vous appelez cela de l'humour ? répond Léon. Rendez-moi immédiatement mon dentier ou…

— Ou quoi ? Vous allez me mordre ?

Des gloussements s'élèvent des tables. Louise écrase une serviette contre sa bouche pour ne pas pouffer.

— J'attends… poursuit Léon.

— Eh bien allez-y, prenez-le votre dentier, fanfaronne Gustave avec un large sourire.

— Où est-il ?

— Vous ne le voyez pas ? insiste-t-il en accentuant encore son sourire.

— Manifestement non.

Gustave approche son visage de celui de Léon et étire ses lèvres. Isabelle secoue la tête.

— Oh non, Gustave, vous n'avez pas fait ça ! Vous portez le dentier de Léon ?

Le vieil homme se met à rire de son mauvais tour, imité par la plupart des résidents et des membres du personnel. Et de moi, je dois bien l'avouer. La mine déconfite de Léon et celle, fière, de Gustave, arborant des dents bien trop grandes pour sa mâchoire, entament mon humeur maussade.

— Julia, demain c'est la journée des Ours blancs, tu voudras te joindre à nous ? demande Greg en se servant à boire.

— Les Ours blancs ? Qu'est-ce que c'est ?

— C'est un petit groupe de résidents qui se réunit une fois par mois pour se baigner dans l'océan, quelle que soit la saison.

Les tarés.

— Mais il faudrait que je me baigne aussi ?

— Ah oui, si tu nous accompagnes, tu plonges !

Tous les regards de mes nouveaux collègues sont tournés vers moi. Ils me testent, ces sadiques. Si je refuse, je vais passer pour une dégonflée ou, pire, une snob qui ne veut pas prendre part à leurs activités.

Si j'accepte, je vais probablement me transformer en Mister Freeze. Le choix est difficile.

— Je vous accompagnerai avec plaisir !

Je ne sais pas qui a prononcé ces mots, mais il m'a semblé reconnaître ma voix et elle sortait de ma bouche. Si même mon corps me trahit, je ne donne pas cher de ma dignité.

Chapitre 10

Ils auraient pu choisir un horaire ensoleillé, histoire de grappiller quelques degrés. Mais non. Il est neuf heures du matin, il fait froid, très froid, tellement froid que tous mes poils sont au garde-à-vous, et une petite bande de dégénérés, dont je fais partie, s'apprête à plonger dans l'océan Atlantique.

Depuis mon arrivée à Biarritz, j'ai eu tout loisir de me demander si tout plaquer pour me retrouver ici était le bon choix. Ce matin, les pieds enfoncés dans le sable gelé, mon maillot de bain le plus couvrant pour seule protection contre les assauts du vent, les dents jouant des maracas, je ne me pose plus la question. J'en ai désormais la certitude : je suis devenue folle. Quelque chose a vrillé dans ma tête, j'ai déraillé, dévissé, dérapé, déliré, déchaussé, déboulonné et tous les mots qui commencent par dé-.

— Vous êtes prêts ?

Greg approche de l'eau, imité par sept silhouettes presque transparentes. Gustave lâche son déambulateur à quelques mètres du sable mouillé, Miss Mamie conserve son écharpe, Louise rentre le ventre, Élisabeth et Pierre ne se lâchent pas la main, Jules trottine dans son slip à pois, Arlette étire ses bras, et moi je les rejoins en priant pour qu'un événement soudain nous empêche de nous immerger dans les vagues glaciales. Un ouragan, un orage, un requin blanc, une attaque de crabes, des zombies, qu'importe, tant que je suis épargnée. Je connais mon corps, il ne tiendra jamais le choc. Je prends ma douche presque bouillante, mon organisme ne va pas comprendre ce qui lui arrive et va prendre congé.

— Allez, tous en ligne ! poursuit mon bourreau. Julia, puisque c'est une première pour toi, je t'explique les règles. Je vais compter jusqu'à trois et on se mettra tous à courir dans l'eau. Le dernier arrivé aura un gage. Prête ?

Non, attends, je crois que j'ai oublié quelque chose dans ma chambre, il faut que je retourne le chercher. Mon cerveau.

— Prête.

— 1…

Je lègue tous mes livres et mes bijoux à ma mère.

— 2…

Je lègue mon maquillage et mes DVD de Ryan Gosling à ma sœur.

— 3 !

Adieu.

Je n'entends plus rien, je ne vois plus rien. Je cours comme si ma vie en dépendait, je crie un peu, il se peut même que j'appelle ma mère une fois ou deux. L'eau est tellement froide qu'elle paraît bouillante, je vais me désagréger, on ne retrouvera que mes dents, des enfants les prendront pour des coquillages et s'en feront des colliers. Voilà, je vais terminer en collier. Sur ma tombe, on gravera « C'était un bijou ». Quelle belle fin !

Quand je reprends mes esprits, j'ai de l'eau jusqu'à la poitrine et je suis encore entière. Enfin, je crois. Je suis à moitié tétanisée, donc je ne peux l'affirmer. Je me demande dans quel état sont les autres, ça ne doit pas être beau à voir. Au ralenti, les jambes complètement raides, la tête qui vibre, je parviens à me retourner. Quelques secondes me sont nécessaires pour les apercevoir, je ne pensais pas avoir été si loin.

Je n'en crois pas mes yeux.

En ligne sur le sable, bien au sec, les huit traîtres me regardent en riant à s'en décrocher la mâchoire.

Chapitre 11

— Comment ça va aujourd'hui ?

Le studio de Léon-le-grincheux est aussi joyeux que lui : lit fait au carré recouvert d'un édredon gris, canapé en cuir gris, rideaux gris et odeur de naphtaline. La seule décoration réside en deux ordinateurs – un fixe et un portable –, une tablette tactile et deux cadres photo numériques sur lesquels défilent des portraits de lui avec quelques décennies de moins.

— Qu'est-ce que cela peut vous faire ? me répond-il sans lever les yeux de l'écran.

Pas grand-chose, à vrai dire. Là, tout de suite, le bien-être de ce vieux bougon m'importe nettement moins que la douleur qui s'est installée dans ma gorge. Sans doute un effet de la petite baignade d'hier… Ils étaient fiers de leur bizutage, ils feront moins les malins quand j'éternuerai mes miasmes sur eux. Mais je ne peux décemment pas lui répondre ça.

— Ne croyez pas ça, je m'intéresse vraiment à votre bien-être.

— Oui, parce que vous êtes payée pour ça. Les gens ne se soucient jamais des autres sans contrepartie. Je ne suis pas né de la dernière pluie. Vous faites peut-être illusion auprès des autres, mais je suis trop futé pour être pris dans vos filets.

— Pourquoi pensez-vous que je veuille vous prendre dans mes filets ?

— C'est tellement évident. Voyez-vous, mademoiselle, toute ma vie j'ai été entouré des grands de ce monde. J'ai créé et fait prospérer une société qui réalisait un chiffre d'affaires d'un montant que vous ne sauriez même pas prononcer, tout cela à la seule force de mes cellules grises. Alors, ne pensez surtout pas que je ne vous vois pas venir, avec vos gros sabots de petite paysanne.

Je pense que c'est le moment d'éternuer.

— C'était une société dans quel secteur ? je demande pour tenter de créer le dialogue.

Il ne répond pas. J'observe ses cheveux noir corbeau parfaitement peignés, sa bouche encore charnue et son visage trop lisse pour être honnête. Le bistouri est visiblement passé par là, dommage qu'il n'existe aucune opération capable de faire disparaître l'aigreur. Il mériterait une bonne injection d'amabilité, et sans anesthésie.

— Léon, je suis là pour vous. Vous n'êtes pas obligé de me parler, simplement je pense que ça pourrait vous aider. Ce n'est pas forcément facile de se retrouver en maison de retraite…

— Que croyez-vous ? crache-t-il, toujours sans daigner me regarder. Je ne suis pas comme tous ces vieillards qu'on a enfermés ici parce qu'ils ne pouvaient plus vivre seuls ! Je suis venu là de mon plein gré, je suis en pleine possession de mes moyens et personne ne m'oblige à faire ce que je refuse. Actuellement, ce que je refuse, c'est de me faire enquiquiner par quelqu'un qui cherche un prétexte pour me farcir d'antidépresseurs.

— Très bien, Léon, je…

— Et cessez de m'appeler Léon, sacrebleu ! Nous n'avons pas élevé les cochons ensemble, me semble-t-il.

Inutile d'insister, il est aussi rigide que son front. Je me lève en silence, range la chaise à sa place et me dirige vers la porte. Au moment où je m'apprête à la refermer derrière moi, Léon consent enfin à lever les yeux et m'adresse un sourire forcé.

— Et sinon, votre petite baignade était agréable ?

Chapitre 12

Je vais mourir. Ma gorge est un immense brasier, je suis en train de me consumer de l'intérieur. Je pense que les petits bonshommes de *Il était une fois la vie* se sont donné rendez-vous dans mon larynx pour y faire un feu de camp, pendant que d'autres jouent aux fléchettes dans mes bronches.

Je suis là depuis trois jours et j'ai déjà frôlé la mort trois fois. Il est évident que l'univers m'envoie des signes. Je réglerai cela plus tard, l'urgence est d'éteindre l'incendie. Il est vingt et une heures, il fait nuit, la pharmacie est fermée et je ne suis pas persuadée que les fraises Tagada soulagent les maux de gorge. Comme à chaque fois, j'ai l'impression de n'avoir jamais autant souffert. Dans le but de me rassurer, j'ai fait ce que je conseille à tout le monde de ne jamais faire : j'ai ouvert mon ordinateur et effectué quelques recherches sur le Net :

« *Mal à la gorge* »

« *Mal à la gorge beaucoup* »

« *Symptômes cancer de la gorge* »

« *Peut-on mourir du mal de gorge* »

« Comment se venger de personnes qui nous ont forcé à nous baigner dans une eau glacée en plein hiver »

« Je crois que je suis hypocondriaque »

Internet me prédisant une mort proche et douloureuse, je décide courageusement de ne pas capituler sans me battre. Mes voisins de palier ont peut-être des pastilles pour la gorge, du miel, un extincteur ou tout autre accessoire capable de faire cesser cette douleur. Je tente d'abord la porte d'en face, je crois me souvenir qu'il s'agit du studio de Greg. Au bout de trois coups tapés à la porte, j'abandonne : il est absent. La troisième porte est celle de Marine, ce sera l'occasion de faire sa connaissance. Elle ouvre avant même que mon poing n'ait eu le temps d'atteindre le bois. Elle porte une robe de chambre et ses cheveux sont enroulés dans une serviette.

— Salut Julia, c'est cool de te voir enfin ! J'avais hâte d'avoir une voisine pour papoter et échanger des potins. Viens, entre !

— C'est gentil, mais je suis juste venue voir si tu avais quelque chose pour soulager le mal de gorge, du sirop, des pastilles…

— Oh oui, j'ai de quoi te soigner ! Entre, je te dis, je vais te chercher ça.

Le studio de Marine est exactement le même que le mien, mais disposé dans l'autre sens. Au niveau de la décoration, en revanche, elle a fait disparaître toute ressemblance. Le canapé et le lit sont recouverts de tissus bariolés, les murs sont tapissés de photos de gens qui sourient, qui font des grimaces, qui s'embrassent, et d'elle qui fixe l'objectif en faisant des *duckfaces*, des magazines *people* encombrent la table et une odeur âcre flotte dans l'air.

— Assieds-toi, me lance-t-elle depuis la kitchenette. J'en ai pas pour longtemps. Alors, tu te plais ici ?

— Je ne sais pas encore… J'avoue que j'imaginais pire.

— Tu m'étonnes ! Qu'est-ce que t'es venue faire dans une maison de retraite ? Paraît que tu bossais dans une clinique de ravalement de façade avant, c'est autre chose quand même…

Je ris.

— Cela dit, moi je me plais bien ici, poursuit-elle en criant presque pour couvrir le bruit de la vaisselle. J'avais dix-huit ans quand je suis arrivée, je ne pensais pas rester longtemps, et ça fait cinq ans que je bosse là. Ils sont sympas, les papys et mamies des Tamaris. Les collègues aussi.

— Ils ont de l'humour en tout cas ! Tu dois savoir qu'ils m'ont bizutée ?

— Oh ben, c'est la tradition. Moi je suis arrivée au mois d'août, ç'aurait été trop facile de me faire le même coup. Alors ils se sont adaptés. Ils ont organisé un atelier pâtisserie et j'ai été tirée au sort pour goûter leur gâteau. Ils ont tous joué la déception, j'ai vraiment cru que j'avais de la chance. Je te dis pas comment je crânais en portant la cuillère à ma bouche… Je n'ai rien pu avaler pendant deux jours. Ils avaient fourré leur cake de harissa… Tiens, ça devrait te faire du bien, dit-elle en me tendant un mug fumant.

— C'est quoi ?

— Un grog. J'ai pas de rhum alors j'ai mis de la tequila, à mon avis c'est pareil. Je m'en suis fait un aussi, pour t'accompagner.

Je serre la tasse entre mes mains, ça sent bon. Je suis moyennement persuadée de l'efficacité de la tequila sur un mal de gorge, mais le miel et le citron apaiseront un peu la douleur.

Quatre grogs et deux heures plus tard, je connais toute la vie de Marine.

L'été de ses dix-sept ans, ses parents l'ont obligée à les suivre en vacances à Biarritz alors qu'elle voulait rester avec ses copines à Strasbourg. Elle se désolait de sa situation chaque après-midi sur la plage, plongée dans des magazines. C'est le cinquième jour qu'elle a levé le nez et constaté que l'un des maîtres-nageurs possédait toutes les qualités nécessaires pour agrémenter son séjour.

« T'aurais vu ses abdos… Heureusement que mon maillot de bain était déjà mouillé. »

Dès lors, elle n'a eu de cesse que de se faire remarquer. Elle se baignait exclusivement devant le mirador sur lequel il était perché, entrait dans l'eau comme une ballerine sur scène et cessait de respirer dès qu'il la regardait. À plusieurs reprises, elle a nagé loin, espérant entendre un coup de sifflet qui la rappellerait à l'ordre, mais ses capacités musculaires l'ont toujours devancé. Finalement, c'est une piqûre de vive qui l'a poussée dans ses bras. Littéralement. Elle était en train d'expérimenter une nouvelle pose cambrée juste devant lui lorsque le poisson, enfoui dans le sable, s'en est pris à son pied. Elle a hurlé, s'est tordue de douleur, et c'est là, alors que son mascara avait coulé et son nez aussi, qu'il l'a approchée pour la première fois. Il a souri, s'est penché à son oreille et lui a confié qu'il ne pouvait résister à de tels talents de comédienne.

« Il ne me croyait pas, ce con ! J'étais en train de crever et il pensait que je faisais semblant pour le draguer ! »

Un an plus tard, Marine quittait Strasbourg pour vivre dans le studio de Guillaume et commençait à travailler aux Tamaris. Deux ans plus tard, ils prenaient un trois-pièces et un chat. Quatre ans plus tard, ils se fiançaient. Cinq ans plus tard, à trois semaines du mariage, il tombait amoureux d'une touriste allemande qui venait de se faire attaquer par une méduse.

— Ce mec est un fétichiste du venin, fulmine-t-elle. Il mérite de tomber sur une vipère.

— T'as raison, dis-je en hochant la tête solennellement. Il mérite de se faire bouffer par une veuve noire.

Elle éclate de rire, puis s'interrompt brutalement et me fixe avec la gravité propre aux gens qui ont beaucoup trop bu.

— Et toi ? me demande-t-elle. Il t'a fait quoi ?

— Qui ?

— Y a forcément un mec là-dessous. On ne débarque pas avec ses valises et une voiture pleine de cartons sans qu'un mec soit passé par là.

J'ignore si c'est à cause des grogs, du naturel de Marine, de l'odeur âcre qui me monte à la tête, de la fièvre, mais, avant même de me rendre compte de ce que je suis en train de faire, je me mets à tout lui raconter.

Chapitre 13

J'ai rencontré Marc au rayon friandises de Monoprix. J'avais vingt-cinq ans, j'étais à Paris avec Maminou, ma grand-mère, qui devait y subir une opération de la rétine. Je jouais les gardes-malades, elle jouait les guides touristiques. C'était la première fois que je voyais la capitale, elle m'a offert tous les clichés : la tour Eiffel, le bateau-mouche, Montmartre, les Champs-Élysées… On avait loué un studio à Nation, avec un grand lit dans lequel on se glissait le soir, moi qui lui faisais la lecture, elle qui commentait. On n'aimait rien tant que boulotter des bonbons pendant ces moments doux.

C'est justement ce que j'étais venue chercher à Monoprix, ce jour-là. Je scrutais le rayon en quête d'oursons en chocolat quand un grand blond en blouson en cuir s'est posté devant moi. J'ai attendu quelques secondes, persuadée qu'il allait comprendre qu'il me gênait, mais non.

— Ça va, je ne vous dérange pas trop ? lui ai-je demandé.

— Non, ça peut aller, mais faudrait pas parler plus fort, a-t-il répondu sur le même ton.

— Vous ne voyez pas que je suis en train de regarder le rayon ?

— Si, justement.

Respiration profonde.

— Vous avez un gros souci… ai-je dit.

— J'avoue. Mon souci, c'est que je vous suis depuis un quart d'heure, que j'ai très envie de vous aborder, mais que je ne sais pas comment faire.

— Ah ben bravo, ai-je ricané, vous avez réussi : on se parle ! Je suis même à deux doigts de vous caresser la mâchoire avec mon poing. Vous devez être content.

Il a ri, j'ai haussé les épaules, il m'a tendu la main et s'est présenté, j'ai grogné, il a dégainé son regard-auquel-personne-ne-résiste et je crois que c'est à ce moment-là que j'ai commencé à minauder.

À la fin de mes études, je l'ai rejoint à Paris. On avait tellement attendu cet instant que, pendant plusieurs mois, chaque minute que l'on ne passait pas ensemble était une minute perdue. On prenait notre douche ensemble, on mangeait dans la même assiette, on portait les mêmes tee-shirts, on lisait les mêmes livres, on tirait sur les mêmes cigarettes, on avait la même envie de faire l'amour tout le temps. Comme si on voulait rattraper toutes ces années durant lesquelles on ne se connaissait pas. Les seuls endroits où l'on allait sans l'autre, c'était le travail et les W.-C. Au bout de quelques mois, il arrivait que ces derniers restent la porte ouverte quand l'un de nous s'y trouvait. Hormis cela, la fusion avait cédé la place à une relation plus équilibrée.

J'étais heureuse. Quand j'entendais mes copines parler de leurs relations ou de leur quête de l'homme idéal, je roucoulais intérieurement. Je l'avais trouvé, mon homme idéal à moi. Il avait bien quelques défauts : il mangeait beaucoup d'oignons et les digérait mal, il se rasait le torse, il aimait les émissions de faits divers sordides, il pouvait passer une journée sans ouvrir la bouche si je n'engageais pas la conversation et il disait *aréoport*, mais aucun ne rivalisait avec ses qualités. J'étais mieux quand il était à mes côtés et il ressentait la même chose. On n'avait aucun doute : on était dans la bonne partie des statistiques et on finirait nos jours ensemble.

La première alerte a eu lieu il y a deux ans. J'ai contracté une grippe qui m'a transformée en édredon pendant une semaine. Je ne me levais du lit que pour aller aux toilettes, chaque parcelle de mon corps me faisait souffrir, je respirais comme un sanglier asthmatique et j'en avais aussi la conversation. Je n'ai presque pas vu Marc de la semaine : travail, réunions, visites chez ses parents, rendez-vous chez le dentiste, il semblait saisir le moindre prétexte pour fuir l'appartement. Quand il y était, c'était la chambre qu'il esquivait. Son rythme est redevenu normal en même temps que ma température. J'ai songé à la possibilité qu'il fasse partie de ces personnes présentes uniquement lorsque tout va bien et suffisamment lâches pour déguerpir quand on a besoin d'elles, mais le retour de ses petites attentions a vite effacé mes craintes.

Le soir où mon père est mort, Marc est resté à mes côtés jusqu'à minuit, heure à laquelle il a décrété que j'avais assez pleuré et qu'il était temps d'aller se coucher.

— Je me lève tôt demain, j'ai ma réunion avec les Italiens, tu te souviens ?

Il a eu beaucoup de réunions, les jours qui ont suivi. Tellement qu'il ne m'a pas accompagnée à Biarritz, qu'il n'a pas assisté aux obsèques et qu'il coupait court à nos conversations téléphoniques dès que mon chagrin débordait des plages horaires qu'il y avait consacrées dans son planning.

Quand je suis revenue à Paris, dix jours plus tard, je lui ai fait gagner du temps en rassemblant mes affaires pendant son absence. J'ai laissé sur la table du salon un mot qui expliquait les raisons de mon départ le plus clairement possible, ainsi on n'aurait pas à en discuter. C'était assez court, ça tenait en une dizaine de lignes et il se peut que quelques mots grossiers aient été insérés, de même qu'une allusion à sa petitesse, et pas uniquement celle de son esprit.

— Il a réagi comment ? me demande Marine.

— Il n'a pas réagi. D'un côté tant mieux, parce que j'aurais été capable de craquer, mais ça a été dur.

— Tu m'étonnes, John ! Un mec qui ne te soutient pas quand tu perds quelqu'un, c'est un connard. T'as bien fait. Typiquement le genre de mec qui se barrera avec l'infirmière si t'as un cancer.

— Voilà, c'est ça. On ne peut pas prendre que les bons moments, ce n'est pas possible. Dis, ça m'ennuie de te demander ça, mais c'est quoi cette odeur ?

Marine renifle bruyamment.

— Quelle odeur ? Je sens rien…

— Je sais pas, c'est âcre, ça pique un peu les yeux. On dirait une odeur d'ammoniaque, tu sais ?

— Oh putain !

Elle se lève d'un bond, titube jusqu'à la salle de bains en répétant « Putain, putain, putain ! », puis j'entends l'eau couler. Au bout de quelques minutes, des plaintes s'élèvent derrière la porte.

— Je vais sortir de la salle de bains. Jure-moi que tu vas pas rigoler !

J'ai déjà deviné avant qu'elle ne revienne et il y a de fortes chances pour que je sois incapable de tenir ma parole, mais je jure. En croisant les doigts.

La porte s'ouvre lentement et un pied se dévoile, puis un bras. Puis sa tête. Je lutte pour rester stoïque, résolue à tenir ma promesse, mais, dès qu'elle est suffisamment proche de moi pour que je constate le massacre, toute résistance se fait la malle et je ris à m'en faire mal aux abdominaux.

— Je voulais juste des mèches blondes…

Autour de sa mine déconfite, les cheveux encore mouillés de Marine retombent en légères ondulations, parsemées çà et là de magnifiques reflets verdâtres.

Chapitre 14

— La dame, eh ben, elle a les mêmes joues que Cookie.

La petite Héloïse, quatre ans, scrute attentivement la petite Arlette, quatre-vingt-douze ans qui, par bonheur, a oublié ses prothèses auditives.

— Qui est Cookie ? je lui demande.

— Eh ben c'est mon chien ! Il a des babines qui pendent et qui bavent, comme la mamie.

Héloïse n'a pas encore découvert la diplomatie, mais elle possède déjà un sens certain de l'observation.

Aujourd'hui, les Tamaris tentent une nouvelle expérience : des élèves de l'école maternelle voisine sont venus rendre visite aux résidents. L'idée émane du directeur de l'école, qui affirme que cet échange peut être bénéfique aux enfants autant qu'aux personnes âgées. Lorsque Anne-Marie m'a demandé mon avis, j'ai immédiatement validé.

Les visiteurs des résidents viennent rarement avec des enfants. Par peur de gêner les autres avec un trop-plein de vie, par peur de traumatiser les petits, par peur de se prendre en pleine face l'image du cycle de la vie. Résultat : les personnes âgées se retrouvent entre elles la plupart du temps. La maison de retraite, c'est comme un ghetto de vieux. Y introduire quelques heures d'innocence, de jeunesse et de vie ne peut être que positif.

La salle de vie commune grouille de petites frimousses ravies. Pour les enfants, toute sortie est source de joie : bibliothèque, parc animalier ou maison de retraite, c'est le même enthousiasme de la découverte. Il se tarit au fil des années, jusqu'à laisser place à une certaine lassitude. C'est simple : si on propose à un enfant de jouer avec des cailloux et des bouts de bois, il est à la limite de l'hystérie ; si on propose à un adulte d'aller passer une semaine dans un hôtel aux Seychelles, il demande si les boissons sont incluses. Mais ce matin, sous mes yeux, un phénomène surprenant se produit : il semble que la bonne humeur des petits contamine les grands.

Louise apprend le tricot à deux enfants impressionnés par sa dextérité, Gustave tente des tours de magie face à trois paires d'yeux écarquillés, plusieurs bambins font la queue pour un tour de fauteuil roulant avec Mohamed, Maryline prête son écharpe « Miss Mamie 2004 » à des petites filles et Isabelle court dans tous les sens pour ne manquer aucune photo. Seul Léon n'est pas de la partie : il a fait savoir qu'il avait supporté « assez de chiards » tout au long de sa vie pour qu'on vienne l'ennuyer avec ça. « Si on me cherche, je suis dans mon studio. »

Je passe d'un résident à l'autre pour glaner les impressions, même si leurs mines ne laissent aucun doute quant à la réussite de l'expérience.

— Quel bonheur ! me souffle Louise. Je n'avais pas éprouvé autant de joie depuis mon arrivée ici… J'ai l'impression de faire un saut dans le passé, quand j'apprenais le tricot à mes filles. Quoiqu'elles fussent un peu plus polissonnes !

Ses yeux brillent. Machinalement, je pose ma main sur son bras et lui souris. Pour moi aussi, ce matin est particulier. Je suis là depuis près d'une semaine et je n'ai pas ressenti l'envie de déguerpir depuis plusieurs heures. Tout juste ai-je levé les yeux au ciel quand Gustave m'a demandé : « Ça va, Lise ? » Il faudra que je cherche sur Internet ce soir, il ne fait aucun doute que je couve quelque chose.

Marine me rejoint, un sourire aux lèvres et un foulard autour de la tête.

— J'ai fait un stage dans une crèche il y a quelques années. Et tu sais quoi ? Les vieux et les bébés, c'est exactement la même chose. Pas de dents, pas de cheveux, faut leur changer la couche, ils mangent de la purée et on comprend pas tout ce qu'ils disent. Mais, quand même, on les aime bien.

Comme pour illustrer ses propos, le petit Lucas fait le tour de Gustave avec l'envie de comprendre comment il s'y prend pour sortir de sa manche tous ces foulards colorés. Arrivé derrière lui, il s'arrête subitement, fronce les sourcils et, du bout de l'index, lui palpe les fesses comme on choisit un fruit.

— Mais t'as une couche ? Pourquoi tu mets une couche ?

Gustave rougit, puis regarde le petit garçon avec la mine grave.

— C'est parce que je suis un bébé dans un corps de grand.

— Mais c'est pas possible, ça ! Ma maman elle me dit que je suis plus un bébé, alors toi encore moins…

— Ta maman se trompe, mon petit. C'est sans doute parce qu'elle ne connaît pas le secret.

Le petit garçon fronce les sourcils, intrigué.

— Quel secret ?

— *LE* secret, murmure Gustave d'un air mystérieux. Le plus grand secret de l'univers. Le secret de la vie. Je peux te le confier, mais tu dois me promettre de le garder pour toi. Tout le monde n'est pas prêt à l'entendre. Tu es prêt, toi ?

Je suis presque aussi excitée que Lucas à l'idée de connaître *LE* secret. Quand je dis que je couve quelque chose.

— Oh oui ! Je suis prêt ! s'écrie le petit garçon.

Gustave s'assoit et le prend sur ses genoux, manquant de le faire tomber à deux reprises.

— Alors vois-tu, mon petit, tout le monde croit que l'homme est différent selon la période de sa vie. Tout le monde croit qu'il y a les enfants, les adultes et les personnes âgées, mais c'est faux.

— Mais non, c'est vrai ! Moi je suis un enfant, et toi t'es un *âgé*.

— C'est ce que les gens pensent. Mais la vérité, c'est qu'on reste des bébés tout au long de notre vie. On enfile différents costumes pour le cacher et faire comme les autres, celui de l'adolescent, celui de l'adulte, celui du parent, et puis un jour, quand on est trop vieux pour faire semblant, on retire le déguisement et on affiche ce que l'on a toujours été : un bébé.

— Pfffff, c'est n'importe quoi, ton secret ! dit Lucas en quittant ses cuisses.

— Tu verras, mon petit. Tout au long de ta vie, tapis au fond de toi, tu garderas les mêmes besoins. Être aimé, rassuré, ne pas être seul, avoir toujours à manger et à boire, te distraire, qu'on s'occupe de toi et avoir à tes côtés une personne qui t'aime plus qu'elle-même. Comme un bébé.

— Je préfère quand t'es rigolo ! lance le petit garçon en s'éloignant, laissant Gustave seul avec son jeu de cartes, son chapeau à double fond et ses foulards colorés.

Il a l'air triste tout à coup. Le costume du blagueur s'est effrité au contact de l'enfance, ce vieil homme a l'air bien plus profond qu'il ne s'échine à le laisser paraître. Et si je profitais de cette brèche pour le connaître mieux ?

— C'est joli, ce que vous avez dit à ce petit garçon, dis-je en m'approchant de lui.

Au son de ma voix, Gustave remet immédiatement sa carapace et son large sourire.

— Pourtant, ça l'a fait fuir... Ne dit-on pas que la vérité sort de la bouche des enfants ? Les gens me préfèrent quand je suis drôle.

— Lorsque vous essayez de l'être, nuance, je précise avec un clin d'œil.

— Il faut bien que je m'adapte au niveau de l'auditoire, répond-il en riant. À ce propos, vous connaissez la blague du nombril ?

— Non.

— Bril !

Là, j'ai envie de déguerpir. Me voilà rassurée, je suis en parfaite santé.

Chapitre 15

Ce soir, je suis de corvée PBLV.

Traduction : C'est moi qui accompagne les résidents pendant leur visionnage quotidien de la série *Plus belle la vie* dans le salon commun.

Traduction bis : Je vais passer une demi-heure à subir des dialogues intellectuels avec des gens qui les entendent à peine.

Traduction ter : Si on me donnait le choix, je crois que, à la place, j'opterais pour une épilation du maillot intégral à la pince. Ou au chalumeau.

Le public est déjà en place. Chacun s'est installé face au grand écran, dans l'un des fauteuils posés là, héritage dépareillé de pensionnaires disparus. Les résidents en chaise roulante forment une courte ligne, tandis que les déambulateurs sont garés contre le mur. Je m'installe dans un vieux sofa bordeaux alors que le générique commence. Trois regards me mitraillent : il semble que je fasse trop de bruit. Je vais cacher leurs sonotones, on va voir s'ils vont me regarder en biais.

Je n'ai jamais vu *Plus belle la vie*, mais ça ne m'empêche pas d'en penser du mal. Il paraît que c'est mal joué, que c'est mièvre et que le scénario semble être écrit par un enfant de cinq ans sous LSD. Si j'avais su qu'être polyvalente signifiait subir des séances de torture, j'aurais réfléchi davantage avant d'accepter le poste. Normalement, c'est à Greg d'accompagner ce moment hautement culturel, mais monsieur s'est offert une semaine de vacances.

20 h 21 : Allez, trente petites minutes, je peux le faire. Je. Peux. Le. Faire.

20 h 22 : C'est impressionnant, ils sont tous captivés par l'écran. Je pourrais me mettre à danser nue sur un déambulateur que personne ne le remarquerait.

20 h 23 :
— Il a dit quoi ? demande Arlette.
— Il a dit CHUT.
Toujours aussi sympathique, ce Léon.

20 h 25 : Bizarre, je pensais qu'à Marseille les gens avaient un accent.

20 h 27 : À l'écran, une certaine Blanche est retenue dans une cave, mains et pieds liés. Il semble que cela ne lui plaise pas des masses, à en juger par ses hurlements de bête sauvage. Pourvu qu'elle n'ait jamais de scène d'accouchement à tourner.

20 h 31 : Les yeux rivés sur l'écran, Élisabeth triture un mouchoir, Lucienne essuie ses yeux et Mohamed crispe ses doigts sur la manette de son fauteuil roulant.

20 h 33 : À la télé, une dénommée Mélanie pleure dans les bras d'un grand blond. Si je comprends bien, elle a eu un coup de foudre pour un homme rencontré lors d'un voyage et elle souffre de savoir leur amour impossible. Le grand blond lui demande pourquoi. « Parce que Luc est prêtre », répond-elle. Bien bien bien.

Assis à côté de moi, Gustave rompt le silence quasi religieux.

— Vous connaissez le nom de famille de Mélanie ? me demande-t-il.

— Non.

— Zettofrais, répond-il dans un rire gras. Mélanie Zettofrais !

Note pour plus tard : ne plus répondre aux questions de Gustave.

20 h 35 :

— Il a dit quoi ? demande Arlette.

— Il a dit TAIS-TOI !

Si les parents de Léon avaient su, ils l'auraient appelé Aimable.

20 h 36 : Dans la série, Blanche a cessé ses vagissements (ses cordes vocales ont dû la menacer de mort) : elle vient de s'apercevoir qu'une paire de

ciseaux était posée à deux mètres d'elle. Deux solutions : soit son ravisseur l'aime beaucoup, soit il y a eu une erreur de fabrication et il est né avec un cerveau de poulpe.

Pendant qu'elle se contorsionne pour atteindre les ciseaux, j'observe les réactions des résidents. Je ne veux pas être pessimiste, mais on n'est pas loin de l'infarctus.

20 h 38 : À la télé, Mélanie décide d'avouer ses sentiments à son mystérieux prêtre. Les sourcils en accordéon, elle compose son numéro. À deux fauteuils de moi, Miss Mamie s'agrippe à son écharpe comme une pucelle à sa culotte.

20 h 40 :

— Julia, vous êtes stressée ? me demande Louise en fixant mes doigts.

Ma main droite est en train d'arracher les petites peaux autour des ongles de la gauche.

— Pas du tout, je rétorque en haussant les épaules. C'est mon psoriasis.

20 h 41 :

— Elle a dit quoi ? demande Arlette.

— Elle a dit que tous ceux qui regardent *Plus belle la vie* vont mourir, à commencer par ceux qui ont les cheveux mauves, grogne Léon.

20 h 43 : À l'écran, un certain Roland embrasse une petite brune. Ça bruisse dans l'assistance.

« Oh non ! Il trompe Mirta ! »

« Pauvre Mirta ! »

« Je ne lui pardonnerai jamais ce qu'il fait à Mirta… »

« C'est pas vrai ! Pas Roland ! Ce sont vraiment tous les mêmes… »

20 h 45 : Blanche n'est plus très loin des ciseaux. Elle tend le bras aussi loin que possible, gémit, s'étire et finit par les effleurer du bout des doigts… juste au moment où la porte s'ouvre brusquement. Zoom sur le visage affolé de Blanche, musique et générique.

Sérieusement ? Ils arrêtent l'épisode au moment le plus captivant ? Ce ne sont pas des enfants de cinq ans qui écrivent les intrigues, ce sont des sadiques ! Comment peuvent-ils laisser le public dans l'ignorance de ce qu'il va advenir de cette pauvre Blanche ? Sans savoir comment le prêtre va réagir à la déclaration de Mélanie ? Et que vont devenir Roland et Mirta ? Pas que ça m'intéresse, évidemment, mais je pense au bien-être des résidents. C'est inhumain de leur faire subir ce suspense.

Les fauteuils se vident, je suis la dernière à quitter le salon commun. Dans le couloir, je croise Anne-Marie qui rentre chez elle.

— Bonne soirée ! me lance-t-elle.

— Merci, vous aussi ! réponds-je.

Je regarde autour de moi, pour m'assurer que personne ne puisse m'entendre, et lui souffle :

— Si jamais vous avez besoin de quelqu'un pour une session PBLV, je veux bien me sacrifier.

Chapitre 16

Le studio de Gustave, le papy farceur, ressemble à la chambre d'un adolescent : le désordre, les bandes dessinées, les DVD de spectacles humoristiques, le cendrier plein, les friandises, tout y est. Finalement, la seule chose qui puisse signaler que le maître des lieux a cinq fois quinze ans, ce sont les posters accrochés au mur. Pas sûr que les affiches de concerts de Charles Aznavour soient très *swag*.

Gustave est assis à sa table, en train d'entourer des mots sur une grille. Il me fait signe de m'installer en face de lui, j'obtempère.

— Alors, quoi de neuf depuis la semaine dernière ? je demande.

Lors de notre première séance, Gustave a évoqué son passé : son enfance dans une famille nombreuse pas tellement heureuse, sa rencontre avec Susanne dans un bal, les longues années à essayer d'avoir un enfant, la naissance de Françoise quand ils ne l'attendaient plus, puis celle de Jean-Claude, son travail aux pompes funèbres, ses nombreux voyages. En une heure, il m'a confié tous ces souvenirs comme s'ils appartenaient à un autre, avec une distance soutenue par ses farces incessantes. Il se cache, c'est son droit. Mais, aujourd'hui, j'aimerais savoir qui est vraiment Gustave.

Il secoue la tête d'un air de dire « Rien de neuf, circulez ». S'il pense qu'il va se débarrasser de moi comme ça…

— La dernière fois, vous m'avez parlé de votre famille. C'est important pour vous d'être entouré ?

— Vous connaissez l'histoire de la chaise ? me coupe-t-il.

— Gustave, s'il vous…

— Elle est pliante ! lance-t-il en riant à gorge déployée.

Il est bon public.

— Gustave, je ne suis pas là pour vous ennuyer. Si vous n'avez pas envie de parler de vous, je peux tout à fait le comprendre, mais j'aimerais que vous me le disiez.

Il cesse brutalement de rire et me fixe avec une infinie tristesse.

— Mais qu'est-ce que vous voulez que je vous raconte, ma petite ? Vous êtes jeune, vous avez la vie devant vous, vous voulez vraiment savoir que tout ça ne rime à rien, que la vie est un combat perdu d'avance ? Vous voulez vraiment entendre que même les souvenirs heureux deviennent douloureux, quand on perd ceux qu'on aime ? Vous voulez vraiment que je vous dise que j'étais chanceux, entouré de personnes qui m'étaient chères, de ma femme dont je ne pouvais me séparer une seule journée, de ma fille qui m'écrivait des poèmes à chaque occasion, de mon fils qui riait si fort à mes blagues, de mes frères et sœurs, de mes amis, et qu'aujourd'hui je suis seul ? Vous voulez que je vous raconte comment la maladie a déformé le corps de ma femme, puis son visage, avant de l'emporter ? Vous voulez que je vous répète les mots du policier qui m'a annoncé que mon fils n'avait pas entendu la voiture arriver ? Vous voulez que je vous dise que ma fille ne pense à moi que pour son anniversaire, que mes frères et sœurs ont tous disparu, que mes amis aussi, que je n'ai plus personne ? Vous voulez que je vous confie que je ne comprenais pas comment on pouvait finir sa vie tout seul, que j'étais persuadé que ça ne m'arriverait pas à moi, que c'était impossible ? J'étais tellement entouré... Vous voulez vraiment savoir tout cela, Julia ? Eh bien moi, je n'ai pas envie de vous l'apprendre. Je préfère rire, je préfère vous faire rire. Parce que, voyez-vous, la vie est une histoire drôle. Sinon, qu'est-ce qui pourrait bien expliquer cette chute si absurde ? Ce n'est pas pour rien si l'acronyme de « maison de retraite » est MDR...

Je reste sans voix. Que répondre à ça ? Moi qui suis convaincue de l'importance de la parole, je regrette presque d'avoir forcé la sienne. À quoi bon ? Si Gustave supporte mieux sa vie enrobée dans un papier Carambar, si tout transformer en farce est sa manière d'endurer son existence, pourquoi le mettre face à la réalité ?

Le vieil homme regarde par la fenêtre, les mâchoires crispées. Je me demande comment je vais parvenir à le débarrasser de son chagrin quand, sans que j'aie le temps de les stopper, des mots s'échappent de ma bouche :

— Monsieur et madame MOTUS ont un fils, comment s'appelle-t-il ?

La commissure de ses lèvres frémit et ses yeux se plissent. Il réfléchit quelques secondes et se rend.

— Je n'en ai aucune idée.

— Momo, dis-je, plus fière que si je venais de soutenir une thèse sur la modélisation théorique et numérique de la saturation de l'instabilité de diffusion Raman stimulée se développant dans l'interaction laser-plasma.

Je m'attends à un éclat de rire ; Gustave m'offre un regard hébété. Il me fixe avec cet air que l'on réserve aux personnes gentilles-mais-bizarres. Il n'y a rien de pire qu'expliquer une blague, je décide donc de classer ce dossier pour ne plus jamais le ressortir et d'enchaîner :

— Et sinon, vous vous plaisez ici ?

Une heure plus tard, je quitte le studio de Gustave avec deux fermes intentions : celle de tourner ma langue au moins une fois dans ma bouche avant de parler et celle de contacter sa fille. Elle a certainement une bonne raison pour ne pas venir le voir, mais j'aimerais m'en assurer et, pourquoi pas, la convaincre qu'il en a besoin. Je me dirige vers mon bureau quand mon téléphone vibre. C'est un SMS de mon amie Marion.

« Hello ma caille ! Tu devrais rappeler ta mère, elle m'a laissé un message pour me dire qu'elle n'arrivait pas à te joindre, elle s'inquiète. Bisous bisous. »

J'ajoute donc à la liste de mes intentions : appeler ma mère. Des trois, c'est nettement celle qui me réjouit le moins.

Chapitre 17

Il est près de vingt-deux heures quand je touche le mot « Maman » sur l'écran de mon téléphone. Une photo d'elle en train de rire dans les bras de mon père apparaît. L'appel est lancé, et j'ignore encore ce que je vais lui dire.

Ma mère pense que je vis chez Marion. C'était le cas : après avoir fui Marc, je me suis installée dans son appartement à Paris. J'ai vécu dans une espèce de brouillard, anéantie par la perte de mon père, pas arrangée par celle de mon amoureux et définitivement mise K-O par celle de ma grand-mère.

Pendant plusieurs mois, j'ai dormi sur le canapé de Marion – quand ce n'était pas dans le lit d'un mec rencontré dans un bar –, bu plus que de raison, pris conscience que le corps humain était doté d'une réserve de larmes inépuisable, coupé mes cheveux et des ponts, je me suis abrutie devant des séries américaines en sautant tous les passages qui mentionnaient un père de famille, un décès et même un fauteuil vert, j'ai lu dix-sept livres sur le bonheur et sa quête, envoyé trois mille SMS à ma mère et à ma sœur, posé deux arrêts maladie, gardé la même culotte trois jours d'affilée, mangé cinq mille cheeseburgers et acheté dix millions de vernis à ongles qui se ressemblaient tous, pris du poids et perdu des illusions. C'est un soir, en essayant d'enlever ma robe sans tomber, ivre morte dans la chambre d'un mec rencontré quelques heures plus tôt, que l'électrochoc a eu lieu.

Sérieusement, si mon père me voyait, il devait avoir sacrément honte de sa fille. J'ai gardé ma robe et déguerpi dans la seconde, oubliant dans ma hâte que l'escalier était glissant. Le cul par terre en bas des marches, complètement dessoûlée, j'ai adressé un sourire à mon père et promis de me reprendre en main.

Le lendemain, je tombais sur l'offre d'emploi d'une maison de retraite à Biarritz : Les Tamaris.

Je n'ai rien dit à ma mère. *« Bonjour Maman, je t'appelle pour te dire que je plaque mon boulot et Paris pour un contrat précaire dans une maison de retraite du Pays basque. Allez, bisous ! »* Elle n'avait pas besoin de ça. Et puis, d'un point de vue tout à fait égoïste, ça m'arrange bien qu'elle ne sache pas que je suis à quelques kilomètres d'elle. J'ai besoin de temps pour me retrouver, savoir ce que je veux faire de ma vie, sans aucune influence.

Je suis perdue dans un labyrinthe, j'avance, je me cogne, je fais demi-tour, je ne sais pas où je vais et je dois trouver la sortie par moi-même, sans fil d'Ariane ni GPS. Chaque soir, quand je ferme les yeux, j'ai la même vision. Je suis filmée par une caméra qui s'éloigne progressivement. Je suis au milieu de ma chambre, puis du bâtiment, du parc, de la ville, du pays, de la planète. De plus en plus petite. Voilà comment je perçois mon existence. Microscopique, insignifiante, égarée. Si ma mère me savait si près d'elle, elle viendrait me voir chaque jour, insisterait pour que je m'installe chez elle, me couverait comme le bébé que je suis restée à ses yeux. C'est tentant, l'idée de me pelotonner dans mon lit d'adolescente, entre les posters des Spice Girls et ma collection de peluches, me séduit assez. Mais j'ai trente-deux ans, je ne suis plus un bébé, il faut que j'apprenne à me débrouiller seule. Parce que s'il y a bien une chose que ces derniers mois m'ont apprise, et que la confidence de Gustave a confirmée, c'est que, si entourés que nous puissions être, les douleurs, les angoisses, les joies, c'est seul que nous les ressentons.

Ma mère décroche avant la fin de la première sonnerie.

— Allo ?

Sa voix se prend pour celle d'une chèvre. Elle doit être vraiment inquiète.

— Mamoune, c'est moi, t'as ess…

— Oh ma puce ! s'exclame-t-elle. Je me faisais un sang d'encre, je t'ai laissé des tas de messages, pourquoi tu ne me rappelais pas ?

Voilà, je m'en veux.

— Je suis désolée Maman, j'ai plein de boulot, je n'ai pas vu les jours passer. Comment ça va ?

— Si tu fais des heures supplémentaires, il faut te les faire payer ma puce… Cette clinique aura ta peau. Tu n'as toujours pas trouvé d'appartement ?

— Toujours pas, mais le canapé de Marion est confortable, ne t'inquiète pas ! Et toi alors, comment tu vas ? je demande pour la deuxième fois.

— Oh moi, tu sais, ça va… J'ai une nouvelle collègue, elle me fait penser à ta sœur, elle ne cesse de parler à tort et à travers, mais elle est gentille. En parlant de Carole, j'ai gardé ton filleul samedi dernier, il a été adorable, il t'a fait un dessin, il faudra que je te l'envoie. Ah, sinon il a beaucoup plu ces derniers temps et le toit de la maison n'a pas résisté, heureusement les ouvriers ont bien travaillé. Ça a coûté cher, mais de toute manière je ne comptais pas partir en vacances cette année. Voilà, à part ça, rien de neuf…

Ma mère. Elle raconte les travaux, sa collègue, mon filleul, pour ne pas se raconter, elle. Pas un mot sur mon père, alors que je sais que c'est ce qui l'obsède à chaque instant. Elle a toujours été comme ça, à vouloir nous épargner, ma sœur et moi. Comme si prétendre que le moche n'existe pas pouvait vraiment le faire disparaître.

— Maman, comment tu vas, *toi* ? j'insiste en appuyant sur le dernier mot.

— Je vais bien, je te l'ai dit, répond-elle avec ce ricanement réservé aux situations gênantes.

— Ça n'a pas été trop dur mardi dernier ?

— Qu'est-ce qu'il y avait mardi dernier ? fait-elle innocemment.

— Maman…

— Tu parles de l'anniversaire de ton père ? Ça a été, ma puce, ça a été. Je t'ai dit que madame Etcheverry avait quitté son mari ? Il la trompait avec la prof de gym des petits, tu te rends compte ?

— Maman… tu peux me parler de Papa, tu peux me parler de ta peine, tu peux me parler de ce qui est arrivé. Je pense à lui tout le temps, tu sais. Je suis triste, je suis *très* triste, il me manque terriblement, chaque minute. Alors n'aie surtout pas peur de me faire mal en me parlant de lui, parce que, de toute manière, j'ai déjà mal. Et ce qui est vraiment difficile, c'est de n'avoir personne pour partager mes souvenirs de lui.

Le téléphone émet un léger reniflement. Puis un raclement de gorge et la voix tremblotante de ma mère.

— Je sais, ma puce. Mais, cette fois, je ne cherche pas à t'épargner… je cherche à m'épargner, moi. C'est trop dur, je n'y arrive pas encore.

Ma gorge se serre.

Le silence s'installe quelques secondes, durant lesquelles on cherche toutes les deux la meilleure manière de poursuivre cette conversation en faisant comme si cet aveu n'avait pas eu lieu. C'est moi qui trouve la première.

— Bon, et alors, cette nouvelle collègue, elle s'appelle comment ?

Mars

« Nous avons deux vies. La seconde commence
le jour où l'on se rend compte que l'on n'en a qu'une. »

Confucius

Chapitre 18

Quand j'ai été désignée pour encadrer l'activité Bingo avec Greg, il ne manquait pas grand-chose pour que je retourne sauter dans l'océan.

C'est Maryline, ornée de son écharpe « Miss Mamie 2004 », qui tire les boules numérotées avec tellement de professionnalisme qu'elle pourrait l'ajouter à son CV. Avec application, elle fait tourner la poignée qui actionne la sphère transparente, puis plonge son bras à l'intérieur en fermant les yeux et en posant sa deuxième main devant, pour que personne n'ait de doute sur son intégrité. D'ailleurs, elle le scande régulièrement, afin d'anéantir tout reste de soupçon :

« Ce n'est pas moi qui choisis la boule, mais la boule qui me choisit. »

Ce qui ne manque pas de faire glousser Gustave à chaque fois.

La plupart des résidents ont été raisonnables : un seul carton est disposé devant leurs yeux. Cela n'empêche pas les « Il est sorti, le 8 ? », « Qu'est-ce qu'elle a dit ? » et autres « On joue pour une ligne ou le carton plein ? » de s'élever régulièrement de l'une des tables, pour le plus grand plaisir de Léon qui en profite systématiquement pour râler. C'est-à-dire qu'il doit lui falloir beaucoup de concentration pour réussir à suivre : ce ne sont pas moins de dix grilles numérotées qui s'étalent devant lui. Quand Marine, chargée de la distribution, lui a signifié la limite de quatre par personne, il a purement et simplement menacé de porter plainte pour, je cite, « harcèlement moral et violences psychologiques ». Il a décrété que, n'étant pas un de ces grabataires qui l'entourent, il ne souffrirait aucune contrainte. Il avait le bras long, si on s'échinait à le harceler il n'aurait qu'à passer un coup de fil pour faire fermer l'établissement. J'ai cru que Greg allait lui faire manger ses cartons, mais il s'est contenu et, pour ne pas ruiner la journée, a accepté les exigences du maître chanteur.

Depuis, Léon pavoise, seul à sa table. Son stratagème fonctionne : il a déjà remporté trois lots en moins d'une heure de jeu. À lui le tapis de douche antidérapant, le bon pour un brushing chez la coiffeuse qui vient une fois par semaine, et le tube de colle à dentier.

— Le 26 !

— Saucisse ! s'écrie Gustave.

Il a la gentillesse de nous offrir une blague de ce genre à intervalles réguliers. La première fois, ça surprend, la dixième, ça donne envie de se faire amputer des tympans.

Avec Greg, nous avons pour rôle de veiller à la sécurité des résidents. Dans une maison de retraite, une activité anodine peut rapidement se transformer en sport extrême. Le danger du Bingo, ce sont les jetons. Au début, des pois chiches étaient distribués pour marquer les numéros sur les cartons. Ils ont été remplacés par des piécettes en plastique lorsqu'un résident, l'esprit occupé à trouver le 36 sur la grille, en a porté une poignée à sa bouche et a manqué de s'étouffer. « J'ai cru que c'étaient des cacahuètes », a-t-il déclaré aux pompiers. Les jetons colorés présentent moins de risques, si personne ne les fait tomber. Il y a quelques mois, Arlette s'est cassé le col du fémur en glissant sur une petite pièce rose. Depuis, elle exècre cette couleur et les parties de Bingo se déroulent sous haute surveillance.

— Le 44 ! articule Maryline.

— Que la peau du cul t'éclate !

Léon est au bord de l'attaque, Louise pouffe, Arlette écarquille les yeux et hurle « BINGO ! ».

Greg vérifie avec Maryline que les cinq numéros marqués ont bien été tirés. Un bon quart d'heure plus tard, c'est avéré : la vieille dame a remporté une bouteille de shampoing spécial cheveux blancs. Elle a l'air sincèrement, profondément, excessivement heureuse.

Je ne veux pas devenir vieille. Jamais.

Dernier lot. Le plus gros. Celui qui aura le carton plein aura l'immense privilège d'assister au concert de Frank Michael le mois prochain, avec la personne de son choix.

— Et attention, précise Miss Mamie en réprimant son excitation avec difficulté. Au premier rang !

Les résidents masculins parviennent à se contenir. Les femmes, elles, gloussent, ricanent, roucoulent, trépignent. Louise prépare ses jetons, Arlette règle son sonotone, Élisabeth briefe son mari, chacune s'assure de mettre toutes les chances de son côté pour remporter le précieux lot. J'ignore qui est ce Frank Michael, mais Justin Bieber a du souci à se faire.

— Tu les accompagnes avec moi ? propose Greg.

— Je ne sais pas quand a lieu le concert, mais je sais que je serai malade.

Il secoue la tête.

— Dommage, tu loupes quelque chose. La dernière fois, on a fait Sardou, j'ai eu *Les Lacs du Connemara* dans la tête pendant une semaine, mais ça valait le coup. Si tu les avais vus chanter à tue-tête, des étoiles plein les yeux…

— Tu les aimes, tes petits vieux, hein !

— Ouais, répond-il en souriant. C'est ma famille ici, les résidents, les collègues. Tiens, d'ailleurs, on se fait une soirée colocs ce soir ?

— Une soirée colocs ?

— Oui, on fait ça régulièrement avec Marine. On va chez l'un ou chez l'autre, on sort des trucs à grignoter et à boire et on refait le monde. Ça te tente ?

— Ah oui, super idée ! Ça changera de la télé…

Nous sommes interrompus par un *BINGO* tonitruant, immédiatement suivi d'un second, plus discret. Le premier, c'est Gustave. Le second, Louise. Après vérification, les deux ont bien le carton plein.

— Ça ne fait rien, assure Gustave, je vous laisse y aller avec plaisir, chère Louise.

— Oh non, je vous en prie ! Vous avez crié BINGO avant moi ! décline la vieille dame. C'est vous qui irez au concert.

— Je n'en ferai rien.

— Bon, nous n'allons pas y passer la journée, interrompt Léon en soufflant. Si personne ne se dévoue, je prends la place et c'est réglé !

— Rêvez, mon vieux, rétorque Gustave. C'est Louise qui ira, le débat est clos.

— Merci beaucoup, je suis très touchée, murmure Louise.

— Ça mérite bien une bise, non ?

Nous sommes en train de ranger les cartons lorsque Louise vient me voir et se penche à mon oreille :

— J'ai fait semblant de m'en souvenir pour ne pas être exclue de la fête. Mais qui est ce Frank Michael au juste ?

Chapitre 19

Pour ma première soirée colocs, c'est moi qui reçois. Marine arrive la première, trois boîtes de pizza posées sur les bras.

— La vache, ça a changé ici ! s'exclame-t-elle en scrutant le studio.

Elle n'est pas venue depuis que j'ai décidé qu'il m'était impossible de continuer à vivre dans un décor de jadis, naguère ou autrefois. J'avais envie de me pendre avec les napperons à chaque fois que je rentrais chez moi. Le week-end dernier, je suis donc allée faire la tournée des boutiques de décoration et j'ai offert un lifting à ma chambre. J'ai recouvert le canapé, la table et le lit de couleurs chaleureuses, bien que pas du tout assorties, accroché plusieurs cadres au-dessus du lit, posé des étagères que j'ai recouvertes de livres et de photos des miens, acheté deux ou trois meubles et une télé dont l'écran me donne l'impression de faire partie des films et, surtout, ajouté ma touche personnelle : le bordel.

Le résultat pourrait provoquer des crises d'épilepsie, mais, étonnamment, je me sens bien dans ce bazar disparate. Comme en sécurité.

— C'est tes vieux ? demande Marine en désignant une photo de mes parents.

— Oui, réponds-je en posant les verres sur la table. Elle date de l'été dernier, juste avant…

— Il avait l'air chouette, ton papa. Il s'appelait comment ?

Elle se laisse tomber sur le canapé et me regarde en souriant, à mille lieues d'imaginer ce que ses mots viennent de provoquer en moi. Ma respiration s'est brusquement coupée, mon cœur est tombé tout en bas de mon ventre et mon sang s'est dirigé droit dans mes joues.

Personne ne me parle jamais de mon père. Marion prend soin de ne jamais le mentionner sans que j'en sois à l'initiative, ma mère élude scrupuleusement le sujet, ma sœur préfère me décrire les cacas de son fils. Les gens font ça, en général. Lorsqu'une personne meurt, ils ne la mentionnent plus devant ses proches, ils deviennent doués dans l'art de trouver nombre de sujets de conversation qui n'ont aucun lien avec le disparu. Par peur de faire mal, sans doute. Comme si on attendait de l'évoquer pour souffrir.

Depuis le 8 août dernier, personne n'a jamais parlé de mon père devant moi. Et puis Marine débarque, démunie de tout filtre, et me demande son prénom comme si c'était normal. Passé l'onde de choc, c'est une immense reconnaissance qui m'envahit. Si un petit coup frappé à la porte ne nous avait pas interrompues, je crois que je l'aurais serrée dans mes bras.

Greg a apporté les boissons et sa bonne humeur. Assis autour de ma nouvelle table basse, on mange gras, on boit alcoolisé, on rit fort et on discute léger.

— Tiens, j'ai enfin réussi à avoir la fille de Gustave au téléphone, dis-je en buvant une gorgée de lambrusco.

— Donc elle existe vraiment, fait Greg. Ça va faire deux ans que je bosse ici, je ne l'ai jamais vue.

— Pareil, jamais croisée depuis que Gustave est là, ajoute Marine. C'est le seul qui ne reçoit jamais aucune visite. Peut-être qu'elle habite loin ?

— Ouais, hyper-loin, réponds-je. À environ trois kilomètres et demi. Elle doit avoir peur de l'avion, je ne vois pas d'autre explication.

— Tu déconnes ! s'exclame Greg. Elle vit ici ? Mais pourquoi elle ne vient jamais ?

— Aucune idée, mais j'en saurai bientôt plus. J'ai réussi à la convaincre de me rencontrer dans deux semaines.

— Si ça se trouve, ils sont fâchés, dit Marine. Enfin, ça m'étonnerait, y a pas plus gentil que Gustave.

Greg hoche la tête.

— Entièrement d'accord avec Marine. Gustave ne ferait pas de mal à une mouche, même si elle venait de lui chier dessus.

Ce n'est pas la première fois que je remarque l'entrain que met Greg à soutenir les propos de Marine. Et je ne parle pas de son regard, qui ressemble à s'y méprendre à celui qu'on pose sur une tartiflette quand on est au régime.

Je profite d'une pause cigarette sur le balcon pour en discuter avec Marine. Greg est resté à l'intérieur, se moquant de ces fumeurs prêts à se geler pour une dose de nicotine.

— Ça va pas ? Il est homo ! réagit Marine après que je lui ai fait part de mes doutes.

— Arrête, quand il te regarde, il a les yeux qui disent : « J'ai envie de t'arracher les vêtements, de te sauter dessus sauvagement et de te faire crier mon prénom. »

Marine s'esclaffe :

— Peut-être que je ressemble à un mec !

— Ou alors, peut-être qu'il n'est pas du tout gay… Tu n'as jamais rien remarqué ?

— J'ai jamais fait gaffe, tu parles ! rétorque-t-elle en tirant une taffe. Je suis persuadée qu'il est homo, d'ailleurs une fois il m'a parlé de son ex, Jean-Luc. Il ne s'est jamais remis de sa mort. Mais même si c'était le cas, je commence à kiffer le célibat et je compte bien en profiter pour m'amuser un peu. Il est canon, Greg, je crois que sur un malentendu je pourrais me retrouver nue à quatre pattes sur son lit, mais c'est un collègue. Tu sais ce qu'on dit : *No zob in job !*

Quand la soirée se termine, elle s'appelle matin. Chacun regagne son studio en lançant des « Fais attention sur la route » qui nous font pleurer de rire. Je me glisse dans mon lit, habillée, maquillée et, pour la première fois depuis longtemps, le sourire aux lèvres.

Chapitre 20

Mes séances hebdomadaires avec Maryline sont devenues un moment de plaisir. Si on m'avait dit ça il y a plus d'un mois, à mon arrivée...

Bardée de son écharpe « Miss Mamie » comme à l'accoutumée, elle m'a préparé un café et me confie des bribes de sa vie sans jamais se départir de son optimisme.

— Vous êtes au courant ? me demande-t-elle.

— Oui, je suis au courant. Comment vous le vivez ?

Elle hausse ses frêles épaules.

— Quand ils m'ont annoncé le diagnostic, j'ai eu un moment d'hébètement, mais je m'en doutais. Figurez-vous que mon petit-fils Nicolas est venu me voir l'autre jour et je ne m'en souviens pas le moins du monde. Avant, on appelait ça la sénilité, maintenant on dit que c'est Alzheimer. Que voulez-vous, je ne suis pas la première et certainement pas la dernière !

— Vous ne ressentez pas de peine ? De la colère ?

— Ni l'une ni l'autre. Je n'ai pas le droit d'en avoir, la maladie ne m'attaque qu'à la fin d'une longue vie. Beaucoup de gens n'ont pas cette chance. Par contre, j'ai la trouille.

— Vous avez peur de quoi exactement ?

Elle réajuste son écharpe d'une main plus tremblante qu'à l'accoutumée et soupire.

— J'ai peur de perdre tous mes souvenirs. Je me fiche d'oublier ce que j'ai mangé une heure avant, mais j'ai peur d'oublier la joie intense que j'ai ressentie à la naissance de chacun de mes enfants, j'ai peur d'oublier combien j'ai aimé les câliner, les rassurer, les voir sourire… j'ai peur d'oublier les visages heureux de mes petits-enfants quand ils jouaient sous le cerisier de mon jardin, j'ai peur d'oublier la tendresse dans les yeux de mes parents. Je vais m'accrocher à ces souvenirs-là de toutes mes forces, en espérant que la maladie prendra d'abord les autres, puisque je n'ai d'autre choix que de les lui donner.

Elle prend une grande inspiration et poursuit :

— J'ai été élue Miss Mamie 2004, vous savez ! Les juges ont été conquis par ma joie de vivre et mon optimisme, ce n'est pas une maladie au nom imprononçable qui va me faire changer. Certains disent que la vieillesse est un naufrage, moi je pense que c'est une chance. Un honneur. Tout le monde n'y a pas accès. Et puis, je suis persuadée que ce n'est pas pour rien si elle est difficile.

— C'est-à-dire ?

— Si la vieillesse était douce à vivre, personne ne voudrait que ça s'arrête. Le fait qu'elle soit si rude rend l'existence moins attachante. La vieillesse a été inventée pour se détacher de la vie.

J'ai cessé de prendre des notes. Je pourrais écouter Maryline parler pendant des heures sans les voir défiler. Elle me fait l'effet d'un plaid posé sur mes cuisses, un chocolat chaud dans une main, un bon livre dans l'autre.

Elle se lève d'un coup et tire le lourd rideau beige.

— Avec ce temps, on dirait qu'il fait nuit à midi… Je ne m'y fais pas, soupire-t-elle. Vous voulez un café ?

— Merci, je n'ai pas fini le premier.

Ses sourcils se froncent brièvement, avant qu'elle ne chasse ce nouvel oubli en secouant la tête. Le silence s'installe, son regard est plongé dans une autre époque, où je ne suis pas. Je toussote pour lui rappeler ma présence, elle lève un regard hébété vers moi.

— Vous me parliez de votre théorie sur la vieillesse, dis-je.

— Oui, ma théorie… Au fait, vous êtes au courant pour ma maladie ? Il paraît que j'ai Alzheimer…

Chapitre 21

J'avais prévu de passer la matinée dans mon bureau, afin d'y rattraper le retard administratif accumulé ces derniers jours. Il faut dire que, en matière de procrastination, je me pose là. Je ne m'intéresse à mon compte bancaire que quand mon banquier me menace des pires sévices, j'envoie généralement mes vœux de nouvelle année au mois de mars, je paie systématiquement la majoration de retard pour mes impôts, j'ai un tiroir plein d'enveloppes jamais ouvertes, j'attends d'avoir le réservoir de la voiture vide pour faire le plein d'essence, je ne m'occupe des racines de mes cheveux que lorsqu'elles ne s'appellent plus ainsi, j'ai treize ans sur la photo de ma carte d'identité, je suis incapable de garder une plante en vie, je collectionne les Post-it noircis de listes de choses à faire, dont la plupart commencent par « Voir Post-it précédent ».

En bonne psychologue, j'ai conscience que ce comportement est provoqué par ma peur de la mort. En remettant tout à plus tard, je m'assure qu'un « plus tard » aura bien lieu. C'est assez handicapant, j'ai une

To-do list inépuisable dans le cerveau, mais le plus gros problème de ce trouble, c'est que, si j'atteins l'âge des résidents, il me faudra une chambre rien que pour caser mes enveloppes non ouvertes.

J'avais donc prévu de passer la matinée dans mon bureau, mais c'était compter sans le gang des mamies. Chaque matin, je traverse la cour pour rejoindre le bâtiment principal depuis l'annexe. Chaque matin, que le ciel soit de bonne humeur ou non, elles sont là, sur leur banc, Louise, Élisabeth et Maryline, à débriefer la nuit, décortiquer l'actualité et échanger leurs souvenirs. Chaque matin, je prévois quelques minutes pour discuter avec elles avant que mon statut professionnel ne m'impose une certaine réserve. Sans m'en apercevoir, sans m'y attendre, je me suis attachée à ce petit instant entre filles.

Ce matin n'a pas dérogé à la règle, le gang des mamies m'a accueillie avec sa chaleur habituelle.

— Vous avez mal dormi ? m'a demandé Maryline.

— Plutôt bien, pourquoi ?

— Vous avez une mine épouvantable, on dirait que vous avez dix ans de plus !

— Ou alors il faut changer d'oreiller, a ajouté Élisabeth.

— De loin, j'ai cru que vous étiez une nouvelle résidente ! a renchéri Louise.

Elles se sont marrées toutes les trois.

— Ne riez pas trop, vous allez vous faire dessus, ai-je rétorqué, faisant redoubler leur rire, et le mien aussi.

Louise a repris son souffle la première.

— Il n'empêche qu'il va falloir faire des efforts si vous voulez trouver un amoureux, ma petite Julia ! Les hommes aiment les femmes qui s'entretiennent…

— Grand bien leur fasse, je suis très bien toute seule ! Et, si jamais un mec s'intéresse à moi, j'espère bien que ce ne sera pas juste parce que je suis bien maquillée et que je porte des chaussures à talons.

Les trois mamies se sont regardées en secouant la tête.

— C'est un tout, Julia, a expliqué Élisabeth. Vous savez, mon époux a d'abord remarqué mes yeux, puis il a aimé mon sourire, et il est tombé amoureux de mon caractère. On ne vous dit pas de vous transformer, mais au moins d'enlever cette carapace.

— Élisabeth a raison, a approuvé Louise, on voit bien que c'est une armure ! Sous vos cheveux filasse et vos vêtements trop larges, il ne fait aucun doute que vous êtes jolie.

— Enfin, il faut bien gratter pour le voir… a ajouté Maryline. Vous vous promèneriez avec un panneau « Voie sans issue » sur la tête que ça ne serait pas plus clair.

J'ai levé les yeux au ciel. D'accord, je préfère porter des jeans et des baskets que des robes et des escarpins, d'accord, je fais le strict minimum en matière de beauté, hydratation, mascara et basta, d'accord, mes cheveux châtains tombent sur mes épaules sans réelle coupe, mais je pense n'avoir jamais traumatisé un enfant dans la rue.

— C'est bon ? Vous avez fini mon contrôle technique ou vous voulez que je vous montre le verrou à ma culotte ?

Elles sont reparties à rire, avant que Louise ne s'adresse à ses deux amies.

— On pourrait lui proposer de venir avec nous ?

— Elle ne tiendra pas cinq minutes, a répondu Maryline en secouant la tête.

Mon intérêt était piqué.

— De quoi vous parlez ?

— Nous avons un cours de gymnastique douce dans une demi-heure, a expliqué Élisabeth. Mais il est assez physique : si vous n'êtes pas sportive, n'y pensez même pas.

J'ai ricané. Une séance de gym prévue pour des personnes ayant dépassé l'espérance de vie serait une partie de rigolade pour une trentenaire en pleine forme. Certes, mon dernier cours de sport remonte au lycée et je frôle la rupture d'anévrisme des cuisses chaque fois que je monte un étage, mais ces femmes ont près du triple de mon âge. Comment pouvaient-elles penser que je ne résisterais pas à quelques mouvements ?

— Je passe à mon bureau boucler deux ou trois trucs et je vous rejoins.

C'est ainsi que je me retrouve dans la petite salle réservée aux activités sportives, entourée du gang des mamies, de Gustave, Jules et Arlette, tous vêtus comme s'ils s'apprêtaient à courir un marathon. La prof, Svetlana, est une jolie blonde avec un léger accent et l'air aussi doux qu'un rouleau de papier toilette triple épaisseur. Je vois mal comment son cours pourrait me mettre en difficulté.

— Nous allons commencer les échauffements, en place !

9 h 30 : C'est parti pour une heure de gymnastique douce. Je ne sais pas ce qui m'a pris de céder, ce n'est pas comme si j'avais une tonne de dossiers à mettre à jour au bureau… Si Anne-Marie passe dans le coin, je plaiderai la dimension psychologique du sport.

9 h 34 : On effectue des rotations de poignets depuis quatre minutes, je pense qu'ils sont bien échauffés.

9 h 35 : Si on continue ce mouvement, mes mains vont se dévisser.

9 h 37 : Alléluia ! On passe aux épaules. Peut-être que demain matin on commencera la gym.

9 h 40 : La musique serait agréable, si elle n'était pas couverte par le *Concerto des articulations en ré mineur*.

9 h 43 : Les chevilles maintenant. Si je m'endors, que quelqu'un me réveille.

9 h 45 : Peut-être que, si je sors discrètement, personne ne me verra…

9 h 46 :

— Alors Julia, vous nous quittez déjà ?

Quelle fouine, cette Maryline.

— Pas du tout, je vérifiais juste si la porte était bien fermée.

9 h 48 : Je me demande s'il est possible de décoller en battant des chevilles.

10 heures : Je sursaute en entendant la voix de Svetlana. Il se peut que je me sois assoupie quelques minutes.

10 h 01 : Premier exercice, on doit enrouler le haut du corps vers le bas. Les plus souples pourront toucher le sol avec leurs mains, ajoute Miss Moltonel.

10 h 02 : Fière de moi. Mes doigts sont à la hauteur de mes chevilles. Elles doivent moins fanfaronner, les trois momies.

10 h 03 : Je jette discrètement un œil vers le gang des mamies, pour m'assurer de leur admiration. Je leur avais bien dit que ce serait de la rigolade pour moi.

10 h 04 : Elles sont l'inverse d'admiratives. En réalité, elles ne font même pas attention à moi. Louise

touche ses orteils, Élisabeth frôle le sol et Maryline a les mains à plat sur le tapis.

10 h 05 : Faire comme si je ne les voyais pas, faire comme si je ne les voyais pas. Je force un peu pour atteindre mes orteils. Ça tire, mais il ne sera pas dit que j'ai été ridiculisée par des octogénaires.

10 h 06 : C'est l'ostéoporose qui doit les rendre souples.

10 h 07 : Allez, encore un petit effort, Julia, ne pense pas à la douleur derrière tes cuisses, tu y es presque.

10 h 08 : Svetlana et son accent nous invitent à nous relever lentement, le dos rond.
J'essaie donc de me relever lentement, le dos rond.

10 h 09 : J'essaie donc de me relever lentement, le dos rond.

10 h 10 : J'essaie donc de me relever lentement, le dos rond.

10 h 11 : Bon. Il semblerait que je sois coincée.

10 h 12 : J'ai beau essayer de me relever, apparemment mes reins se sont mis en grève. Une douleur insupportable m'électrocute le bas du dos à chaque tentative.

Si quelqu'un s'en rend compte, je vais être l'objet de moqueries jusqu'à la fin de mon contrat.

10 h 13 :

— Julia, vous pouvez vous relever, nous passons à l'exercice suivant !

— Non merci, j'aime bien cette position, j'y reste.

10 h 14 : Pendant que les autres font des cercles avec leur bassin, je négocie avec mes lombaires. Allez, soyez mignonnes, laissez-moi me relever. Je ne peux pas rester comme ça, voyons ! Si vous obéissez, je vous offre un massage.

10 h 15 : Mes lombaires ne réagissent pas au chantage.

10 h 16 : Et si je restais dans cette position à vie ?

10 h 17 : Comment je vais faire pour me brosser les dents ?

10 h 18 : Et les autres qui continuent leurs mouvements comme si je n'étais pas en train de me transformer en cintre...

10 h 19 : Tout mon sang a rejoint ma tête. Elle va exploser, il y en aura partout et tout le monde s'en fout.

10 h 20 : Maryline, en grand écart, m'observe en fronçant les sourcils. Elle se doute de quelque chose. Tu m'étonnes, le visage violet, c'est rarement bon signe.
Je lui adresse un large sourire et un signe de la main. TOUT. VA. BIEN.

10 h 22 : J'ai tout essayé : m'accroupir, pousser sur mes bras, prier, rien n'y fait. À chaque fois, je me retiens de hurler tellement j'ai mal.

10 h 25 : Dans une ultime tentative pour retrouver la position debout – et ma dignité –, je viens de lâcher un gémissement qui se situait entre le meuglement et la tronçonneuse. Résultat : sept mines graves encerclent mes fesses.

10 h 26 : Je me demande si on peut mourir de honte.

10 h 27 : Madame Lotus pose sa main sur mon dos : « Essayez de vous relever. »
Ah tiens, pourquoi n'y ai-je pas pensé avant ?

10 h 28 : Elle insiste : « Poussez sur vos jambes et relâchez votre sphincter. »
Vu l'endroit où se trouve sa tête, je pense qu'elle ne tient pas vraiment à ce que je relâche mon sphincter.

10 h 29 : Gustave m'attrape sous les épaules et me déverrouille lentement. Mon sang se remet à circuler, mais la douleur dans le bas du dos m'arrache un cri.

— J'ignorais que mon cours était dangereux, lance Svetlana, provoquant une onde de rire dans les rangs du troisième âge.

Mais c'est que ça fait de l'humour, en plus !

10 h 30 : La séance est terminée, les sportifs quittent la salle, non sans m'avoir demandé si je voulais un médecin/le SAMU/un antidouleur/une bouillotte/de l'aide. J'ai tout décliné, arguant, en grimaçant, que la douleur s'estompait déjà. Dans l'entrebâillement de la porte, Gustave se retourne et me désigne quelque chose du regard.

Sous la fenêtre, dans un coin de la pièce, il m'a laissé un allié : son déambulateur.

Chapitre 22

Les patients assis dans la salle d'attente ont bien essayé de masquer leur effarement. Mais une trentenaire qui imite l'équerre, flanquée d'un déambulateur et de trois octogénaires en pleine forme, ça ne se voit pas tous les jours.

Maryline, Élisabeth et Louise, mes bourreaux, ont tenu à m'accompagner.

— Ça me fera prendre l'air, a argumenté Louise. En plus, la mercerie est juste à côté de l'hôpital, je dois acheter de la laine.

— Nous sommes un peu responsables de la situation, a renchéri Élisabeth. Si nous ne vous avions pas provoquée, vous ne vous seriez pas blessée.

— C'est vous, les responsables ? s'est étonnée Maryline. Comment avez-vous fait ? La pauvre petite…

Anne-Marie nous a déposées en minibus et viendra nous récupérer une fois la consultation passée. Le plus vite possible, je l'espère.

Assise tant bien que mal sur une chaise en plastique orange, je feuillette un *Paris Match* de juin 1997.

Michael Jackson présente son *History Tour*, Paco Rabanne annonce la fin du monde pour bientôt, Lady Di savoure sa liberté retrouvée et une double page est consacrée à un objet original : le téléphone mobile.

Les salles d'attente des urgences ne s'encombrent pas de lectures intéressantes. À quoi bon ? Les gens y sont tellement inquiets qu'ils peuvent lire le règlement en boucle ou compter les carreaux, pourvu que leurs pensées soient concentrées sur autre chose que leurs symptômes.

Aujourd'hui je n'ai pas peur. J'ai certainement un lumbago, je vais me gaver d'antalgiques et, en quelques jours, ça ira mieux. Je n'ai pas besoin de lire le règlement ni de compter les carreaux. Mais ces murs blancs, cette odeur caractéristique et cette lueur d'angoisse dans les yeux de ceux qui m'entourent me rappellent un mercredi soir, il y a des années.

J'avais sa main dans la mienne, elle ne m'avait jamais semblé aussi fragile. Comme si sa peur la rendait vulnérable jusqu'au bout des doigts. On a attendu longtemps, ce soir-là. Assez pour que je demande au Quelqu'un-là-haut de l'épargner un bon million de fois. Elle avait pansé mes égratignures aux genoux, elle avait fait des bisous magiques sur mes bobos, elle avait guéri mes peines d'enfant, et moi je me sentais impuissante, à enchaîner les « Ne t'inquiète pas, Maminou, ça va aller » sans en être convaincue. Sans oser croiser son regard. Ce regard, putain. Un regard d'enfant apeuré qui contrastait avec ses traits marqués. Le regard qu'on espère tous ne jamais croiser dans le miroir. Le regard de celui qui sait que tout va basculer.

C'est mon nom qu'elle avait donné quand l'infirmière lui avait demandé si elle souhaitait prévenir un proche, et je ne parvenais pas à la rassurer. Alors on attendait, main dans la main, qu'une blouse blanche vienne nous délivrer en quelques mots.

Il y en a eu quatorze. « Nous sommes désolés, nous avons tout tenté, mais nous n'avons pas pu le ranimer. » Mon grand-père était arrivé dans un camion rouge et repartirait dans un camion noir. Sa vie était terminée. Celle de ma grand-mère un peu aussi. Je l'ai serrée fort, fort, fort, j'aurais voulu mettre des pansements sur son cœur, trouver le remède à ses larmes, mais certains bobos sont plus forts que les bisous magiques.

La psychologue de l'hôpital s'appelait Marie Etchebest. Elle avait la voix douce et les mots apaisants, elle a expliqué les étapes du deuil et écouté ma grand-mère pleurer. Elle était là quand on lui a dit au revoir. Elle a appelé un taxi et nous a accompagnées jusqu'à lui. En la quittant, ma grand-mère lui a dit qu'elle ne l'oublierait jamais. Un mois plus tard, je passais le bac et je m'inscrivais en psychologie.

— Ça commence à être un peu long, j'ai mal au dos ! lance Maryline.

Je fronce les sourcils et lui réponds :

— Je vous signale que, par votre faute, je ressemble à un origami, alors je revendique le monopole du mal de dos.

Deux heures et trente-trois minutes plus tard, je connais par cœur la longue liste des douleurs du gang des mamies. Un *Docteur Maboule* grandeur nature. Ça me fait mal de l'avouer, mais je préfère avoir un lumbago que quatre-vingts ans. Ça me fait mal de l'avouer (bis), mais je préfère la compagnie de ces trois femmes à la lecture de *Paris Match*.

On en est au petit doigt gauche d'Élisabeth, déformé par l'arthrose, lorsqu'une voix masculine appelle mon nom. J'attrape mon déambulateur, insiste pour que mes trois compagnes ne me suivent pas, et me traîne jusqu'à l'interne qui me guide vers le box de consultation.

— Pourquoi vous marchez avec un déambulateur ?

Parce que j'aime bien, ça donne un genre… Il faut vraiment faire médecine pour poser ce genre de question ?

— Je me suis bloqué le dos en faisant de la gym.

— Dans un club de fitness ?

— Non, dans une maison de retraite.

Il me regarde comme si je faisais un AVC.

— Je travaille dans une maison de retraite, j'accompagnais les résidents et j'ai fait un faux mouvement.

— D'accord. Déshabillez-vous et penchez-vous en avant.

Je me retiens de lui dire que ça fait longtemps qu'on ne m'a pas dit de telles choses et je m'exécute, aussi rapidement que la douleur me le permet.

Il se glisse derrière moi et pose ses mains sur le bas de mon dos. Je frissonne. Un homme me touche et il n'a pas quatre fois mon âge, ça faisait longtemps. Bon, il a des yeux de personnage de manga et des dents à décapsuler des bières, mais un homme me touche.

— Pas trop dur de bosser avec des vieux ? demande-t-il.

— Moins que je le pensais, réponds-je en essayant de ne pas prendre une voix d'actrice X.

Il enfonce ses doigts le long de ma colonne. Je frémis.

— Je ne sais pas si je pourrais, poursuit-il.

— Je me posais la question, mais en fait ça va. C'est vrai que c'est un peu déprimant, on se projette forcément. C'est vraiment dur de vieillir… Mais ça aide aussi à relativiser et à profiter de l'instant présent. C'est très étrange de parler de choses profondes avec quelqu'un qui a une vue plongeante sur ma culotte.

Je me mords la langue. Sans rire, qu'est-ce que je peux bien attendre d'une phrase pareille ? Qu'il me propose de me l'enlever avec les dents ?

Il m'attrape par les épaules et redresse mon buste.

— Je ne pensais pas à ça, continue-t-il, je suis loin d'être vieux ! Mais je ne sais pas, c'est un peu avilissant de côtoyer des vieux qui sentent l'urine, de changer leurs couches, de les entendre radoter, non ? En plus, ils se croient tout permis et passent leur temps à se plaindre. Je crois qu'à votre place, je prierais pour que la canicule revienne.

La bonne nouvelle, c'est qu'il vient de coller une raclée à mes fantasmes. La mauvaise, c'est que j'ai envie de lui en mettre une à lui, et que je ne suis pas en état.

Il y a moins de deux mois, j'aurais été tout à fait capable de tenir – plus ou moins – les mêmes propos. À ma grande surprise, les entendre aujourd'hui provoque en moi comme un instinct de protection. « Touche pas à mes vieux. » Il va falloir que j'aille faire un tour sur le divan.

Je ne dis plus un mot avant qu'il ait terminé de me palper le dos et donné son diagnostic : un lumbago, j'avais raison, les hypocondriaques sont les meilleurs médecins. Puis, je remets mes vêtements et le toise, avant de lui asséner la réplique que je prépare depuis plusieurs minutes.

— Le plus dur, ce ne sont pas les vieux. Ce sont les cons. En plus, la canicule ne peut rien contre eux.

Et je fais une sortie triomphante, la tête haute.

Avec mon déambulateur.

Avril

« Être heureux ne signifie pas que tout est parfait.
Cela signifie que vous avez décidé
de regarder au-delà des imperfections. »

Aristote

Chapitre 23

Martine, la fille de Gustave, n'a pas le physique de son caractère. De grands yeux clairs que les pattes-d'oie rendent encore plus doux, une bouche qui sourit même au repos et des joues rondes comme si elles abritaient des pommes, c'est le genre de femme à qui on a envie de dire bonjour quand on la croise dans la rue. Seulement voilà, quand elle ouvre la bouche, on a plutôt envie de lui dire au revoir.

Elle est dans mon bureau depuis trois minutes et je regrette déjà d'avoir demandé à la rencontrer. « Je vous prie de vous dépêcher, je n'ai pas que ça à faire » a été sa première phrase. Je me dépêche donc.

— Il me semblait important de discuter avec vous de votre papa…

— Mon papa ? Vous croyez que j'ai cinq ans ?

J'encaisse et je poursuis.

— Bien. Comment percevez-vous l'humeur de votre père en ce moment ?

— Je n'en sais rien, je ne le vois pas. Mais j'imagine que vous ne m'avez pas fait venir pour m'apprendre qu'il va bien…

— Vous êtes fâchés ?

Elle écarquille les yeux.

— Je n'ai pas pour habitude de parler de ma vie personnelle à des étrangers.

— Puis-je juste vous demander s'il vous est possible de lui rendre visite de temps en temps ?

— Oui.

— Oui quoi ?

— Oui, vous pouvez me le demander. Mais je n'ai pas à répondre à vos questions. J'ai bientôt soixante ans, croyez bien que je n'ai aucun compte à vous rendre.

Vous venez, on va se balader au bord de la falaise ?

— Madame Luret, personne ne cherche à vous faire la leçon. Je suis désolée si vous le prenez comme ça. Je suis ici depuis peu et j'ai l'impression que votre père souffre de ne pas recevoir de visites. Je voulais m'assurer que vous étiez au courant, maintenant je sais. Merci d'être venue, vous allez pouvoir retourner à vos occupations.

Je me mets debout ; elle reste assise. Ses joues sont devenues écarlates, ses sourcils se touchent, sa bouche a presque disparu. Je crois qu'elle est en train de se transformer.

— C'est pour *ça* que vous m'avez dérangée ?

— Pardon ?

— Vous n'avez pas une nouvelle à m'annoncer, une maladie, un souci financier ou quoi que ce soit qui explique votre besoin urgent de me rencontrer ?

Elle se lève à son tour et se dirige vers la porte. Au moment de l'ouvrir, elle se retourne et me lance une dernière recommandation :

— Ne dites pas à mon père que je suis passée.

Elle referme la porte sur ses talons qui claquent. Je me demande comment Gustave a pu engendrer une personne si différente de lui. Je comprends mieux pourquoi il considère la vie comme une blague, sa fille est aussi avenante que le chandelier du Cluedo. J'ai de la peine pour le vieil homme, mais il serait peut-être plus malheureux de la voir souvent, finalement.

Il est en train de gratter la terre du potager lorsque je le rejoins, à petits pas. Mon dos va mieux, mais on est encore loin des sauts périlleux.

— Bonjour Gustave !

Il m'adresse un grand sourire.

— Bonjour, ça va, Lise ?

— Ça va très bien et vous ? Qu'est-ce que vous plantez de bon ?

— Des artichauts et des asperges. J'ai acheté les plants chez Mirol hier, mais j'aurais mieux fait de les prendre chez Maïder, comme d'habitude. Regardez-moi ces vilaines feuilles… Tiens, vous connaissez le comble pour un marchand de légumes ?

— Euh… non ?

— C'est de raconter des salades !

Il éclate d'un rire qui n'a rien de naturel.

— Vous vouliez me dire quelque chose ? me demande-t-il en essuyant ses mains sur son tablier.

— Non, je passais juste voir si tout allait bien. Je vous vois souvent jardiner, c'est votre passion ?

— J'aime cultiver, oui. Au début il n'y a rien, tout est à fabriquer. On sème une graine, on en prend soin, on la bichonne et on voit la tige pousser, grandir, puis donner des fruits… C'est comme la vie, en somme. Tenez, vous connaissez le comble pour un jardinier ?

— Non plus…

— C'est de baisser son pantalon pour faire rougir ses tomates.

Il se remet à rire, et j'y perçois un peu de peine. S'il savait…

— Bon, je suis contente que tout aille bien. Je vous laisse à vos légumes, on se voit demain dans votre studio.

— D'accord, à demain ! répond-il en repiquant un plant de poireaux.

Je commence à m'éloigner lorsque sa voix me parvient.

— Elle allait bien ?

Chapitre 24

C'est dimanche.

Greg tenait à nous faire visiter son appartement, alors nous voilà, Marine et moi, sonnant à l'interphone d'un vieil immeuble du centre de Bayonne. Elle souffle.

— Il est relou, Greg. J'aurais préféré me vautrer sur la plage avec ce beau temps. Et puis, je vois pas trop l'intérêt de nous faire visiter un appartement en travaux. On regarde un film quand il est terminé, pas quand il est en tournage.

Elle râle depuis qu'on est parties. Il fait trop chaud, je n'avançais pas assez vite, les gens conduisent mal, ses cheveux font exprès de se jeter dans ses yeux, tout est bon pour grommeler. De deux choses l'une : soit Léon s'est emparé de son corps, soit il s'est passé quelque chose.

La porte s'ouvre avant que j'aie le temps de lui poser la question. En haut de l'escalier, Greg nous accueille d'un grandiloquent « Bienvenue chez moi ! ».

Marine a raison. Visiter un appartement en travaux, ça n'a aucun intérêt, si ce n'est faire des stocks de poussière dans les poumons. Plusieurs cloisons ont été abattues pour « créer une grande pièce à vivre et faire entrer la lumière », on dirait qu'un obus s'est écrasé ici. Le sol est recouvert de bâches, les fenêtres sont pleines de traces, il est impossible de se projeter.

— Tu vas être bien, dis-je quand même, par compassion, alors qu'il nous présente la future cuisine.

— J'y compte bien ! J'avais besoin de tout changer après la mort de Jean-Luc… Trop de souvenirs. Ce sera un nouveau départ ! Venez voir, dit-il en nous entraînant dans le couloir, la chambre est terminée.

Il ouvre la porte en grand : « Tadaaaam ! »

— T'as raison, c'est magnifique ! ironise Marine en hochant la tête. Enfin, je suppose, parce que là, c'est difficile à voir…

Autour du lit, qui trône au milieu de la pièce sous des monceaux de vêtements, les cartons s'empilent, parfois jusqu'au plafond. Deux armoires sont collées contre la fenêtre et un réfrigérateur est glissé entre une cloison et un four.

— Mais si, regarde ! insiste-t-il. Là, on voit un peu de parquet, il est sympa, hein ? Et ici, derrière la porte, vous pouvez vous faire une idée de la couleur des murs. J'ai fait mettre du béton ciré, j'adore !

Ça a l'air joli, mais ce n'est pas ce qui m'intéresse. Posé contre la tête de lit, un grand cadre en liège attire mon attention. Dessus sont épinglées plusieurs photos, visiblement tirées de magazines.

— C'est toi sur les photos ?

— Oui, c'est ma mère qui m'a offert ce cadre à ma gloire… répond-il, l'air gêné.

— Mais qu'est-ce que tu fous dans des magazines ? s'enquiert Marine.

— Ça date un peu, j'ai joué dans une pub, une série et j'ai eu un petit rôle dans un film.

— Sans déconner ? T'es acteur ?

Il hausse les épaules.

— J'aurais aimé, mais les places sont chères. J'ai tenté ma chance, j'ai vécu trois ans à Paris, je n'ai pas percé, alors j'ai lâché l'affaire. Fin de l'histoire.

— Tu ne regrettes pas ? je demande.

— Non, parce que ça m'aura au moins permis de rencontrer Jean-Luc. Parfois, je me demande quelle vie j'aurais eue si ça avait marché. Mais, franchement, je suis hyper-heureux dans mon job. Je n'ai pas la reconnaissance du grand public, mais les sourires des résidents pendant les activités m'apportent autant.

Marine essaie de se frayer un passage entre les cartons.

— C'était quoi, comme pub ? Le visuel me rappelle quelque chose…

— J'ai complètement oublié, c'est vieux ! répond-il en refermant brusquement la porte du capharnaüm.

— Oh putain, je me souviens ! s'écrie-t-elle en riant.

Je sors la première, le sourire aux lèvres face à l'humeur soudainement joviale de Marine, même si elle n'a rien voulu me dire de cette publicité mystère. Il s'évanouit instantanément lorsque la sonnerie de mon téléphone retentit. Sur l'écran, le numéro qui s'affiche me fait l'effet d'une gifle. Je ne l'ai pas oublié. C'est celui de Marc.

Chapitre 25

Élisabeth et Pierre constituent le seul couple des Tamaris. Depuis le début, ils tiennent à assister ensemble aux séances. « Nous n'avons aucun secret l'un pour l'autre. »

Assis chacun de son côté du canapé, ils sirotent un verre de citronnade préparée par Élisabeth. À la fin de mon contrat, j'aurai pris trente kilos.

Aujourd'hui, Pierre a une petite forme.

— Je suis épuisé… Ma tête est pleine de volonté, mais mon corps ne suit plus. Le moindre effort me vide complètement. Ce matin, j'ai accompagné mon épouse au marché, nous avons dû faire plusieurs arrêts pour que je reprenne des forces. Si seulement je pouvais me dire que c'est passager… Mais j'aurai beau faire, aucun entraînement ne me rendra mon énergie.

— C'est le plus dur, renchérit Élisabeth. Comprendre que le corps est une machine qui s'use et qui finira par tomber en panne. Chaque jour, j'y vois un peu moins. Je serai bientôt dans le noir total… à moins qu'un autre organe ne s'éteigne avant.

— Ça vous fait peur ? j'ose demander, comme si la réponse n'était pas évidente.

— Je suis terrifiée, répond-elle. C'est passé tellement vite… Hier, j'étais une jeunette et voilà que c'est bientôt fini. Je n'arrête pas de me demander comment se passeront mes derniers instants. C'est difficile de ne plus faire de projet, de savoir que nous quitterons bientôt ceux que nous aimons. Nous sommes bien dans cette vie, je serais bien restée un peu plus longtemps.

— J'ai surtout peur pour les petits, ajoute Pierre. Nos enfants, nos petits-enfants et nos arrière-petits-enfants sont très attachés à nous. J'espère qu'ils se remettront vite… Enfin, j'espère aussi qu'ils ne nous oublieront pas !

Élisabeth prend une longue inspiration et regarde Pierre.

— J'ai peur, c'est vrai. Mais j'espère quand même partir avant mon époux. En cinquante-neuf ans, nous n'avons pas été séparés plus d'une journée. Pas une seule fois ! Il m'a accompagnée tout au long de ma vie, il a toujours été là, dans les gestes du quotidien, dans les grands bonheurs, dans les drames. J'espère que ce qu'on dit est vrai : qu'il existe vraiment un ailleurs où nous nous retrouverons.

— Et moi, j'espère que c'est moi qui partirai le premier ! Sinon, qui me massera les doigts pour soulager mon arthrose ?

Ils se mettent à rire.

On se disait la même chose, avec Marc. Qu'on ferait tout pour partir en même temps, parce qu'on serait incapables d'avancer l'un sans l'autre. Pourtant, je suis toujours en vie et, d'après son message, lui aussi.

Je n'ai pas répondu quand il a appelé. J'ai hésité tout le temps qu'ont duré les sonneries, mais j'ai tenu bon. J'avais attendu son appel. Longtemps. Les premiers jours après mon départ, je n'avais aucun doute : il allait me supplier. J'avais d'ailleurs prévenu Marion : je ne resterais que quelques jours sur son canapé, parce que tout allait s'arranger. Marc comprendrait qu'il n'avait pas été à la hauteur, il mettrait tout en œuvre pour se faire pardonner. Ça lui servirait d'électrochoc et il deviendrait le petit ami que tout le monde rêve d'avoir.

Je ne crois pas que le petit ami que tout le monde rêve d'avoir puisse mettre neuf mois à rappeler la femme de sa vie.

— On vous a déjà raconté notre rencontre ? me demande Pierre avant d'enchaîner sans attendre ma réponse. Nous vivions encore en Tunisie. Je marchais avenue de Paris, à Tunis, quand j'ai croisé cette beauté. Je n'ai jamais oublié. Elle portait un foulard dans les cheveux, comme Brigitte Bardot, un tailleur rose chiné et des ballerines. Vous l'auriez vue : une vraie star de cinéma !

Élisabeth se lève, attrape un cadre sur la commode et me le tend.

— Vous devez avoir du mal à imaginer, tenez, c'est une photo de notre mariage. C'est vrai que j'étais belle !

Elle porte une longue robe en dentelle et un sourire timide. Ses cheveux blonds sont relevés en chignon. Elle tient dans ses mains un bouquet et sans doute pas mal d'espoirs. Il porte un costume sombre et un air heureux. Son bras entoure ses épaules : ça y est, la jolie jeune femme de l'avenue de Paris porte son nom.

Cette photo me bouleverse.

Elle est en noir et blanc, mais elle pourrait dater d'hier. Ils ont été jeunes eux aussi. Ils ont eu mon âge. Ils ont eu des projets, des fous rires, des galères, ils ont fait l'amour, ils ont eu des parents, des amis, des bébés. Ils ont eu une vie. Il y a cinquante ans, eux non plus ne pensaient pas être vieux un jour.

J'ai longtemps vu les personnes âgées uniquement comme des personnes âgées, en faisant fi des personnes qui se cachaient sous leurs cheveux gris.

Un jour, peut-être, quelqu'un regardera les photos d'une mamie en prenant conscience qu'elle a été jeune. Qu'elle prenait des *selfies* en faisant la *duckface*, qu'elle aimait rire aux éclats, qu'elle avait pas mal d'amoureux, qu'elle adorait ses amies. Un jour, la mamie de la photo, ce sera moi.

— Vous pleurez, Julia ?

Merde. Je pleure.

Comme si de rien n'était, Pierre poursuit leur histoire. Gratitude.

— Elle était avec sa cousine Marie-Josée, que je connaissais. Je les ai donc saluées et j'ai continué mon chemin, en me demandant comment je pourrais recroiser cette Élisabeth qui m'avait envoûté. Alors je me suis mis à courir.

Élisabeth glousse. Il lui sourit et reprend.

— J'ai couru aussi vite que mes jambes me le permettaient. J'ai pris la première ruelle et j'ai remonté l'avenue parallèle dans le sens inverse. Quelques minutes plus tard, je les croisais à nouveau comme si c'était normal. J'étais sans doute un peu échevelé, mais elle a accepté lorsque je l'ai invitée à dîner.

— Tu étais parfait, minaude la vieille dame. Dans trois mois, nous fêterons nos soixante ans de mariage. J'aime autant vous dire que cela n'a pas été rose tous les jours. Il y a eu des périodes difficiles, des crises, comme disent les jeunes. On ne passe pas toute une vie ensemble sans faire quelques concessions. Mais aujourd'hui je peux l'affirmer : je n'aurais pas pu rêver meilleur époux…

— Arrête un peu, tu vas refaire pleurer la petite…

En quittant leur studio, j'ai la tête pleine. C'est moi la psychologue, mais j'ai l'impression que les résidents m'apportent bien plus que le contraire.

Les mots d'Élisabeth ne me quittent pas. « On ne passe pas une vie ensemble sans faire des concessions. » Dans son message, Marc dit qu'il m'aime encore. Qu'il regrette. Et si c'était lui, mon Pierre ? Et si je ne trouvais aucune ruelle pour bifurquer et recroiser son chemin ? Et si j'avais fait une énorme connerie ?

À peine arrivée dans mon bureau, je sors mon téléphone et compose son numéro.

Chapitre 26

Parfois, j'aimerais être muette.

Par exemple, le soir où ils ont demandé qui était volontaire pour accompagner les résidents au concert de Frank Michael, j'aurais préféré être muette. Ou frappée par un harpon.

Au lieu de ça, j'ai levé la main en souriant. Oui-Oui au pays des merveilles.

C'est comme ça. Pour une raison qui me dépasse totalement, parfois je suis comme possédée par un esprit bienveillant, voire franchement niais. Celui-là même qui, alors que je venais de donner mon tout premier baiser, dans une boum, à un garçon que je n'avais jamais vu avant, m'a poussée à le regarder droit dans les yeux et à lui promettre qu'il serait le père de mes enfants. Ou qui m'a encouragée à proposer à mon ex-belle-mère de passer aussi souvent qu'elle le voulait. Ou qui valide les propositions du coiffeur, même quand elles consistent à me raser la moitié de la tête.

Cette fois, mon double bienheureux a jugé bon de me faire assister au concert d'un chanteur qui a le nom de George et le prénom de Ribéry. La prochaine fois qu'il se manifeste, je lui donne un coup de boule.

Nous sommes douze dans le minibus. Louise a gagné deux places au Bingo et invité Gustave ; Arlette, Élisabeth, Pierre, Mina, Mohamed, Léon et Lucienne en ont acheté une, de même qu'Isabelle, Greg et moi, qui jouons les accompagnants.

Greg est au volant, Isabelle à deux doigts de l'attaque.

— Oh mon Dieu ! Oh mon Dieu ! Je ne l'ai pas vu depuis cinq ans, je suis trop excitée !

— Ça ne se voit presque pas, rétorque Léon en réglant son appareil photo.

— Ah bon ? répond-elle innocemment. Pourtant je tremble comme une feuille, j'ai l'impression de faire une crise de spasmophilie !

— Si seulement…

La chargée d'accueil, insensible aux sarcasmes du vieil homme, poursuit sa litanie. Isabelle, d'ordinaire peu loquace sur sa personne, ne nous épargne aucun détail : de son enfance bercée à la voix du chanteur, à son frère qui porte pour prénom Frank-Michael en son hommage, en passant par la collection de photos dédicacées que possède sa mère, le tout entrecoupé de gloussements stridents. Dans la famille des fans de Frank Michael, je demande l'hystérique.

Les autres passagers commencent à perdre patience lorsque le véhicule s'arrête.

— C'est bon, j'ai trouvé une place ! lance Greg. Dans quelques minutes on y sera !

Tout le monde applaudit et s'enthousiasme. Moi aussi, mais pas pour les mêmes raisons. Si mes lèvres n'arrivent pas à se départir de ce sourire niais, si j'ai supporté sans la jeter par la fenêtre le monologue d'Isabelle, si je suis d'humeur si joyeuse, ce n'est pas parce que je m'apprête à assister au concert de Frank Michael. C'est parce que, demain, je vais revoir Marc.

Il a répondu à la première sonnerie. Quand j'ai entendu sa voix, le mur que j'avais mis entre lui et moi s'est effondré. Bordel ce qu'il m'avait manqué.

Je ne le lui ai pas dit. Lui, si. Il ne voulait pas qu'on se retrouve par téléphone. Alors il a réservé un billet d'avion pour venir passer le week-end avec moi. Puis il a dit « Je t'aime » avant de raccrocher.

J'ai répondu « Moi aussi », mais après avoir raccroché.

Chapitre 27

À la deuxième chanson de Frank Michael, j'ai envie de dormir.

À la troisième, j'ai envie de pleurer.

À la cinquième, j'ai envie de mourir dans d'atroces souffrances.

Depuis la zone réservée aux handicapés où il accompagne Mina et Mohamed, Greg me mime une corde passée autour de son cou. Je lui réponds en posant deux doigts contre ma tempe. Élisabeth me lance un regard noir. Je me tasse dans mon siège, tandis qu'Isabelle, debout sur le sien, joue la choriste-fan. Ou l'épileptique, on ne sait pas trop.

Elle ne détonne pas avec le reste de la salle. Si les quelques messieurs présents tentent de dissimuler leurs yeux brillants sous des mines blasées, les spectatrices sont déchaînées. Je ne serais pas surprise de voir voler des gaines.

La rangée derrière la nôtre accueille visiblement le plus fervent fan-club du chanteur : une dizaine de sexagénaires qui portent un tee-shirt à son effigie et un sourire d'adolescente victime de sa première ovulation. Je les observe en nous imaginant, Marion, moi, nos rides et nos cheveux blancs, hurlant de toutes nos forces à un concert de Jean-Jacques Goldman ou de U2 quand, soudain, mon cœur manque un battement : là, à moins de dix mètres de moi, je reconnais Anna, la meilleure amie de ma mère.

Si elle me voit, ma mère saura dans la minute que je suis à Biarritz et je pourrai dire adieu à ma traversée intérieure en solitaire. Accepter de ne pas accompagner son enfant dans un moment difficile, même si c'est son choix, ça dépasse complètement les capacités de ma mère. Ça, et la cuisine.

Il ne faut pas qu'Anna me voie.

Facile pour l'instant, elle est bien trop occupée à reluquer Franky, mais ce sera une autre histoire quand il aura quitté la scène. Peut-être que si je prends la perruque de Lucienne…

Quand le concert se termine, j'ai un torticolis.

J'ai passé plus d'une heure à contempler le mur de gauche. Si Anna me reconnaît, elle peut participer à « Incroyable talent » : « Je suis capable d'identifier les gens à la forme de leur nuque. »

Isabelle est en larmes, les résidents ont l'air ravis de leur sortie, même Léon applaudit. Si j'arrive à sortir d'ici sans croiser Anna, on pourra dire que c'était une soirée réussie.

— On va attendre que tout le monde soit parti, ce sera plus facile, dis-je au groupe.

— De toute manière, vu le confort des sièges, on va mettre une heure à se lever, ricane Louise.

— Vous pouvez compter sur moi pour vous aider ! lui répond Gustave.

Il va falloir que je garde un œil sur ces deux-là. Je ne serais pas surprise qu'on les retrouve un de ces soirs en train de jouer au strip-bingo.

— J'ai envie de faire pipi ! lance Lucienne.

— Moi aussi ! ajoute Élisabeth.

— Ah oui, moi aussi ! approuve Gustave.

— Comme si nous n'avions que ça à faire… Vous ne pouviez pas mettre une protection ? grogne Léon.

Louise lui adresse un large sourire.

— Les couches font un gros derrière. Certaines personnes prennent soin de leur apparence, même à un âge avancé. Vous devriez essayer, cela vous ferait peut-être du bien !

Il paraît que, quand on veut, on peut. Manifestement, quand on ne veut pas, on peut aussi. Je ne voulais pas croiser Anna, pourtant me voilà nez à nez avec elle à la sortie des toilettes. La poisse.

Peut-être que si je me mets à parler slovaque, elle croira que je suis un sosie ?

Comment dit-on bonjour en slovaque ?

— Bonjour Julia ! dit-elle avec un sourire crispé.

— Oh bonjour Anna ! Je ne t'avais pas vue, tu étais au concert ?

Appelez-moi Sarah Bernhardt.

— Oui, répond-elle en lançant des coups d'œil frénétiques autour de nous.

— Tout va bien ?

— Oui oui, tout va bien, c'est juste que…

Elle s'interrompt quelques secondes.

— En fait, tu es la dernière personne que je pensais voir. Je te croyais à Paris, tu comprends…

Je réfléchis à toute vitesse à l'excuse solide que je pourrais sortir. Va expliquer ta présence au concert de Frank Michael à Biarritz !

— Ta mère ne doit pas savoir que je suis ici, poursuit-elle.

— Ah ?

— Surtout pas. Je ne lui ai pas dit que je venais.

— D'accord. Mais pourquoi tu lui as menti ?

Ou comment renverser la situation en une leçon.

— Parce qu'elle s'est fâchée avec Pascale et qu'elle croit que je ne la vois plus, chuchote-t-elle en désignant du regard une femme qui arbore le visage de Franck Michael sur le biceps. Moi, je l'aime bien, Pascale, mais je ne veux pas blesser ta mère… tu comprends ?

— Je comprends. Je ne dirai rien si tu ne…

— Je dois filer, me coupe-t-elle. Pascale est pressée, son mari l'attend pour aller se coucher. Je compte sur toi, hein !

Elle me lance une bise avec la main et s'éloigne rapidement.

Je n'ai même pas eu besoin de m'expliquer. Encore moins de lui demander de mentir.

Le nuage noir qui s'est installé au-dessus de ma tête semble être parti voir ailleurs si j'y étais. Pourvu que je n'y sois pas.

Chapitre 28

Je suis en avance.

Je préfère attendre plutôt qu'être mal à l'aise en marchant sous son regard. Le serveur m'a demandé si je voulais commander, j'ai répondu que je voulais plutôt mettre sur pause. Il n'avait pas ça à la carte.

J'ai peur. J'ai le trac, j'ai les chocottes, je me liquéfie, je flippe ma race. Je n'ai pas dormi de la nuit et j'ai marché à côté de mes pompes toute la journée, j'ai même encouragé Mina avec enthousiasme lorsqu'elle m'a confié attendre la mort avec impatience. Moi qui pensais avoir oublié Marc.

À notre premier rendez-vous aussi, j'étais en avance. J'avais passé la journée à me préparer. Gommage du corps et du visage, débroussaillage de la jachère, masque hydratant-perfecteur-matifiant et cheveux savamment coiffés pour ne pas en avoir l'air… Je m'étais sentie comme la fayotte de la classe quand il avait débarqué avec son tee-shirt froissé et la marque de l'oreiller sur la joue.

Au bout de deux heures, je savais que j'allais l'aimer comme une folle. Quatre heures de préparation, deux heures de dégustation, sept ans de digestion, c'est officiel : ma vie amoureuse est un pot-au-feu.

Il a un bouquet de roses à la main et ce sourire que j'aime tant : celui qui lui donne l'air d'un gamin timide. Je reste assise. Si je me lève, je tombe.

Je ne pensais pas qu'il pourrait encore me mettre dans cet état. Je croyais qu'on pouvait décider de ne plus aimer, comme on peut décider de ne plus manger de sucre. J'ai fait un régime de lui. Je me suis sevrée de ses mots, j'ai résisté à ses souvenirs, je me suis tenue loin de sa voix. Et me voilà, face à lui, prête à plonger à nouveau. Les médecins ont raison : si on se prive trop, on finit toujours par reprendre.

— C'est bon de te voir, murmure-t-il en me rejoignant.

Je parviens à me lever, mes jambes vibrent ; elles se mettent à faire des claquettes quand il m'enlace. Je fourre mon visage dans son cou, il porte un parfum que je ne connais pas et semble plus grand qu'avant. C'est comme un premier rendez-vous, et en même temps si différent.

Il attaque à peine assis, avec le débit de celui qui a peur d'oublier un mot de sa récitation.

— Je veux te demander pardon, Julia. J'ai agi comme un con... Je pourrais te dire que c'est à cause du boulot, ou des problèmes de fric qui me prenaient la tête, ou encore du bébé de mon frère qui venait de naître, mais en vérité je n'ai aucune excuse. Je t'ai lâchée au moment où t'avais besoin de moi, c'est minable. Je t'aime, je veux que tu reviennes. S'il te plaît. On était trop bien ensemble.

Il est sincère, je le vois. Je le vois dans le point d'exclamation qui se dessine entre ses sourcils, je le vois dans sa main droite qui donne du courage à la gauche, je le vois dans ses lèvres qui tremblent un peu. Moi, je tremble de moins en moins. Ces mots, je n'aurais même pas osé les espérer et il me les offre dans un joli papier cadeau qui sent le musc. Je devrais sentir mon cœur faire un pogo, ou ne plus le sentir du tout, je devrais me retenir de hurler ma joie, je devrais me jeter sur lui et l'embrasser comme au cinéma, je devrais appeler Marion et lui crier : « Tu sais pas ce qu'il vient de me dire ? » J'ai mis ma plus jolie robe, après avoir hésité avec dix de ses semblables, j'ai joué cette scène dans ma tête toute la nuit, j'en ai passé d'autres à pleurer parce qu'il m'avait abandonnée.

Alors pourquoi cela ne me fait pas plus d'effet que si je le voyais dans un film ? Merde Julia, c'est toi, l'héroïne !

Lors de notre tout premier rendez-vous, l'excitation était montée crescendo. J'y étais allée sans aucune attente, au bout de deux heures, j'avais envie de lui jurer fidélité jusqu'à ce que la mort nous sépare, au bout de cinq heures, je laissais tomber ma culotte au pied de son lit.

Aujourd'hui, c'est le contraire. Il y a deux heures, je tremblais comme jamais en le voyant entrer dans le bar et, à mesure que les minutes passent, mon excitation fond comme un œuf de Pâques planqué derrière le radiateur.

Je l'écoute évoquer ses amis, qui étaient aussi les miens, discuter de ce qui avait été notre appartement, de sa famille que l'on voyait souvent, de son travail dont il me parlait constamment, et j'ai l'impression que c'est si loin, tout ça. Une autre vie.

Même son physique ne m'est plus familier. Je n'avais jamais remarqué que ses yeux étaient si grands, que ses épaules tombaient autant. Je connaissais par cœur sa moue quand il était contrarié, la forme de ses oreilles et sa dent un peu cassée. Je le voyais avec le regard du quotidien. L'éloignement fait disparaître les habitudes.

Il y a sept ans, au bout de deux heures, j'avais l'impression de le connaître depuis toujours.

Aujourd'hui, au bout de deux heures, j'ai l'impression de ne plus le connaître.

Il nous faut peut-être un peu de temps.

Je ne vais pas abandonner si vite. C'est Marc.

— Et tu arrives à dépasser ta peur de la mort en bossant avec des vieux ? me demande-t-il en écartant la chantilly de sa glace avec la cuillère.

Il a réservé dans notre restaurant biarrot préféré. On venait y manger chaque fois qu'on rendait visite à mes parents, je suis fan de leur risotto à l'encre, même s'il fait disparaître mes dents à chaque fois. Mais, ce soir, je suis plus occupée à essayer de me persuader que je suis heureuse qu'à apprécier le menu.

— En fait je n'y pense pas trop, réponds-je. La plupart des résidents sont encore très autonomes, ils sont plutôt pleins de vie.

— Tant mieux ! Parce que t'étais vraiment flippée à ce sujet : je me souviens que tu détournais la tête à chaque fois qu'on voyait un cadavre dans un film. Je ne sais pas comment tu as fait pour ton père… et j'ai appris pour Maminou.

— En effet, tu ne peux pas savoir.

Bim. On y est.

— Tu m'en veux encore ?

Non, bien sûr, mon amour, je te suis reconnaissante.

Je pose ma cuillère et essuie ma bouche.

— Bien sûr que je t'en veux.

— Je suis désolé, souffle-t-il en prenant ma main. J'ai changé, tu sais. Si ça arrive demain, je serai là.

— Le problème, c'est que c'est arrivé hier. C'est hier que tu n'as pas tenu ma main à l'enterrement de mon père, hier que tu m'as laissée pleurer toute une nuit, seule dans la salle de bains. Tu aurais dû être celui qui me soutient, tu as été celui qui me piétine alors que j'étais déjà à terre. Pourquoi tu ne rappelles que maintenant ? Pourquoi tu m'as laissée seule tout ce temps ?

— Je sais pas, répond-il en baissant la tête. Je crois que j'avais peur de ta réaction. Tant que je n'essayais pas de te récupérer, j'avais de l'espoir.

J'essaie de me mettre à sa place. Je jure que j'essaie. Je tente de comprendre comment le travail et quelques chiffres sur un relevé bancaire ont pu prendre le dessus sur la douleur de la personne que l'on aime. J'essaie. Mais j'ai du mal.

— Pourquoi tu as accepté de me revoir si tu m'en veux autant ?

— Parce que, quand tu m'as appelée, je ne le savais pas. J'ai tout fait pour ne pas penser à toi ces derniers mois, alors la colère était engourdie. Te voir la réveille… Je suppose que c'est un passage obligé, ça va évoluer.

— J'espère…

Je l'espère aussi.

Chapitre 29

On marche dans les rues de Biarritz. Il fait un peu froid, Marc passe son bras autour de mes épaules. De temps en temps, l'un d'entre nous raconte une anecdote et l'autre y répond avec enthousiasme. De l'extérieur, on a tout du couple normal. De l'intérieur, on ressemble plutôt à un gros point d'interrogation.

Plus les heures passent, plus les choses redeviennent naturelles, plus les automatismes refont surface, plus on est à l'aise.

— C'est là que je dors, dit-il en s'arrêtant devant la façade du Best Western. Tu veux monter ?

Je n'hésite pas longtemps. Parce qu'il est hors de question que je me sois presque démis la hanche en m'épilant le maillot pour rien, parce que faire l'amour avec lui sera un bon moyen de nous réunir et parce que j'en ai envie. Presque trois mois d'abstinence, si ça continue je vais détrôner Mère Teresa.

On n'allume même pas la lumière.

Marc referme la porte et me plaque contre le mur, sa bouche écrase la mienne. J'ai toujours aimé qu'il soit directif, il s'en souvient. D'une main, il agrippe ma nuque, de l'autre il malaxe mes fesses pendant que son bassin remue contre le mien. Je fais tomber mon blouson et j'enlève mes chaussures, il fait la même chose avant de faire rouler mes collants le long de mes jambes. Puis il me soulève, j'entoure sa taille de mes jambes et il me laisse tomber sur le lit. Ses lèvres descendent sur ma poitrine, il l'embrasse avec passion et moi, pendant ce temps, je cherche le frisson qui ne vient pas. Je lâche quelques gémissements : peut-être que le plaisir, c'est comme la faim, qui vient en mangeant.

Sa tête descend entre mes cuisses, j'en profite pour ouvrir les yeux et en jeter un sur la situation. Je n'aurais pas dû. Marc, vêtu uniquement d'une paire de chaussettes blanches, est à quatre pattes, offrant sa lune au plafond. Voilà, j'ai envie de rire. Arrête Julia, se marrer pendant l'amour, c'est MAL. Fermer les yeux et se concentrer sur ce qu'il est en train de faire. Il fait quoi d'ailleurs, au juste ? Il n'a jamais fait ce truc auparavant, c'est limite irritant. Il a dû abuser des films X pendant notre séparation, je ne vois pas d'autre explication au fait qu'il soit en train d'astiquer mon clitoris comme s'il y avait trouvé une tache. Eh oh, Aladin ! Arrête de frotter, aucun génie ne sortira d'ici !

Doucement, je prends sa tête entre mes mains et le guide pour qu'il remonte. Il s'allonge sur moi, se fait une place entre mes cuisses et glisse en moi.

Deux minutes plus tard, lorsque je m'aperçois que je suis en train de repenser au risotto alors qu'il s'active sur moi, je comprends que notre histoire est terminée.

Chapitre 30

Il n'a pas voulu que je le raccompagne à la gare.

— C'était une connerie de venir, lâche-t-il en se dirigeant vers son taxi.

Il y a des histoires qui finissent mal. Et il y a des histoires qui finissent mal deux fois.

J'ai essayé de ne pas lui faire de mal. De dire juste ce que je ressentais, ni plus pour le blesser ni moins pour l'épargner. J'ai beau avoir mis mes sentiments dans du papier bulle ces derniers mois, il ne m'a fallu que quelques heures pour identifier le dernier sentiment que j'éprouvais encore pour Marc. De la colère.

Je lui en veux de ne pas avoir été là.

Je lui en veux d'avoir été si égoïste.

Je lui en veux de ne pas m'avoir retenue.

Je lui en veux de m'avoir laissée ne plus l'aimer.

Quel gâchis. Quel dommage. On s'entendait tellement bien, on s'aimait tellement fort. Ça ne pourra pas revenir, je le sais. Mon regard sur lui a changé. Avant, je le voyais tel qu'il se montrait : gentil, serviable, généreux, prévenant. Maintenant, je fais une double lecture. Je cherche le vice caché derrière l'apparence, j'imagine la fourberie derrière le sourire affiché. C'est probablement exagéré, mais c'est ce qu'il m'inspire désormais.

Parfois, quand les années abîment le vernis d'un meuble, on y découvre un bois encore plus beau. Et parfois, on y trouve des échardes qui s'enfoncent si profondément dans la chair qu'on ne pourra plus les en déloger. J'aurai beau faire, je n'arriverai pas à lui pardonner.

Il n'avait pas le droit de faire ça. Pas à nous.

Il jette son sac à dos sur le siège du taxi et un dernier regard dans ma direction. J'ai beau y avoir mis les formes, son attitude clame « J'ai mal à l'ego ». Il a besoin de me blesser pour adoucir son amertume, alors il sort l'artillerie lourde.

— Tu voulais savoir pourquoi j'ai mis tant de temps à te rappeler ? C'est parce que je m'éclatais, tu vois. J'ai fait la fête, j'ai baisé, j'ai enchaîné les gonzesses et aucune ne m'a cassé les couilles comme toi. J'étais libre, je sais même pas ce qui m'a pris de te rappeler. La pitié sans doute. Ouais, voilà, la pitié de t'imaginer toute seule à pleurer ton pauvre petit papounet.

Je sais que ses mots dépassent sa pensée, qu'il en rajoute pour me faire mal. Mais les échardes s'enfoncent partout dans mon corps. J'ai du mal à respirer, je suis incapable de prononcer le moindre mot. Il poursuit :

— Tu croyais vraiment que ta petite vengeance allait me faire mal ?

— Mais je…

— T'as bien préparé ton coup, c'est toi qui as dû dire à ta copine Marion de me raconter que tu étais inconsolable. Et moi, trop bon, trop con, j'ai presque culpabilisé. Sans déconner, tu m'as vraiment cru quand je t'ai dit que je t'aimais encore ? T'as vraiment cru que j'étais sincère ? Pauvre fille, va…

Il tourne les talons et s'engouffre dans le taxi. J'ai mal au ventre, j'étouffe, j'ai la tête qui tourne, mais il est hors de question que je lui laisse entrevoir le moindre impact. Je fais les deux pas qui me séparent du véhicule, retiens sa portière qui se referme et me penche vers lui avec un large sourire.

— Un conseil d'amie, si tu me permets. Quand tu baiseras tes gonzesses, comme tu le dis avec tant de classe, évite de frictionner leur entrejambe comme tu m'as fait hier soir. Pardon de casser le suspense, mais y a pas de pétrole là-dessous…

Je claque la portière sur sa mine effarée et m'éloigne en essayant de contenir mes larmes. Alors que je traverse devant le taxi, un mouvement dans l'habitacle attire mon regard. Derrière la vitre, le chauffeur, hilare, lève son pouce et m'adresse un clin d'œil.

Chapitre 31

Marine crie si fort que même Arlette doit l'entendre.

Aujourd'hui, la soirée colocs a lieu dans son studio. Assis sur le tapis autour de la table basse, on fait la fête aux menus McDo que Greg est allé nous chercher à Anglet.

— Non mais quel connard ! s'énerve-t-elle. En gros, il vient, il tire son coup et il se barre… Tous les mêmes !

Elle n'est visiblement pas calmée depuis la dernière fois. Je viens de leur raconter, dans les grandes lignes, le retour de Marc. J'ai volontairement omis les détails intimes, mais pas mon absence de sentiments, ni sa tirade finale. Marine est hors d'elle. Greg essaie de la calmer.

— Faut pas dire ça, il y a des mecs bien aussi !

— Ouais, ben si t'en vois un, donne-lui mon numéro. Sans rire, c'est une espèce en voie de disparition, le mec bien. Il doit en rester moins que les ours polaires. Je vais aller vivre sur la banquise, tiens !

Greg lève les yeux au ciel.

— Qu'est-ce qui se passe Marine ? je demande en retirant le cornichon de mon Big Mac. Je te sens énervée depuis quelque temps, tu veux en parler ?

Elle me fixe avec méfiance.

— Tu veux me faire une psychothérapie ?

— Non, en fait je veux juste que tu saches que si tu veux en parler je suis là.

— Ouais, on est là, approuve Greg. Si ça ne va pas, dis-le, parce que là, tu deviens chiante.

Marine éclate de rire.

— Ah ben d'accord, merci les copains ! Bon, OK, je suis peut-être un peu stressée en ce moment. Mais c'est pas contre vous, hein. C'est juste que…

Elle s'interrompt pour mordre dans son cheeseburger. Je la presse :

— Fais pas durer le suspense, Pierre Bellemare !

— Che disais donc que ch'ai vu ma copine Chustine, dit-elle avant d'avaler sa bouchée avec une gorgée de Coca. Enfin ma copine, c'est vite dit, c'était plutôt une amie de Guillaume, mon ex, que je supportais tant bien que mal. Je l'ai toujours trouvée hyper-maniérée et c'est une chaudasse, elle saute sur tous les mecs qui passent dans un rayon de dix mètres. C'est simple, si les rues étaient pavées de bites, elle se déplacerait sur le cul. En plus, elle…

— Bon, tu craches le morceau ! s'impatiente Greg. J'ai l'impression d'être devant un thriller et de devoir attendre la fin de la pub pour connaître le coupable.

— OK, OK, je vous raconte ! Figurez-vous que cette pétasse n'a pas pu s'empêcher de m'annoncer que Guillaume allait se marier avec son Allemande. Je suis sûre qu'elle a pris son pied.

— Qui, l'Allemande ?

— Non, Justine ! Elle jubilait en me lâchant la bombe, elle a dû voir que je me décomposais. « Je suis témoin de la mariée », elle a ajouté en ricanant. Si ça se trouve, il a gardé l'alliance qu'on avait choisie ensemble…

Je me traîne jusqu'à elle sur les fesses, en espérant que des pénis ne vont pas sortir du sol, et lui caresse l'épaule.

— Ça va aller ?

— Ouais, ça va. Je ne suis pas triste, je suis énervée. Il devait se marier avec moi et, en même pas un an, il réussit à m'oublier et à en épouser une autre. J'ai envie de lui faire bouffer ses dents.

— Tu veux que je m'occupe de lui ? propose Greg. Je suis balaise, je me suis battu une fois en CM2.

On se met tous à rire. Marine se reprend la première.

— C'est clair qu'il mériterait une bonne leçon, ce connard. Il ne m'a pas épargnée, alors que j'ai tout plaqué pour lui. La veille, il me disait qu'il m'aimait et qu'il avait hâte d'être mon mari, et hop, il m'annonce la bouche en cœur qu'il ne veut plus de moi. Si encore il y avait mis les formes, mais non ! En quelques secondes il est devenu un étranger, hyper-distant, comme si j'étais son ennemie. Il m'a même foutue dehors parce que son Allemande n'avait nulle part où aller. C'était son appart, pas le choix… Heureusement que j'ai pu venir habiter ici, sinon j'aurais dû retourner chez mes parents à Strasbourg. Je le déteste.

— Il se marie quand ? je demande.

— Le 24 mai.

— Parfait. Ça nous laisse un mois pour lui préparer un joli cadeau de mariage.

Le visage de Marine s'illumine.

— C'est vrai ? Vous feriez ça pour moi ?

— Nous sommes des personnes civilisées, réponds-je, et les personnes civilisées offrent un présent pour les mariages. Greg, t'es avec nous, hein ?

Il fait mine de réfléchir quelques secondes.

— Bien sûr que je suis avec vous ! Je suis un pro des cadeaux empoisonnés. Quand mon ex m'a quitté, j'ai mis une crotte de Jean-Luc dans du papier journal, je l'ai posée sur son paillasson et j'y ai mis le feu avant de sonner. Vous auriez vu sa tête quand son pied a voulu éteindre les flammes…

Greg jubile. Marine me lance un regard écœuré. Mon Big Mac veut retrouver sa liberté.

— Tu as vraiment récupéré une crotte de Jean-Luc ? j'articule avec dégoût.

— Bien sûr ! Pourquoi vous faites cette tête ? Vous n'avez jamais fait ce genre de blague ?

— Non, désolée, j'ai jamais touché les merdes de mon mec ! répond Marine en faisant une grimace.

Greg s'immobilise, écarquille les yeux, puis éclate de rire.

— Vous n'êtes pas sérieuses, les filles ?

Marine et moi échangeons un regard perplexe. Ça le fait vraiment rire de nous raconter des trucs immondes ?

— Je ne vais jamais m'en remettre ! poursuit-il en attrapant son smartphone. Vous êtes complètement cinglées, j'y crois pas !

Il fouille quelques secondes dans son téléphone et nous le tend.

— Marine, Julia, je vous présente Jean-Luc.

Sur l'écran, allongé les quatre pattes en l'air, un labrador chocolat nous observe.

— Il est mort l'année dernière, ajoute-t-il en reprenant son sérieux. J'ai encore du mal à m'y faire...

Les yeux de Marine menacent de sortir de leurs orbites.

— Mais t'es pas homo ?

— Pardon ? s'écrie Greg. Moi ? Mais quelle drôle d'idée ! Tu pensais que j'étais gay ?

— En fait, tout le monde le pense, réponds-je. Il faut dire que tu as semé le doute avec ton Jean-Luc...

Il reste quelques instants interdit, puis se remet à rire.

— C'est pas vrai ! Beaucoup de choses paraissent plus claires tout à coup ! Je ne comprenais pas pourquoi Isabelle venait me demander conseil pour son petit frère qui voulait faire son *coming out*...

— T'es vachement doux pour un mec, ajoute Marine. Et tu fais attention à toi, t'es toujours bien coiffé, bien rasé, tu sens bon... et t'es fan de *Plus belle la vie* !

— Super, bonjour les clichés ! Et le fait que je te drague depuis que je vis ici, ça ne t'a pas mis la puce à l'oreille ?

Marine devient écarlate. Greg est choqué que cette phrase ait osé franchir ses lèvres. Je glousse. J'adore la tournure que prend cette discussion. D'ailleurs, à bien y réfléchir, plus ça va et plus je prends goût à ces soirées colocs et à la compagnie de mes deux collègues.

Comme pour éluder la question, Marine se lève et se dirige vers le balcon.

— Vous avez entendu ?

— Entendu quoi ? je demande.

— Les voix, répond-elle en ouvrant la porte-fenêtre. Ça fait plusieurs fois que je les entends, je me demande qui ça peut bien être.

— N'importe quoi, fait Greg, sans doute un peu piqué par l'absence de réaction de Marine. Il est bientôt minuit, je ne vois pas qui pourrait se balader dans une maison de retraite.

— Moi aussi, ça m'arrive de les entendre, dis-je en la rejoignant sur le balcon. La première fois, j'étais en bas en train de fumer et j'ai cru que j'allais me faire découper en morceaux, j'ai eu une de ces trouilles… Je les ai entendues deux ou trois fois depuis.

Accoudés à la rambarde en bois, on tente de distinguer quelque chose. La lune éclaire le parc, rien ne semble y bouger.

— Vous voyez bien qu'il n'y a rien. Vous entendez des voix, vous voyez des homos partout, va falloir prendre vos gélules, les filles ! lance Greg en retournant dans le studio.

Je le suis.

— Non, non, il y a vraiment quelqu'un. Si j'étais plus courageuse, j'irais mener mon enquête, ça me tracasse de ne pas savoir.

— Moi je ne suis pas froussarde, annonce Marine, on pourrait aller voir ensemble ?

— Ne comptez pas sur moi, rétorque Greg en attaquant son *sundae*, je vous laisse croire que je suis une tapette. De toute manière, je m'en fous de savoir qui c'est : dans un mois, je ne vivrai plus ici.

— Comment ça ? je demande.

— Le maître d'ouvrage de mon appart m'a appelé tout à l'heure : dans un mois maximum, les travaux seront terminés. Je pourrai rentrer chez moi !

Il lance un regard à Marine, sans doute dans l'espoir de percevoir une preuve qu'elle est déçue. C'est lui qui doit l'être, car elle engloutit un brownie comme si elle n'avait rien entendu. C'est bien joué. Si je n'avais pas été psychologue, je n'aurais sans doute pas remarqué son pied qui s'agite sous la table. Elle n'est peut-être pas si indifférente que ça, après tout.

Chapitre 32

— Comment ça va aujourd'hui ?

Je pose la question par automatisme plutôt que par réel souci de la réponse. Elle est évidente. Le visage de Louise est barré d'un sourire et elle a enfilé tellement de bijoux que j'ai failli la prendre pour Barracuda.

— Merveilleusement bien ! s'exclame-t-elle. Mon fils fête ses soixante ans, pour l'occasion nous lui faisons une surprise. Ma fille vient me chercher à onze heures, il ne se doute de rien. Sa femme et ses enfants ont loué une salle, nous serons une quarantaine et le déjeuner sera assuré par un traiteur. Cela promet d'être un beau moment !

Je souffle sur le chocolat chaud qu'elle m'a préparé, comme à chaque fois. Ce matin, j'ai apporté des chouquettes pour compléter le petit déjeuner.

— C'est génial ! Vous allez passer la journée entourée de vos proches !

— Oui, ça ne m'est pas arrivé depuis Noël. Et encore, à Noël, il n'y avait que ma fille et une de mes petites-filles. Là, tous mes enfants seront présents, ainsi que plusieurs petits-enfants. Ceux qui ne vivent pas trop loin.

— Vous avez des petits-enfants qui habitent loin ?

— Oh oui ! Vous savez, les jeunes de maintenant restent rarement près du nid. Deux de mes enfants vivent à Biarritz, les deux autres sont à Bordeaux et Toulouse, mais mes petits-enfants sont éparpillés. : Marseille, Paris, Savoie, Barcelone, et j'en ai même un en Australie. Ils font leur vie, c'est bien.

— Vous avez des nouvelles régulièrement ?

Elle hausse les épaules en attrapant une chouquette.

— Ceux qui habitent près d'ici me rendent visite, certains m'appellent régulièrement, d'autres jamais. Leurs parents me disent qu'ils prennent des nouvelles auprès d'eux, mais je regrette de ne pas les entendre. Je les comprends : que pourraient-ils bien avoir à dire à une grand-mère qui a tout oublié de leur existence ?

Je lui propose une autre chouquette pour effacer la tristesse qui assombrit son visage. Elle sourit.

— Et vous, vous êtes proche de vos grands-parents ? s'enquiert-elle.

— J'essaie d'appeler régulièrement ceux qui me restent, oui. Mais celle dont j'étais le plus proche, c'était la mère de ma mère. J'ai toujours eu une relation spéciale avec elle, c'était ma Maminou et je crois que j'étais sa préférée. Elle m'appelait « Ma petite fille tout en couleurs »… Quand j'étais petite, je passais tous mes mercredis chez elle. J'ai continué plus tard, c'était notre journée. Elle m'emmenait au parc, en ville, à la plage, je la regardais me coudre des petites robes, elle m'apprenait à tricoter et me lisait les poèmes qu'elle écrivait dans ses jolis carnets, elle me préparait des chocolats chauds, des gaufres, des crêpes et des choses trop sucrées qui faisaient râler ma mère et qui devenaient notre secret. Mais ce que je préférais, c'était quand on s'asseyait toutes les deux dans le vieux fauteuil marron. Je me blottissais tout contre elle, ça sentait le Chanel N° 5, elle m'entourait de ses bras pleins de douceur et on restait là, des minutes, parfois des heures, à parler ou à se taire. La dernière fois, c'était il y a un peu plus d'un an. J'étais descendue passer Noël en famille et le lendemain tombait un mercredi. On a tout fait comme avant : j'ai eu droit à une gaufre au sucre glace, à la lecture de ses derniers poèmes, au câlin dans le fauteuil marron. J'ai abrégé, je me souviens, parce que je devais passer voir des copains. Si j'avais su… Elle me manque tellement…

Louise me couve de son regard tendre. Je prends conscience avec stupeur de ce que je viens de lui confier. S'il existait un concours de la meilleure psychologue, j'arriverais sans doute avant-dernière. Juste avant celui qui joue sur son téléphone pendant que ses patients lui parlent.

Je suis mortifiée. Même si je ne peux pas nier que ça m'a fait du bien. Le manque de ma grand-mère, c'est comme celui de mon père, je ne peux en parler à personne. Soit les gens ne sont pas assez concernés et ne comprennent pas, soit ils le sont trop et j'ai peur de les blesser. Je devrais peut-être prendre un chien.

— Votre grand-mère avait beaucoup de chance de vous avoir, murmure Louise. Les petits-enfants sont un don du ciel, ils apportent tellement de joie !

— Et donc, il y aura qui à cette petite fête ? je demande pour changer de sujet.

Elle est en train d'énumérer tous les participants, en s'y reprenant à plusieurs fois, car elle en oublie toujours un, quand un bruit nous fait tourner la tête. Sous la porte du studio vient d'être glissée une enveloppe blanche. Louise se lève d'un bond pour la ramasser.

— Oh, ce doit être Élisabeth ! Elle devait me donner un patron de pull qu'elle a trouvé dans *Nous deux*. Je regarderai plus tard…

Je ne dis rien, mais ne peux m'empêcher de sourire. Dans cette enveloppe, nous le savons elle et moi, il ne s'agit pas d'un patron de pull. Je vois mal Élisabeth dessiner un cœur sur le *i* de Louise.

Chapitre 33

Il y a du monde sur la plage. Le mois de mai sera là dans quelques jours et le soleil l'a devancé. Je ne suis pas la seule à avoir choisi de passer mon dimanche sur le sable. Il y a un groupe de jeunes réunis autour d'une guitare, des familles qui construisent des châteaux et des souvenirs, des amoureux qui font des *selfies* iodés, des téméraires qui tentent de tremper les pieds dans l'eau, puis s'en éloignent en lâchant des petits cris, des adolescentes qui papotent, un enfant qui s'émerveille des prouesses de son cerf-volant, des dizaines de surfeurs, des touristes qui immortalisent leur passage à Biarritz, des personnes seules qui lisent, les pieds dans le sable. Comme moi. Je les ai enfoncés profondément, c'est un peu froid, mais j'aime sentir les grains glisser entre mes orteils. Le sable, le bruit des vagues, l'odeur de l'océan et du monoï font partie des choses qui me manquaient le plus quand j'étais à Paris. Ça, et ma famille.

Quand j'étais petite, mes parents, ma sœur et moi passions des journées entières à la plage. On partait le matin, avec la glacière et les parasols, et on ne rentrait qu'après avoir eu notre content de bons moments. C'étaient de ces moments naturels quand on les vit et magiques quand on y repense. On avait tous les quatre le même âge lorsqu'il s'agissait d'entrer dans l'eau en courant, d'attendre la vague parfaite et de se jeter dedans juste avant qu'elle ne se casse et que l'écume nous fasse tournoyer. On mangeait du sable, on buvait de l'eau salée, mais on y retournait. Je me souviens du rire de mon père, de son dos robuste sur lequel on sautait en criant « À l'abordage ! », de ses longues mains qui nous tiraient des rouleaux quand ils étaient trop puissants, de ses cheveux plaqués sur son front quand il sortait la tête de l'eau, de la manière dont il enlaçait ma mère avant de la propulser dans les vagues, mais j'en ai oublié tellement…

Dans ma mémoire, il existe un casier « Papa » que j'ouvre – avec parcimonie – pour l'entretenir, pour le faire vivre encore. Mais les dossiers qui s'y trouvent sont fragiles. Avec le temps, ils s'usent, ils se délitent. La mémoire est un dessin au crayon à papier. Sans les vidéos, je ne serais plus sûre du son de sa voix. Sans les photos, j'aurais des doutes sur son regard. On devrait pouvoir transférer nos souvenirs sur une clé USB.

Au bord de l'eau, un petit garçon joue au ballon avec sa mère. À l'abri sous sa casquette et derrière ses lunettes de soleil, il râle contre sa partenaire de jeu. Chaque fois qu'elle tape dedans, la balle atterrit des mètres trop loin. L'enfant a beau sauter, courir, plonger, il finit irrémédiablement par aller récupérer l'objet échoué sur le sable mouillé. De deux choses l'une : soit c'est un lamantin qui lui a appris à jouer, soit c'est une technique pour être tranquille. C'est rusé, j'avais la même pendant la période ingrate que l'on nomme adolescence : quand c'était à mon tour de faire la vaisselle, je prenais soin d'éclabousser les murs et de laisser des traces de nourriture séchée dans les assiettes. Le jour où mon nom est devenu plus rare que celui de ma sœur sur le planning des tâches, j'ai savouré ma victoire. C'était compter sans Carole, qui est brutalement devenue incapable de passer l'aspirateur correctement.

Le petit garçon, visiblement énervé par la maladresse de sa mère, tape de toutes ses forces dans le ballon, qui atterrit derrière elle. Elle se retourne, je vois son visage, je me dis qu'elle ressemble drôlement à ma sœur, cette femme, à bien y regarder, c'est même son sosie, tiens, c'est fou, elle aussi est gauchère, il y a de drôles de coïncidences quand même... Il faut bien trente secondes à mon esprit ramolli pour saisir que les deux personnes qui se tiennent à quelques mètres de moi sont ma sœur et mon filleul.

Instantanément, je me dédouble. La partie raisonnable de mon corps, celle qui ne plonge pas dans le pot de Nutella à la moindre contrariété, a envie d'être ensevelie dans le sable. L'autre partie, celle qui ajoute de la chantilly au Nutella, a envie de se précipiter dans les bras de Carole, de la serrer fort, de lui dire combien elle me manque et combien j'ai besoin d'elle. Heureusement que le corps a besoin de l'unanimité pour fonctionner, ce ne serait pas joli à voir.

Je reste immobile quelques instants, à l'abri de mes verres teintés. Voir ma sœur, même à distance, me procure une sorte de réconfort. Comme lorsqu'elle se blottissait dans mes bras quand la mère de Bambi mourait. J'étais la plus âgée, mais c'est elle qui me faisait l'effet d'un doudou.

Je sais qu'elle garderait sa langue. Si je lui expliquais les raisons de ma présence ici, elle les comprendrait et respecterait mon choix. Elle n'en parlerait pas à ma mère. Elle me laisserait seule, comme je le souhaite, mais serait là en cas de besoin. C'est tentant, très tentant, d'autant que j'ai régulièrement envie de l'appeler pour tout lui révéler. Carole, c'est aussi ma meilleure amie. On se téléphone aussi souvent que possible, même si j'aimerais que le possible soit plus fréquent. Elle sait tout de moi et l'inverse est vrai aussi.

L'avantage d'une sœur, c'est qu'elle nous aimera toujours. Elle peut ne pas être d'accord avec nous, il lui arrive de nous juger, il se peut même qu'elle rêve d'une autre sœur, qu'on se fâche, mais il y aura toujours cette affection profonde qui lie ceux qui avancent côte à côte depuis leur naissance. Face à elle, je peux faire tomber tous les artifices, me livrer sans ambages, enlever toutes les couches de vernis. Être moi. Une sœur, c'est une amie inconditionnelle.

Elle deviendrait ma complice si je le lui demandais. Mais je ne le ferai pas. La chose qu'elle déteste le plus, c'est le mensonge. Je ne peux pas lui demander de mentir à notre mère. Fin du dilemme.

Le problème, c'est que, à force de jouer au ballon comme s'ils avaient ingurgité des litres d'alcool, ils se rapprochent dangereusement de moi. Pas sûr que mes lunettes empêchent Carole de me reconnaître bien longtemps. Et si je me lève l'air de rien, je prends le risque d'être repérée. Il me faut une solution de repli.

Je vais m'enfuir en leur tournant le dos.

Ou alors je vais creuser une galerie et me faire la malle en rampant.

Ou alors je vais m'accrocher aux pattes de la prochaine mouette qui passe pour qu'elle me dépose loin.

Il faut que je me décide. À vue de nez, la première solution me semble la plus accessible. Je ramasse mes chaussures et mon sac en regardant à l'opposé, j'attends que ma sœur soit de dos, je me lève discrètement avant de tourner le dos et de partir en crabe.

Mai

« L'espace d'une vie est le même, qu'on le passe en chantant ou en pleurant. »

Proverbe japonais

Chapitre 34

— Comment allez-vous depuis la dernière fois ?

Comme à son habitude, Léon me snobe. J'ai tout essayé avec lui. Chaque semaine, j'expérimente une nouvelle approche. Chaque semaine, je me heurte à un mur. Il n'est pas fou et les psys, c'est pour les fous. Il n'a rien demandé à personne, il est venu vivre ici pour être tranquille et ne plus avoir à faire le ménage et la cuisine, puisque son épouse n'est plus là pour s'en occuper. Je le dérange. Au cas où le discours ne serait pas assez clair, il agit comme si je n'étais pas là.

J'ai hésité à mettre un terme à nos séances. Après tout, s'il n'en éprouve pas le besoin, je n'ai aucune raison de le forcer à me parler. Mais mon côté saint-bernard espère toujours renifler la personne qui attend de l'aide sous les gravats. Je suis persuadée que derrière les sarcasmes de Léon se cache un mal-être et j'aimerais l'aider à l'adoucir. Quel que soit le moyen d'y parvenir.

J'ai prévu mon coup. L'idée m'est venue lors de notre dernière séance, qu'il a passée assis dans son fauteuil massant, à surfer sur sa tablette en lâchant de-ci de-là un gémissement de contentement. Au bout d'une heure, je suis sortie avec la ferme résolution de gagner la partie qu'il avait engagée.

À moitié allongé sur son canapé, il ne répond pas à ma question. Le plan se déroule comme prévu. Je quitte la chaise de bois qu'il consent à prêter à mes fesses une fois par semaine et m'installe sans un mot dans son cher fauteuil massant. Du coin de l'œil, je le vois lever la tête et m'observer. Je me retiens de sourire. Tout roule. Il est temps de passer à l'étape suivante.

Je plonge la main dans la poche de ma blouse et en sors ostensiblement mon smartphone. Léon se redresse. Tu vas voir qui est le plus fort. Je règle le volume au maximum et touche le carré coloré pour lancer la partie de Candy Crush. Aussitôt, l'écran se remplit de bonbons multicolores que je dois aligner pour marquer des points et faire résonner la pièce de sons en tout genre. Léon se lève. Je le sens, il meurt d'envie de me demander ce qui me prend. Mais s'il le fait, il rompt le pacte de silence qu'il a passé avec lui-même. Qui l'emportera ? La fierté ou la susceptibilité ?

Il fait le tour de la table et s'assoit sur la chaise en bois, face à moi. Je ne quitte pas mon écran des yeux. Il reste silencieux plusieurs minutes, son visage lifté tourné vers la fenêtre. Puis il ouvre la bouche.

— J'ai été adopté. Ma mère m'a abandonné sur le parvis d'une église, nu en plein mois de janvier. J'avais deux jours. À l'orphelinat, ce n'était pas joyeux. Il y avait un règlement très strict et des punitions en abondance, mais pas d'amour. J'ai été recueilli à l'âge de six ans par un couple de boulangers. J'ai commencé à travailler le lendemain de mon arrivée. Je me levais à quatre heures tous les matins afin de fabriquer du pain pour lequel mon père adoptif était couvert de louanges. Si j'avais le malheur d'en manger un morceau, je passais le reste de la journée enfermé dans le placard de l'entrée, avec les chaussures. À seize ans, je suis monté à Paris. J'ai vécu dans la rue quelque temps, jusqu'au jour où j'ai croisé la chance… Elle s'appelait Maryse.

Il s'interrompt. Je n'en reviens pas. Si j'avais su qu'il suffisait de feindre l'indifférence pour recueillir ses confidences, j'aurais gagné du temps. Je m'en souviendrai : avec Léon, quand on veut quelque chose, il faut prétendre vouloir le contraire. Ce dont j'étais loin de me douter, en revanche, c'est l'histoire de ce vieux monsieur. Il n'est donc pas devenu acariâtre à force de privilèges, bien au contraire. Sous son costume de vieillard désagréable se cachent de profondes blessures. Moi qui avais régulièrement envie de l'accrocher au mur, à côté des natures mortes, je n'ai pas compris l'évidence. Je vais finir par me demander si je ne me suis pas trompée de voie.

— Maryse et moi avons été heureux, reprend-il après un long silence. Nous avons fait prospérer la petite entreprise de ses parents au-delà de nos espérances : d'une boutique de quartier, nous sommes passés à une société internationale qui employait plus de mille personnes, tous les réalisateurs le savaient, nous étions les meilleurs dans le domaine des effets spéciaux. Nous avons côtoyé les plus grands, j'échange encore régulièrement avec Steven par mail… Spielberg, vous connaissez ?

Évidemment que je connais. Le numéro de Brad Pitt, vous ne l'auriez pas, par hasard ?

— Nous avons beaucoup voyagé, poursuit-il sans attendre ma réponse, nous avons brassé des millions de francs, nous avons eu trois magnifiques enfants. Puis notre bonne étoile a cessé de briller. En un an, nous avons perdu nos deux plus jeunes enfants. Si vous saviez à quel point c'est douloureux de voir la chair de sa chair souffrir et s'éteindre… Maryse ne l'a pas supporté, elle les a rejoints quelques mois plus tard. Je me suis retrouvé seul avec mon fils aîné, qui était très perturbé. J'ai dû vendre la société pour m'occuper de lui correctement.

Il essuie ses yeux.

— Je me suis remarié deux fois, mais je n'ai plus jamais connu le bonheur. Au fil des années, mon cœur est devenu de plus en plus sec. J'ai bien conscience de ne pas être facile, je sais que je suis grincheux, mais c'est ma manière de me protéger. Quand on s'attache aux gens, on souffre. Je ne veux plus aimer personne et je ne veux pas qu'on m'aime. Il y a des gens qui jurent de ne plus jamais prendre de chien quand ils perdent le leur, moi je jure de ne jamais plus me lier à qui que ce soit.

— Vous ne vous sentez pas seul ?

— Je ne suis pas seul, mes souvenirs vivent avec moi. Et puis, mon fils vient me voir au moins deux fois par semaine. Maintenant, j'attends la fin… Heureusement, grâce à la technologie, le temps passe plus vite ! fait-il en désignant sa tablette.

— Eh bien, on peut dire que vous êtes doué ! La faille est indétectable sous la carapace.

Il sourit. C'est la première fois que je le vois sourire. Si ça ne tirait pas autant sur les coutures, il aurait l'air d'un gentil papy.

— À force de côtoyer des acteurs, j'ai sans doute acquis quelques compétences.

— En tout cas, je vous dois des excuses. Je n'ai pas été tendre avec vous depuis mon arrivée. J'ai manqué de patience. J'avais envisagé la possibilité que vous ne soyez pas vraiment la personne détestable que vous prétendiez être, mais j'étais loin de me douter que vous aviez eu une vie si difficile… Vous ne m'en voulez pas ?

Il regarde sa montre.

— La séance est terminée, n'est-ce pas ?

— Oui, c'est fini pour cette semaine. Je veux juste m'assurer que vous ne m'en voulez pas et je vous laisse.

Il se lève et se dirige vers la porte.

— Je ne vous en veux pas du tout. Au contraire, je vous suis reconnaissant.

Je le suis, en souriant de soulagement. Il poursuit :

— J'ai même envie de vous remercier. Vous venez de m'offrir un moment très plaisant.

— C'est normal, c'est mon travail !

— Non, non, j'insiste. Je ne m'étais pas autant amusé depuis fort longtemps.

— Amusé ? je demande en marquant un temps d'arrêt.

— Oui, amusé. Ce moment était jubilatoire. Vous auriez vu votre tête pendant que je vous racontais cette histoire digne des *Misérables*, vous auriez ri aussi. Ce que vous pouvez être naïve !

Je suis atterrée. Je rêve à nouveau de l'accrocher au mur. Il serait parfait en distributeur de papier toilette.

— Vous avez tout inventé ?

Il m'observe d'un air suffisant.

— Enfin, mademoiselle, regardez-moi ! Ai-je vraiment l'air d'avoir été abandonné par qui que ce soit ?

Je serre les dents, mais c'est plus fort que moi. Il faut que ça sorte.

— Vous non, mais votre cerveau a visiblement été oublié sur une aire d'autoroute.

Je quitte son studio avant de trop en dire. Peut-être que, parfois, sous les gravats ne se cachent que d'autres gravats.

Chapitre 35

J'ai toujours eu du mal à me réveiller.

Petite déjà, c'était tout un cérémonial. Ma mère ouvrait les hostilités en venant caresser ma tête et souffler mon prénom vingt bonnes minutes avant l'heure à laquelle je devais être levée. Puis mon père entrait en scène et, bien décidé à en découdre, ouvrait grand les volets, la couette et ma fontaine à grognements. J'avais beau lutter, espérer qu'en le désirant très fort ma mère, mon père et le jour disparaîtraient quelques heures, je finissais toujours par perdre. Le matin a toujours été plus fort que moi.

C'est encore le cas, mais je ne baisse pas les armes. L'alarme de mon téléphone a désormais remplacé les assauts de mes parents. J'en ai réglé quatre, chacune prenant le relais de la précédente après cinq minutes de lutte. La première sonnerie est un chant d'oiseaux. La deuxième est *Crazy in Love,* de Beyoncé. La troisième est un clairon. La quatrième est la musique des *Dents de la mer*. Assez efficace, je dois admettre, même si j'ai toujours peur de voir un requin débarquer en ouvrant mes volets.

Je n'aime rien tant que les jours où je n'ai pas besoin de mettre le réveil. Laisser mon cerveau émerger quand il l'entend, prendre le temps de m'étirer, parfois me rendormir ou rester à ne rien faire. C'est précisément ce que j'ai prévu de faire ce matin.

Depuis que je suis ici, j'ai pris soin de charger le planning de mes jours de congé. J'ai commencé par le nécessaire : décoration du studio, rangement des affaires, changement d'adresse, paperasse en retard. Puis j'ai cumulé les loisirs : balades, cinéma, lecture, mots fléchés, shopping. Lorsque j'ai envisagé de me lancer dans la confection d'objets en pinces à linge, j'ai pris conscience qu'il s'agissait d'une fuite en avant. L'ennui offrait trop de disponibilité à mon cerveau, alors je m'occupais. Faire pour ne pas penser.

Je sais ce que je fuis. Il m'arrive de faire un rêve, toujours le même.

Une voiture. Elle en jette, avec sa peinture flamboyante, ses chromes rutilants et ses pneus qui résistent à toutes les intempéries. Elle roule à vive allure, sans trop s'intéresser au paysage, parce qu'il faut y aller : c'est là-bas que tout le monde va. La destination est programmée dans le GPS, le pilotage automatique enclenché, elle se laisse guider. Il lui arrive de prendre une bosse, un nid-de-poule qui met à rude épreuve ses amortisseurs, mais elle repart toujours de plus belle. Droit devant.

Et puis un jour, le mur.

Elle ne l'a pas vu. Il la désintègre. C'est brutal, c'est violent, c'est explosif. Il y en a partout. Un siège à droite, une pédale à gauche, le moteur en feu. Elle pense un instant que c'est terminé, elle l'espère un peu, même.

Elle reste là un moment, à regarder la scène comme s'il s'agissait d'une autre voiture, puis elle entreprend de se réparer. Elle se dit que, peut-être, des gens vont venir lui porter secours, mais personne ne vient. Alors elle se reconstruit seule, pièce après pièce, morceau après morceau. Ça prend du temps, elle se trompe parfois et doit recommencer, c'est long.

Et puis, un jour, elle redevient la voiture magnifique que tout le monde connaissait. À bien y regarder, il y a quelques rayures, un pneu est à plat et le moteur fait un drôle de bruit, mais l'ensemble fait illusion. À un détail près. Dans le choc, elle a perdu un de ses passagers. Il est là, sur le bord de la route, il ne bouge plus, il ne réagit plus. Elle l'aime, ce passager. Elle le connaît depuis sa fabrication, elle s'est habituée à ses mouvements sur ses sièges, à sa voix dans l'habitacle. Elle avait prévu de faire un plus long chemin avec lui. Elle ne veut pas le laisser là, sur le bord de la route, près de la borne 8/8. Elle ne veut pas avancer sans lui. Mais un mécanicien passe par là et ne lui laisse pas le choix : « Si tu ne repars pas, tu disparaîtras aussi. C'est comme ça, c'est la route. Elle n'est pas facile. »

Alors, elle reprend la route. Un peu plus doucement, en faisant davantage attention au paysage et en appréhendant les trous, les bosses et l'irruption de murs. Et en voyant dans son rétroviseur son passager devenir de plus en plus petit.

L'année qui vient de s'écouler a été une succession de murs qui ont fragilisé ma carrosserie. Je dois trouver le courage de regarder dans le rétroviseur. Je dois trouver la force d'avancer sans craindre le moindre caillou sur la chaussée. Alors hier soir, en me couchant, j'ai décidé qu'aujourd'hui serait consacré à ça. Penser, pleurer. Pour enfin accepter.

Huit mois pour comprendre que faire l'autruche n'est pas la solution, il me fallait au moins un DESS en psychologie.

Il est plus de dix heures quand j'ouvre les yeux. Je soupçonne mon subconscient de vouloir faire échouer mes plans. Je retire la couette à regret et m'étire longuement en me demandant pourquoi, dans les films, les femmes qui s'étirent ressemblent à des mannequins en pleine séance photo, alors que moi je ressemble à une dinde en pleine crise de tétanie.

Le café coule et j'hésite entre les biscuits fourrés au chocolat et les moelleux à l'orange quand quelqu'un frappe à ma porte. Enfin frappe, je devrais plutôt dire que quelqu'un défonce ma porte. Je l'ouvre avec précaution, m'attendant à voir un bélier en train de charger, mais c'est Marine qui se tient face à moi, les joues inondées de larmes.

Je comprends immédiatement que ma journée d'introspection vient de tomber à l'eau.

— Je sais que tu ne bosses pas aujourd'hui, mais on va avoir besoin de toi là-bas, dit-elle entre deux hoquets.

— Qu'est-ce qui se passe ?

Elle s'effondre à nouveau et parvient à articuler :

— Miss Mamie est morte.

Chapitre 36

Tous les résidents sont rassemblés dans la salle de vie commune, qui n'a jamais si bien porté son nom. Ceux qui tiennent le choc sèchent les larmes de ceux qui sont effondrés, les accolades et les paroles réconfortantes se succèdent, les ennemis d'hier sont amis aujourd'hui. La douleur a beaucoup de défauts, mais au moins une qualité : elle réunit.

Je rejoins Élisabeth et Louise, assises à la table qu'elles partageaient chaque midi avec Maryline. Elles sont inconsolables. Le gang des mamies est amputé.

— Nous savons bien que ça doit arriver, dit Élisabeth en essuyant son nez de son mouchoir brodé, mais je n'avais jamais pensé qu'elle partirait avant moi… À part Alzheimer, elle était en pleine forme !

Louise reste silencieuse, mais le chagrin se lit dans ses yeux. Le deuil, à cet âge, on connaît forcément. Inutile que je leur serve le laïus habituel sur les différentes étapes à traverser avant d'aller mieux. Tout ce que je peux faire, c'est être présente, leur offrir mon écoute et recueillir leur peine, en mettant de côté la mienne. Elle va me manquer, cette Miss Mamie.

— Depuis le temps que je suis ici, poursuit Élisabeth, je devrais m'habituer. J'en ai vu partir d'autres. Mais c'est au-dessus de mes forces. Je ne m'y ferai jamais. On vit, on respire, on fait des projets, et soudain, on n'existe plus. La vie est comme un château de cartes. On met un temps infini à le construire, on essaie de poser des bases solides, on monte un étage après l'autre, et puis, un jour, tout s'effondre et quelqu'un les range dans une boîte. À quoi bon, vous pouvez me dire ?

Non, je ne peux pas. Parce que je me pose la même question. Parce que la mort est un sujet qui paralyse tout mon être et m'empêche de raisonner normalement. Moi non plus, je ne parviens pas à accepter le fait qu'un jour nous ne sentirons plus, nous n'entendrons plus, nous n'aimerons plus, nous n'existerons plus. Moi aussi je me demande où on va après, et ça me fiche une trouille terrible. Alors non, je ne peux pas vous dire à quoi bon, parce que j'ai beau chercher, je ne vois pas.

Gustave et Pierre s'approchent de nous. Pierre caresse le dos de sa femme, tandis que Gustave tend une tasse de chocolat chaud à Louise.

— Je sais que vous aimez ça, je me suis dit que ça pourrait vous faire du bien.

Elle tente un sourire qui se transforme aussitôt en grimace, puis fond en larmes. Il presse son épaule, puis se détourne pudiquement.

— Je suis au potager si vous avez besoin de moi.

Elle hoche la tête, il s'éloigne. Élisabeth tire un nouveau mouchoir de sa poche et le tend à Louise.

— Nous sommes encore toutes les deux, ma chère amie. Nous allons nous serrer les coudes et nous tenir compagnie jusqu'à la fin. C'est ce que Maryline aurait voulu, j'en suis persuadée.

— Vous avez raison, répond-elle d'une voix tremblante. Nous allons lui faire honneur en conservant notre joie de vivre. Mais je crois bien avoir aussi oublié comment on fait un deuil… J'ai juste besoin d'un peu de temps pour la pleurer.

— Bien sûr qu'il faut du temps ! Pleurons-la comme elle le méritait, ensuite nous lui rendrons hommage. J'ai une petite idée sur la manière de le faire ! fait-elle en s'illuminant.

Je m'apprête à lui en demander plus lorsque la directrice fait irruption dans la pièce et me fait signe de la rejoindre. Je m'exécute, après avoir assuré aux deux rescapées du gang des mamies être à leur disposition si elles avaient besoin de s'épancher.

Anne-Marie m'entraîne à l'extérieur.

— Vous parvenez à gérer ? me demande-t-elle.

— Je crois. Je fais le tour des résidents pour recueillir leur ressenti et je vais organiser un groupe de parole au plus vite.

— Bien, dit-elle en hochant la tête. Les décès sont un moment sensible : si vous rencontrez le moindre problème, venez m'en parler.

— Je le ferai. Pour l'instant ça va.

— Mais le plus dur reste à venir…

— Ah ? Qu'est-ce qui peut être plus dur ?

Elle passe la main dans ses boucles et lâche un long soupir.

— La famille de Maryline ne va pas tarder à arriver.

Chapitre 37

La douleur a beau essayer de se cacher, elle se voit comme le nez rougi au milieu du visage.

J'accueille la fille aînée de Maryline, Corinne, sur le parking. Elle est telle que je la voyais chaque lundi, mercredi et samedi, quand elle rendait visite à sa mère à dix heures pile pour arpenter avec elle le parc des Tamaris, bras dessus, bras dessous. Le chignon impeccable, le sourire affable, les chaussures assorties au sac à main. Au jeu des deux différences, on remarque toutefois qu'aujourd'hui elle ne quitte pas ses lunettes de soleil et que les mots s'échappent de sa bouche comme si c'était urgent.

— Mon frère est en route, il arrive de Rouen avec sa femme. Je vais commencer à ranger les affaires toute seule, ce sera fait, peut-être que mon fils viendra m'aider un peu pendant sa pause déjeuner.

— Vous n'êtes pas obligée de le faire aujourd'hui. Prenez tout le temps qu'il vous faut, il n'y a aucune urgence.

— Si, si, on sera débarrassés comme ça, répond-elle en attrapant des cartons vides dans le coffre de sa voiture. Ça va aller, ça va aller. Maman n'aimait pas gêner. Si vous voulez accueillir une nouvelle personne, il faut que je libère son studio. Il ne reste pas grand-chose de toute manière, ça ira vite.

Elle s'immobilise et me fixe.

— Vous savez si elle a souffert ?

La question me fait l'effet d'un coup de poing dans la mâchoire. Quel que soit notre âge, quand on perd quelqu'un, ce sont les mêmes questions que l'on se pose.

— Vous allez rencontrer le médecin, il vous le dira sans doute, mais *a priori* non, elle n'a pas souffert. Elle s'est éteinte dans son sommeil.

Elle prend une longue inspiration hachée.

— J'espère que sa dernière soirée était bonne…

Je repense au dîner de la veille. Maryline était, comme à son habitude, attablée avec Louise, Élisabeth, Pierre, Gustave et Léon. Je ne l'ai pas trouvée différente, elle portait son écharpe et taquinait son voisin grincheux. Puis on a regardé *Plus belle la vie*. Elle s'est émue du sort de Luna, abandonnée par Guillaume, et a quitté la pièce en faisant le vœu que tout s'arrange entre eux. Elle ne le saura jamais.

— Je crois qu'elle l'était, réponds-je. En tout cas, elle avait son grand sourire habituel en nous souhaitant une bonne nuit.

Ma gorge se serre au passage de ces mots. Je suis vraiment triste à l'idée de ne jamais revoir Miss Mamie. Je n'ose imaginer l'état de la gorge de sa fille.

Je l'accompagne jusqu'au studio. C'est la dernière fois qu'elle fait ce trajet. Elle pose sa main sur la poignée et me regarde. Je comprends le message.

— Vous voulez que je vous laisse seule ?

— Merci, je préfère.

— Je suis dehors si vous avez besoin de moi. Je reviens vous voir dans un moment. Bon courage…

Je m'éloigne tandis qu'elle entre dans la pièce.

Assise sur une marche du perron, je tire frénétiquement sur ma cigarette en essayant de me concentrer sur les feuilles qui s'installent dans les arbres, le roulis des vagues, un avion qui passe – tout plutôt que penser à ce qui se joue à quelques mètres de là.

J'avais bien conscience, en venant travailler dans une maison de retraite, que j'y serais confrontée. Les résidents des Tamaris ont beau être en pleine forme, ils n'en restent pas moins humains. Et un humain, à plus de quatre-vingts ans, ce n'est plus garanti. Ça peut cesser de fonctionner, tomber en panne sans crier gare. Il y a encore quelques mois, j'estimais la gravité d'une mort à l'âge de la personne. J'employais des formules toutes faites, bien plantée dans mes certitudes de jeune ignorante. « Non mais attends, à quatre-vingts ans c'est bon, t'as fait ton temps, faut laisser la place à ceux qui arrivent derrière ! » ; « Je ne comprends pas pourquoi les gens pleurent quand un vieux meurt… » Comme si « le Vieux » était une espèce à part, qui valait moins qu'une autre au grand troc de la vie.

J'ai parfois l'impression de ne plus être la même personne.

Malgré mes tentatives, mes pensées me ramènent immanquablement vers l'intérieur du bâtiment. Ce que la fille de Miss Mamie est en train d'affronter, je l'ai vécu récemment. Je sais ce qui se passe dans le studio n° 5. Elle arrête de respirer à chaque bruit de pas en espérant que sa mère va ouvrir la porte. Elle caresse les photos. Elle enfouit son visage dans sa chemise de nuit, en quête de cette odeur qu'elle connaît depuis sa naissance. Elle sourit en découvrant les dessins des petits-enfants précieusement conservés dans une chemise en carton. Les objets n'en sont pas pour la personne qu'ils accompagnent. Ils sont un souvenir, un réconfort, un indispensable, une partie de la vie. C'est d'autant plus vrai pour les personnes âgées, qui choisissent avec soin les rares objets qui rempliront leur dernière chambre. Les ranger au fond d'un carton, c'est accepter que l'être cher n'est plus là. Je ne peux pas rester là, à fumer, alors que quelqu'un vit l'un des moments les plus douloureux de sa vie à quelques mètres d'ici.

Quand j'entre dans le studio, elle est installée sur le sofa, une boîte posée sur les cuisses. D'un signe de tête, elle m'invite à m'asseoir près d'elle. J'obtempère et jette un œil sur la boîte. Du carton gris, des étiquettes affichant le modèle et le prix, rien ne la différencie d'une autre boîte à chaussures. Rien, hormis les mots tracés dessus, d'un coup de feutre tremblotant :

Pour mes enfants.
À n'ouvrir qu'après ma mort.

Chapitre 38

Je nous ai servi un café. Corinne a dit qu'elle n'en avait pas besoin, pourtant elle a vidé le mazagran d'une traite. Elle a frotté ses mains comme pour se donner du courage, puis elle a ouvert la boîte. J'ai dit que je pouvais l'attendre dehors, elle a répondu que je pouvais surtout rester.

Il n'y a que du papier. C'est bête, mais j'ai eu un instant de soulagement, comme si je m'attendais à découvrir une oreille humaine. Deux photos et trois enveloppes, dont l'une sur laquelle il est écrit « À lire en premier ». Alors elle obéit.

Mes chers enfants,

Si vous lisez cette lettre, c'est que je ne suis plus là. J'ai toujours trouvé cette formule ridicule quand je l'entendais dans des films à l'eau de rose, et voilà que je l'utilise…

Avant toute chose, je veux que vous sachiez que je vous aime de tout mon cœur. Vous avez été mon plus grand bonheur dans cette vie, suivis de près par les petits-enfants que vous m'avez donnés. Je sais que vous êtes tristes, j'espère bien que vous le serez quelque temps, je regrette de ne pouvoir vous prendre dans mes bras et vous dire que ça va aller. À défaut, je vous promets une chose : si jamais il y a vraiment quelque chose là-haut, je vais me trouver un fauteuil confortable et vous observer en attendant que vous me rejoigniez. Ne pleurez pas trop, sinon je vais pleurer aussi et vous allez vous plaindre de la météo.

La deuxième chose dont je souhaite vous parler, je ne l'ai jamais dite à personne. J'y ai pensé plusieurs fois, mais je n'étais pas sûre que ce soit important et j'avais peur de vous perturber. J'aurais pu me débarrasser de cette boîte, mais je n'en ai pas eu la force. Inévitablement, vous allez la trouver en rangeant mes affaires. Je vous dois donc quelques explications.

Corinne interrompt la lecture, se lève et fait quelques pas dans la pièce.

— Je ne suis pas sûre de vouloir savoir…

— Vous faites comme vous le sentez. Vous pouvez attendre votre frère, ce sera peut-être plus facile si vous n'êtes pas seule.

Elle secoue la tête.

— Je ne sais pas. Si je décide de lire la suite, je préfère le devancer. Je n'ai aucune idée de la révélation qu'elle va nous faire et je connais mon frère, il est capable de mal réagir. Je m'attends au pire.

— Bien sûr, je connaissais votre mère moins que vous, mais je suis presque certaine qu'elle ne vous aurait pas laissée avec une confession qui pourrait vous faire du mal.

— Vous avez raison, elle voulait notre bonheur, répond-elle en me tournant le dos pour cacher ses larmes qui menacent de jaillir. Mais j'ai peur. Je sais qu'elle a beaucoup souffert avec Papa, il n'était pas commode. Il buvait beaucoup et cognait fort... Quand j'étais petite et qu'il rentrait du travail, je devinais à sa façon d'ouvrir la porte si on allait passer une bonne soirée ou non. C'était souvent non. C'est dommage, il était gentil quand il n'avait pas bu. Je crois que Maman a été soulagée quand il n'a plus ouvert la porte. Une cirrhose, ça l'a emporté en deux mois. Depuis, je déteste l'alcool et les poignées qui grincent. J'ai mis des années à ne plus lui en vouloir, j'ai peur que les mots de Maman ne rouvrent les blessures... Que feriez-vous à ma place ?

Ouh là ! S'il y a bien une chose que je sais, c'est que les histoires de famille, c'est comme les slims trop petits : il vaut mieux rester en dehors. Alors, en bonne psychologue neutre et solide que je suis, je décide d'éluder la question. Enfin, pendant trois secondes et demie.

— Je crois qu'à votre place je connaîtrais déjà la lettre par cœur. Je suis plutôt du genre à évaluer les risques après avoir agi.

Comme si je venais de lui donner l'impulsion qui lui manquait, Corinne se rassoit et reprend la lecture :

Je vous laisse prendre connaissance du contenu de la boîte avant de lire la suite. Je vous expliquerai tout.

La première photo est en noir et blanc. Une jeune femme brune et un grand militaire blond se sourient, leurs mains liées. L'image est tellement vivante que l'on entend presque le photographe leur demander d'être un peu plus sérieux, de regarder l'objectif, et leurs rires qu'ils ne parviennent pas à étouffer.

La seconde photo est plus récente. Dans un jardin fleuri, un vieil homme prend la pose sur un transat, un enfant souriant dans les bras.

Corinne me regarde.

— Je ne connais pas ce monsieur. Mais, sur la première photo, je crois que c'est ma mère quand elle était jeune…

Elle semble réfléchir quelques secondes, puis attrape l'enveloppe la plus jaunie par le temps. Des lettres noires recouvrent son verso.

Mme Raymonde Pontel, épouse Noyre
7, allée des Acacias
33400 TALENCE
France

Je savais que Maryline s'appelait en réalité Raymonde. Elle m'avait expliqué avoir effectué le changement au décès de son mari, parce qu'un prénom de star du cinéma collait mieux à la personnalité qu'elle avait envie d'avoir. Elle avait raison, ça lui allait bien.

Le rabat n'adhère plus, preuve que l'enveloppe a été ouverte de nombreuses fois.

Corinne lit à voix haute :

Berlin, le 15 septembre 1947

Ma très chère Raymonde,

C'est le cœur lourd et désespéré que je prends la plume pour vous écrire.

Je viens de découvrir tous vos courriers. J'ai lu votre amour, votre détresse et votre déception… jusqu'à votre dernière lettre. Il est trop tard, je le comprends, mais je tiens à vous assurer que ce n'est pas le manque d'amour ou la lâcheté qui m'ont empêché de tenir mes engagements. Lorsque j'ai demandé votre main à votre père, je n'avais jamais été aussi sincère de toute ma vie. Je ne peux imaginer amour plus fort que celui qui nous lie. Je remercie chaque jour le destin, qui vous a placée sur ma route. Vous retrouver chaque soir fut ma raison de vivre durant cette période sombre. Je vous conjure de me croire.

À la fin de la guerre, je vous ai fait la promesse de revenir vous chercher pour vous épouser. Je ne l'ai pas tenue et j'en souffrirai chaque jour jusqu'au dernier de mon existence.

Dans votre dernière lettre, vous m'annoncez votre mariage. Soyez assurée que je comprends votre décision. Vous m'avez attendu près de deux ans, sans aucun signe de vie, sans réponse à vos courriers, persuadée que je vous avais oubliée… Il n'en est rien.

Durant ces deux années, j'étais prisonnier de guerre en Union soviétique, comme de nombreux autres Allemands. Durant ces deux années, j'ai pensé à vous nuit et jour. Les souvenirs de nos longues discussions, de votre sourire et du baiser que vous avez consenti à m'offrir le dernier soir m'ont donné la force de tenir. À peine libéré, je n'avais qu'une idée : vous retrouver et honorer ma promesse. Mais il est trop tard et j'en suis anéanti.

Je sais que jamais je n'aimerai une autre femme comme je vous aime. Une partie de mon cœur vous appartient et restera vôtre. La guerre nous a unis, la guerre nous a séparés, je ne regrette rien. Je préfère avoir vécu quelques mois de bonheur en votre compagnie et vous pleurer toute ma vie plutôt que ne vous avoir jamais connue.

Je vous laisserai désormais tranquille, mais je vous devais cette ultime explication. Je vous souhaite d'être heureuse comme vous le méritez.

À tout jamais votre amoureux,
Helmut

Sans un mot, sans laisser filtrer la moindre émotion, Corinne range la lettre dans son enveloppe et ouvre la deuxième.

Je ne sais pas comment elle fait. Moi, je serre mes dents de toutes mes forces pour ne pas craquer.

Berlin, le 4 janvier 2013

Madame,

Je suis l'épouse de Helmut Steinkamp, que vous avez connu en France. Je dois malheureusement vous apprendre une mauvaise nouvelle, il nous a quittés le mois dernier. Peu de temps avant, il m'a fait part d'une dernière volonté : vous écrire. Il souhaitait partir l'esprit tranquille. J'honore donc ma promesse.

Il m'a raconté votre rencontre et votre relation pendant la guerre. Il tenait à ce que vous sachiez qu'il ne vous a jamais oubliée. Il vous aimait profondément. Je l'ai rencontré en 1950 et nous avons eu trois enfants, un garçon et deux filles. Helmut était un homme bon et généreux qui a laissé un vide immense. Je crois qu'il a été heureux.

Je vous glisse dans l'enveloppe une photo de lui datant de l'année dernière, avec notre arrière-petit-fils Oliver.

Nous avons aimé le même homme, c'est pourquoi je me sens proche de vous, et je me permets de vous assurer de toute mon affection. Si vous souhaitez me répondre, nous pourrons échanger.

Sincèrement,

Madame Veronica Steikamp

P-S : C'est mon fils, professeur de français, qui a traduit ma lettre. Veuillez m'excuser si vous trouvez des fautes, je ne parle pas votre jolie langue.

P-P-S : Mon fils a trouvé cette adresse sur Internet, si cette lettre ne vous est pas adressée, mais que vous êtes de la famille de madame Raymonde Noyre, nom de jeune fille Pontel, merci de la lui transmettre.

J'ai arrêté de serrer les dents au deuxième paragraphe. Ça ne sert plus à rien, je ressemble à une bombe à eau qui vient d'exploser. Corinne est dans le même état que moi. Quelle triste histoire. Quel gâchis.

Je pensais que ce genre de destin n'existait que dans les films. À l'époque où Facebook ne facilitait pas les retrouvailles, de nombreux chemins ont dû être séparés ainsi.

Corinne reprend la lettre de sa mère et la caresse. L'encre posée sur le papier a ce pouvoir de relier le passé et le présent, celui qui écrit avec celui qui lit.

— J'ai toujours vu ma mère seulement comme une mère, souffle-t-elle entre deux sanglots. Je n'ai jamais cherché à en savoir plus sur elle, à voir la femme en elle. Elle a dû être tellement malheureuse...

— Je crois qu'on est tous comme ça, réponds-je en essayant de me maîtriser. Ne vous blâmez pas. C'est difficile de voir ses parents comme de vraies personnes.

Je me rends compte en le disant que moi-même je n'ai jamais envisagé ma mère autrement. Particulièrement à la mort de mon père. Je l'ai vue comme celle qui consolait ses filles, je l'ai vue comme celle qui organisait les obsèques, je l'ai vue comme celle qui marchait encore, même si elle boitait un peu. Bien sûr, je me suis dit que la vie sans lui allait être difficile pour elle. Mais je n'ai pas vu la femme qui venait de perdre sa moitié, celui qu'elle avait choisi pour l'accompagner sur son chemin. Je n'ai pas vu celle qui attend la nuit pour laisser couler ses larmes dans ce lit désespérément vide. J'ai vu Maman, je n'ai pas vu Christine.

Corinne nous sert un nouveau café et entame la lecture de la suite de la lettre de Maryline. C'est la dernière partie. Son ultime message. C'est peut-être pour ça qu'elle lit plus lentement.

Si vous avez lu les deux lettres et vu les photos, vous avez sans doute compris, mes chers enfants.

J'ai rencontré Helmut en 1944. À l'époque, je vivais encore chez mes parents, près de Bordeaux. Le café qu'ils tenaient se trouvait près d'une grande maison réquisitionnée par des Allemands. Nous ne les portions pas dans notre cœur, votre grand-père a même commencé par refuser de les servir. Mais nous n'avions pas vraiment le choix…

J'ai rapidement repéré Helmut. Il avait un regard doux, qui s'illuminait chaque fois qu'il me voyait. Nous avons échangé des mots, puis des phrases, puis des sentiments. Nous nous retrouvions chaque soir, quand les autres dormaient, pour discuter parfois pendant des nuits entières. Je lui apprenais le français, il me chantait des chansons allemandes. Il était tendre, galant, sensible et d'une gentillesse bouleversante. Je me suis souvent demandé ce qu'il faisait là… Lui aussi.

Mes parents ont appris à le connaître et à ne plus le considérer comme un Boche, si bien que, quand il a demandé ma main, mon père a accepté. C'était le jour du départ de Helmut, il avait promis de vite revenir. Ce fut à la fois le plus beau et le plus douloureux jour de ma jeune vie.

La suite, vous la connaissez. Je l'ai attendu deux ans, durant lesquels j'ai cru mourir de chagrin. Il m'avait abandonnée, j'en étais persuadée.

Votre père était un client régulier du café, il paraissait gentil, bien qu'un peu bourru. J'ai cru qu'avec lui je parviendrais à oublier Helmut et que je trouverais un semblant de bonheur. Lorsque j'ai reçu la lettre m'annonçant qu'il avait été fait prisonnier, je venais d'apprendre que j'étais enceinte de toi, Corinne. C'est vous qui m'avez fait tenir, mes trois amours. J'ai tellement aimé vous dorloter, mes enfants chéris, prendre soin de vous, vous voir grandir et devenir des personnes formidables, que je ne regrette rien. J'ai eu une vie heureuse, je n'aurais pu rêver mieux. Mais, chaque jour que Dieu a fait, j'ai senti mon cœur se serrer en pensant à Helmut.

J'espère qu'aujourd'hui je suis à ses côtés. Mais je regrette de ne plus être près de vous. Vous allez me manquer, mes tout-petits. Je compte sur vous pour retenir la seule leçon que j'aie vraiment cherché à vous apprendre : faites de chaque jour un souvenir heureux. À la fin, le bonheur est la seule chose que l'on emporte avec soi.

Je vous aime de tout mon cœur.

Maman

J'ai la main de Corinne dans la mienne. Je n'ai plus rien d'une psychologue. À cet instant précis, je suis composée de 99 % d'eau et 1 % de morve. Si je m'écoutais, je la prendrais dans mes bras et je la bercerais comme un bébé. Il se peut que ce soit légèrement déplacé.

— C'est terrible, dit-elle en sortant un quatre cent millième mouchoir en papier de sa boîte. Je ne réalise pas que je ne la verrai plus jamais. C'est vers elle que je me tourne à chaque fois que j'ai quelque chose d'important à partager, que ce soit joyeux ou non. Quand on m'a annoncé qu'elle était partie, c'est elle que j'ai pensé appeler pour qu'elle me réconforte… Elle va tellement me manquer !

— Vous êtes bien entourée ?

— Oui, oui, j'ai mon mari, et mes enfants ne sont pas loin. Mais ce n'est pas pareil. Je ne suis plus la fille de personne, lâche-t-elle en pleurant de plus belle. Perdre un parent, c'est perdre son enfance. J'ai l'impression que personne ne pourra me comprendre…

Je pose ma main sur son épaule.

— Votre frère ne devrait plus tarder, ça va vous faire du bien de le retrouver.

— Oui, sans doute. J'ai hâte de les voir, ma sœur et lui. Parfois, j'aimerais qu'on redevienne des enfants choyés par notre mère.

Elle se lève et recommence à vider l'armoire de Maryline dans un carton.

— Je m'excuse, poursuit-elle, je ne devrais pas pleurer autant. Si Maman était là, elle me dirait qu'il faut voir le bon côté, que nous avons eu la chance de l'avoir pendant si longtemps. Elle aurait raison, beaucoup de personnes perdent leurs parents plus jeunes. Demain, je parviendrai peut-être à relativiser. Mais, aujourd'hui, j'en suis incapable.

— C'est normal ! Pleurez autant que vous le voulez, lamentez-vous, effondrez-vous. Si on ne peut pas être malheureux quand on vient de perdre sa mère, quand peut-on l'être ?

Quelqu'un ouvre la porte au moment où ses larmes redoublent. Un couple d'une soixantaine d'années aux yeux rougis entre dans le studio tandis que Corinne sort de l'armoire l'écharpe « Miss Mamie 2004 » qui ne quittait jamais le buste de sa mère. Elle se jette dans les bras de son frère. Il est temps de les laisser en famille.

Je sors discrètement et referme la porte derrière moi. J'ai l'impression que mes jambes sont deux ficelles au bout desquelles pendent des poids de plusieurs tonnes. Chaque pas me demande un effort surhumain. Je viens de prendre un train en pleine face, et il avait à son bord la Mort et le Désespoir. Il va me falloir quelque temps pour remettre tous mes membres en place. Mais, avant, j'ai quelque chose de plus urgent à faire.

Je rejoins mon studio, me laisse tomber sur le canapé et enclenche l'appel. Elle répond dès la deuxième sortie.

— Allo Maman, c'est Julia. J'appelais pour te dire que je t'aime.

Chapitre 39

J'ai la tête qui tourne en me couchant.

Plus tôt, on s'est réunis dans le studio de Greg. Marine, lui et moi, ensemble contre la tristesse. On a pas mal bu, pas mal pleuré aussi. On s'est raconté des choses qu'on réserve aux amis de longue date, ou à ceux qui font épreuve commune avec nous.

C'est dans ces moments-là que ça me frappe le plus. Ce sentiment d'être tous pareil, au fond, nous les humains. Que l'on vienne de France ou du Mali, que l'on soit blond, chauve ou crépu, que l'on préfère les langues ou la chimie, que l'on soit généreux ou pessimiste, on vivra tous des joies, on sera tous frappés par des drames, on connaîtra le chagrin, on expérimentera le bonheur. Les émotions, ça s'appelle. Un truc universel.

Greg nous a parlé de la maladie de sa mère pour la première fois. Elle s'en est sortie, à peu près, mais pendant des années ils ont vécu au rythme des hospitalisations, des chimiothérapies et de leur cortège d'effets secondaires, des périodes d'espoir et des annonces angoissantes. Marine a évoqué son frère, parti dans un accident de scooter quand elle avait seize ans, du vide que ça laisse, un enfant en moins dans une famille, de son père qui ne s'en est jamais vraiment relevé. Moi, j'ai raconté mon père, ce deuil dans lequel j'ai l'impression de patauger sans parvenir à en sortir. Et j'ai parlé de Maminou, un peu.

Toute cette douleur contenue dans un si petit studio : à un moment, j'ai cru que les murs allaient exploser. Mais non, on s'est juste resservi un verre.

Parfois, j'ai cette drôle d'impression que la vie est un jeu vidéo. On commence la partie avec plusieurs jauges pleines. La jauge de sérénité, la jauge de force, la jauge d'énergie, la jauge de joie. Sur notre chemin, on va croiser quelques ennemis, faire face à des attaques, parfois se tromper de chemin, sauter sur des bombes, chuter dans des trous, buter contre des obstacles. À chaque fois, nos jauges vont être entamées, mais des bonus « Bonheur » vont nous aider à les recharger. Le bonus « Mariage », le bonus « Naissance d'un enfant », le bonus « Soirée en famille ». Ces bonus sont précieux, ce sont eux qui déterminent la qualité de la partie, parfois même sa durée. À la fin de chaque tableau, on doit affronter un gros monstre. Parmi les plus terrifiants, il y a le monstre « Deuil », le monstre « Maladie », le monstre « Chômage », le monstre « Rupture ». Ceux-là, ils sont coriaces, il faut du temps pour en venir à bout. Même si on y parvient, ils emportent toujours avec eux une bonne partie de chaque jauge. Un jour, les bonus ne sont plus assez costauds pour restaurer la joie, l'énergie et la force.

Je suis jeune, je n'ai pas encore affronté tous mes monstres. Mes jauges sont loin d'être à sec. Qu'en sera-t-il dans cinquante ans ? Et si c'était la raison pour laquelle on trouve parfois les personnes âgées défaitistes ? Et si, en fait, elles savaient ? Et si affronter plusieurs monstres avait sacrément entamé leurs jauges ? Et si, à force de tomber, le cuir se tannait pour ne plus marquer ?

Et si j'arrêtais de boire ?

Chapitre 40

L'idée est venue sans que personne ne la cherche. C'est Élisabeth qui l'a exprimée, le surlendemain du décès de Maryline. Tout le monde l'a trouvée bonne, alors on a tout mis en œuvre pour organiser cet hommage original. Le résultat lui aurait plu, à n'en point douter.

La pièce commune fait office de salle de spectacle. Une scène est délimitée par des tables recouvertes de nappes en papier blanc sur lesquelles des mains plus ou moins habiles ont parsemé des branchages arrachés aux arbres du parc. Des guirlandes lumineuses, pour celles qui fonctionnent, parcourent les murs. Des spots colorés sont orientés vers la grande banderole qui traverse la pièce de part en part. Ce qui y est inscrit ne laisse planer aucun doute :

« Élection de Miss et Mister Tamaris »

Si Geneviève de Fontenay voyait ça, elle saignerait du nez.

Les moyens sont du bord, mais les volontés sont d'acier. Chacun y va de son petit rôle, et la maison de retraite s'est transformée en fourmilière joyeuse. L'issue de secours du couloir sombre que l'on vient tous de traverser.

Les enfants de Maryline sont au premier rang. Les résidents qui ne souhaitaient pas prendre part à l'élection sont installés dans le public tandis qu'avec mes collègues nous nous activons dans les coulisses/cuisines pour réaliser les habillages, maquillages et derniers ajustements des candidats. Il n'y a pas de jury : le couple de gagnants sera désigné par les applaudissements les plus fournis. Le trac est palpable, les résidents répètent leurs numéros à l'écart pour préserver la surprise. Si on m'avait dit qu'un jour j'assisterais à une élection de miss, j'aurais ri. Si on m'avait précisé qu'en plus je trépignerais d'impatience, j'aurais demandé à être internée, à titre préventif.

Je rejoins le public après avoir arrangé les cheveux d'Arlette. Je m'en suis bien sortie, ne disposant que d'une fine masse de cheveux pour dissimuler ses appareils auditifs et créer un chignon qui ne ressemble pas à un escargot. Quand j'ai terminé, elle m'a gratifiée d'une tape sur la joue, qui se voulait sans doute légère. Je crois que cela signifiait qu'elle était satisfaite. Moi, j'ai l'oreille qui bourdonne.

Marine m'a gardé une place à sa gauche, la droite étant occupée par Greg.

— Vite, ça commence, me dit-elle au moment où je m'assois.

Et en effet, ça commence.

Isabelle fait office de présentatrice. Pour l'occasion, elle a revêtu une longue robe recouverte de strass. À chaque fois que je pose mon regard dessus, j'ai l'impression que l'ophtalmo me fait un fond d'œil.

— Bienvenue à l'élection de Miss et Mister Tamaris ! s'exclame-t-elle dans le micro. Comme vous le savez, cette cérémonie a pour but de rendre hommage à notre bien-aimée Maryline qui a rejoint les étoiles et brille désormais dans le ciel noir, au milieu des nuages et des orbites.

Je regarde Marine. Marine me regarde. Greg regarde Marine. Marine regarde Greg. Greg me regarde. Je regarde Greg. Je crois qu'on est tous d'accord. Isabelle a le cerveau qui baigne dans du bouillon de poule.

Elle continue son lancement à grand renfort de gestes théâtraux, jusqu'à ce qu'Anne-Marie vienne lui dire quelque chose à l'oreille. Alors, elle annonce le premier participant et se retire, non sans nous avoir offert une révérence appuyée.

Lucienne est la première à passer. Elle se présente comme il est d'usage dans une élection de miss classique, à une différence près : à ces âges-là, on ne se définit plus par sa profession, mais par son nombre de descendants. Lucienne a un fils, un petit-fils et c'est tout, autant dire qu'elle est tout en bas de l'échelle de la Mamie. Heureusement, son solo de clarinette est un succès, le public applaudit avec force. Je fais de même, plus pour faire plaisir à Lucienne que par réel engouement. En l'écoutant, j'ai fait un bond de vingt ans en arrière et je me suis retrouvée en cours de musique, quand on apprenait *Au clair de la lune* à la flûte à bec.

Gustave prend le relais avec le costume du parfait illusionniste : queue-de-pie, haut-de-forme, déambulateur orné d'une guirlande dorée et air mystérieux. Avec des gestes exagérément amples, il présente un jeu de cartes, en tire une qu'il montre à l'assemblée, la remet parmi les autres, les mélange, souffle dessus et miracle ! « Sous vos yeux ébahis, la dame de pique se retrouve sur le dessus du paquet ! » Nos yeux ébahis sont perplexes, la dame de pique ressemble à s'y méprendre à un neuf de cœur. Gustave fronce les sourcils : « C'est incompréhensible, ça marche à tous les coups. » Visiblement, tous les coups sauf deux, mais au troisième la dame de pique daigne se montrer et Gustave gagne une ovation.

Louise entre en scène à son tour, avant que Gustave ne l'ait quittée. Il règle le micro à la taille de sa colocataire, puis déguerpit tandis qu'elle déplie une feuille. « Ma mémoire a besoin d'une assistance », précise-t-elle. Elle se présente, ainsi que ses quatre enfants, dix petits-enfants et deux arrière-petits-enfants. Puis elle toussote avant de fermer les yeux et de se lancer, avec cette voix qui hésite entre force et fragilité propre aux vieilles dames.

> *Non ! Rien de rien…*
> *Non ! Je ne regrette rien…*
> *Ni le bien qu'on m'a fait*
> *Ni le mal, tout ça m'est bien égal !*

Non ! Rien de rien…
Non ! Je ne regrette rien…
C'est payé, balayé, oublié
Je me fous du passé !

À la fin de la chanson, seuls le sifflement du micro et quelques reniflements se font entendre. L'émotion s'est installée dans le public. J'ai des frissons du haut de mon crâne à la pointe de mes pieds. Quelques secondes suspendues durant lesquelles Louise semble prendre conscience de l'endroit où elle se trouve, juste avant que Gustave ne se lève et tape dans ses mains avec frénésie, immédiatement imité par chaque personne du public. Le souvenir de Maryline donne une saveur particulière à ces paroles. Ses trois enfants sont en larmes.

En me rasseyant, j'aperçois du coin de l'œil la main de Greg presser discrètement celle de Marine, puis reprendre sa place sur sa propre cuisse. De deux choses l'une : soit il se passe quelque chose dont je ne suis pas au courant, soit Greg est en train de développer une maladie neurologique qui lui impose des mouvements involontaires. Il va falloir que je tire ça au clair.

Isabelle fait un petit tour sur la scène pour s'assurer que tout est en place et que tout le monde a remarqué qu'elle pleurait. Sa robe me semble de plus en plus étincelante. J'entends distinctement mes rétines me dire adieu.

C'est au tour d'Élisabeth et Pierre, qui ont choisi de participer en couple. Vêtus de tenues de soirée tout droit sorties des années cinquante, les deux amoureux se mettent face à face avec le plus grand sérieux. Le vieil homme pose sa main gauche dans le dos de sa femme et l'attire doucement contre lui, tandis que la droite se dresse. Élisabeth la prend, sourit à son mari et leurs premiers pas s'esquissent quand *Le Beau Danube bleu* retentit.

Il y a des pieds qui s'emmêlent parfois, des grognements, des pas qui ne vont pas dans la bonne direction, mais la seule chose que l'on remarque vraiment, c'est l'amour entre ces deux-là. Tout est dit en quelques minutes de danse. La délicatesse avec laquelle il tient sa main. La confiance qu'elle lui accorde pour la guider. La tendresse qu'elle glisse dans ses remontrances quand il lui écrase le pied. Les erreurs vite effacées. Leurs regards rivés l'un à l'autre. Le négatif englouti par le positif. Leur synchronisation, comme si c'était naturel. Ils sont beaux, tous les deux. Il y a des décennies, ils se sont choisis mutuellement pour faire une longue balade sur un chemin inconnu. Ils sont là, bientôt au bout du voyage, fatigués, essoufflés, éprouvés par quelques blessures de parcours, mais ils me l'ont confié : s'il y a un mot qui devait définir leur vie, ce serait « reconnaissance ». « Tout le monde n'a pas la chance de trouver la personne qui va l'accompagner toute sa vie et de l'aimer encore comme au premier jour alors qu'on arrive au dernier », m'a dit Élisabeth lors d'une séance. « Rien que pour cela, je regrette que la vie soit si courte, a ajouté Pierre. J'aurais bien passé encore un peu de temps avec elle. »

Je sens que mes larmes ne sont pas loin de couler et presse mes paupières pour les en empêcher. J'ai beaucoup pleuré ces derniers jours. Si ça continue, je vais finir lyophilisée et on me mettra en sachet pour que les astronautes me consomment.

Les autres participants se succèdent : Mina à l'accordéon, Arlette aux ombres chinoises, Mohamed au fusain, Jules aux claquettes… Pendant un instant, chacun oublie où il se trouve. On devrait faire ça plus souvent.

Isabelle prend une dernière fois le micro, euphorique dans son habit de lumière. Si elle le pouvait, elle clignoterait. Tous les participants sont passés, ils doivent maintenant venir saluer à tour de rôle afin que les applaudissements soient évalués et les gagnants désignés.

À la fin du défilé, mes mains sont engourdies à force d'avoir tapé. C'est Léon, grâce à une application installée sur sa tablette, qui a proposé de mesurer les applaudissements les plus fournis. Certains y ont vu une forme de générosité étonnante de sa part, il les a vite stoppés : il déteste les tricheries et les approximations, son geste a pour seul objectif d'obtenir un résultat fiable. Nous voilà rassurés.

Trois participants ont dû être départagés par une nouvelle salve d'encouragements : Louise, Gustave et Élisabeth et Pierre. Ce sont finalement les deux premiers qui sont élus Miss et Mister Tamaris, sous les félicitations chaleureuses de tous les participants. Isabelle s'empresse de leur passer l'écharpe, symbole de leur sacre, et ne peut s'empêcher de terminer par un discours.

— Merci à tous pour ce merveilleux moment. C'était un bel hommage à notre inoubliable Miss Mamie, dont la flamme continuera de brûler dans nos cœurs douloureux. C'est la vie, comme on dit ! Bravo à Louise et à Gustave, qui ont bien mérité de gagner…

Elle les observe quelques secondes, plantés sur le côté de la scène, et poursuit :

— Ils sont pas mignons, tous les deux ? Non mais, franchement, ça se voit comme le nez au milieu de la figure qu'il se passe quelque chose entre eux, pas vrai ?

Louise écarquille les yeux. Gustave rougit jusqu'au déambulateur. La gêne plane sur le public.

— C'est vrai, quoi ! continue-t-elle. Ils sont différents, d'accord, Louise est plutôt distinguée et Gustave aime les coussins péteurs, mais on dit bien que les opposés s'attirent… Allez, faites-nous rêver ! Le bisou ! Le bisou ! Le bisou !

Elle tape dans ses mains et encourage le public à la suivre. En vain. Pourtant, sous les regards sidérés, Louise adresse un sourire entendu à Gustave et lui tend ses lèvres, sur lesquelles il dépose un baiser tendre qui n'a pas l'air d'être le premier. Les applaudissements fusent, la foule est en liesse, Marine, Greg et moi faisons la ola, on croirait qu'un but de finale vient d'être marqué.

On ne pouvait imaginer meilleure clôture de cet hommage à Maryline. Si elle a vraiment trouvé un fauteuil confortable, là-haut, je suis certaine qu'elle et Helmut font la danse de la joie.

Chapitre 41

Notre plan était parfait. Aucune raison d'en prévoir un B. On a mis du temps à l'élaborer, il faut dire. Une soirée entière à imaginer le meilleur moyen pour réparer l'ego de Marine sans pour autant gâcher le mariage de son ex. Greg et moi avons dû faire preuve de persuasion, sans quoi les invités auraient pu voir débarquer une famille de sangliers à la cérémonie. Ou manger des asticots. Ou se retrouver avec des zizis sauteurs accrochés aux essuie-glaces. La séquestration du DJ et la lacération de la robe de mariée par des chauves-souris dressées pour l'occasion ont également été évoquées. Marine était en forme.

On est finalement tombés d'accord sur un cadeau de mariage d'un genre particulier. Le scénario était simple : on parvenait à s'introduire dans la salle louée pour l'occasion, on y déposait le paquet et on repartait l'air de rien. La fleur au fusil. J'ai été désignée : personne ne me connaissait et j'avais un physique passe-partout, dixit Marine, qui s'est rattrapée en précisant que c'était un compliment, que cela signifiait que j'avais une beauté universelle. Hum. Donc je déposais le paquet dans la salle et on se cachait derrière une des nombreuses fenêtres en attendant la réaction de Guillaume quand il l'ouvrirait.

Marine a voulu nous laisser la surprise en ne nous révélant pas ce qu'il contiendrait. Elle a dit qu'il s'agissait de quelque chose qui ne manquerait pas de le mettre mal à l'aise, sans gâcher la fête ou faire du mal à la mariée. On s'est assuré qu'il ne s'agissait pas d'une bombe, puis on a validé. C'était une idée tellement brillante qu'on a ouvert une troisième bouteille.

Il est près de vingt et une heures. Il fait nuit, il fait froid, on planque derrière une petite fenêtre sale depuis des heures, les pieds plantés dans le fossé qui jouxte l'arrière de la salle, le plan nous semble nettement moins parfait maintenant. On a été les spectateurs indiscrets de l'arrivée des mariés, du discours des témoins, du vin d'honneur, des photos de groupes, du dîner, de deux animations, d'un diaporama… À ce stade, je ne suis pas loin de l'overdose. Le prochain qui m'invite à un mariage, je lui fais bouffer les bonshommes en plastique de la pièce montée. Mais Marine ne veut pas décoller. Pas tant que les cadeaux ne sont pas ouverts.

J'essaie de la raisonner :

— Marine, si ça se trouve, ils ouvriront les paquets demain. Ou tout à la fin. Il reste encore le gâteau, l'ouverture de bal, le bal et sans doute des animations. Tu es sûre que tu ne veux pas rentrer ?

— Certaine. On n'a pas fait tout ça pour rien !

Greg me regarde en haussant les épaules. Même pas la peine que je compte sur lui pour m'aider. Il traverserait Biarritz à poil, une plume de mouette dans le cul, si Marine le lui demandait. Alors je souffle dans mes mains pour les réchauffer, en espérant que l'ouverture des cadeaux sera la prochaine étape.

Quelqu'un a dû prendre cela pour une prière, car, quelques minutes plus tard, tous les invités se réunissent autour de la table sur laquelle sont disposés l'urne et les cadeaux. La petite boîte blanche emballée par Marine est bien là, exactement où je l'ai posée avant de détaler. Les mariés sont en première ligne, radieux. J'ignore comment Marine peut supporter un tel spectacle. Savoir l'homme qu'elle aimait heureux avec une autre, c'est une chose, mais avoir sous les yeux l'étalage de ce bonheur, les voir s'embrasser, se serrer, se chuchoter des mots à l'oreille avant de glousser, porter des tenues assorties et recevoir les félicitations de leurs proches, pleurer devant un diaporama retraçant leur histoire et essuyer les larmes de l'autre avec des baisers, ça doit lui tordre le ventre. Ça aurait dû être elle. Normal qu'elle ne veuille pas partir sans avoir obtenu satisfaction, après tout.

Les premiers paquets sont ouverts. Des draps brodés à leurs prénoms, des couverts en argent, une paire de pyjamas coordonnés… Les mariés poussent des petits cris de joie. Faut-il être vraiment heureux pour s'extasier devant une famille de fourchettes.

C'est madame qui attrape la petite boîte blanche. Elle la secoue, comme pour deviner ce qu'elle contient. Pourvu que ce ne soit pas un animal. Monsieur tire sur le ruban pour l'ouvrir. Tous les appareils photo sont braqués sur eux. Greg passe son bras autour des épaules de Marine. Elle frémit. Moi aussi. Le couvercle tombe. La mariée sort de la boîte un petit morceau de dentelle blanche.

— Une culotte ? je m'exclame. Ton super cadeau, c'est une culotte ?

— C'est la première culotte qu'il m'a offerte, répond-elle sans quitter la scène des yeux. Je la portais à chaque événement, il va la reconnaître, c'est obligé.

La mariée s'extasie en levant son joli morceau de tissu pour en faire profiter tout le monde. Le visage de Guillaume est impassible. Un invité, sans doute l'oncle-lourdingue, se met à taper dans ses mains en scandant : « La culotte ! La culotte ! » D'autres l'imitent, la mariée rit, puis se baisse pour enfiler tant bien que mal la pièce de lingerie blanche sous son encombrante robe. Quand elle a terminé, tout le monde l'applaudit, son mari en tête, puis elle referme la petite boîte blanche avec l'ego de Marine à l'intérieur.

— Si j'avais su, je ne l'aurais pas lavée, lâche-t-elle pour masquer son abattement.

— Ça va aller ? lui demande Greg.

— Moui, répond-elle en s'éloignant de la fenêtre. Bon, on s'en va ? Je vous l'avais bien dit qu'on aurait dû faire les zizis sauteurs.

En effet, le mieux est de partir. Inutile de continuer la torture.

On longe l'arrière du bâtiment pour rejoindre la voiture tandis que la musique d'ouverture de bal retentit.

Je devrais être contente, je serai bientôt au chaud dans ma chambre. Mais je suis frustrée. C'est moi qui ai lancé l'idée d'une vengeance, et voilà que Marine est complètement dépitée. Si je m'étais tue l'autre jour, elle aurait sans doute pensé à eux toute la journée, elle les aurait imaginés, pensés, rêvés, fantasmés. Mais elle ne les aurait pas vus. Elle souffre, et c'est de ma faute. On ne peut pas partir comme ça. Je ne peux pas la venger, mais je peux lui redonner le moral.

Je tire Greg par le bras et lui glisse quelques mots à l'oreille. Il hoche la tête en riant. Je l'entraîne vers l'entrée principale du bâtiment en courant.

— Marine, retourne à ton poste d'observation ! je lance en m'éloignant. Quand tu nous vois ressortir, fonce vers la voiture !

Les enceintes soufflent les notes de *One*, de U2. Les convives forment un cercle autour de la piste. Personne ne fait attention à nous quand nous entrons dans la salle. J'ai les jambes qui tremblent et envie de faire demi-tour, mais je devine l'ombre de Marine derrière la petite fenêtre du fond. Je mets mon cerveau sur pause et mon corps sur pilotage automatique. Bras dessus, bras dessous, on entre dans le cercle et on se poste juste à côté des jeunes mariés absorbés par leur slow.

C'est Greg qui se lance le premier. Sous les regards stupéfaits du public, il mouline des bras, remue des fesses, zigzague des pieds, tape des mains. Un savant mélange entre une Clodette et la danse des canards. Je le rejoins en french cancan approximatif au moment où les mariés remarquent notre présence. Je n'ai jamais eu aussi honte de ma vie. Je n'ai jamais autant ri non plus. Foutu pour foutu, je traverse la piste en sauts de biche, ou de bûche, on ne sait pas très bien, pendant que Greg entame un triple axel. Les mariés ont cessé de danser, la musique s'est tue, il ne nous reste que quelques secondes pour offrir un final digne de ce nom à notre copine meurtrie.

— T'as vu *Dirty Dancing* ? je crie à Greg.

Il explose de rire. Il a compris.

Tandis que l'oncle-lourdingue se dirige vers moi, je m'élance vers Greg qui a posé un genou à terre. À environ un mètre de lui, je pousse sur mes pieds pour m'envoler. On va faire le plus beau porté de l'histoire. Je suis un oiseau, je suis une plume, je suis Bébé, je suis… Je suis une crêpe. Au lieu de me poser délicatement entre les mains de Greg, je le percute telle une fléchette le centre de la cible. Il vacille, tombe, et on s'écrase lamentablement aux pieds des mariés circonspects.

Il est sans doute temps de partir.

On sort de la salle en courant, suivis de près par une dizaine de convives aussi furieux que nous sommes hilares. Marine nous attend à la voiture. Elle se tient le ventre et pleure de rire. On a réussi notre coup. On saute sur les sièges et Greg démarre en trombe tandis que notre amie nous couvre de remerciements. En passant devant la voiture des mariés, un détail attire mon attention. Au milieu des fleurs et des nœuds de satin, deux zizis en plastique sautillent au bout des essuie-glaces.

Chapitre 42

Ce matin, j'ai reçu un SMS de ma sœur.

« Je passe ce soir, il faut qu'on parle. »

J'ai essayé de l'appeler une bonne dizaine de fois et je lui ai envoyé autant de messages pour lui expliquer que, quel dommage, je ne serais pas chez Marion ce soir, on ne pourrait donc pas se voir.

Ma sœur se rend régulièrement à Paris pour assister à des conférences. Elle est médecin généraliste, comme quand nous jouions petites, quand j'endossais systématiquement le rôle de la malade.

Elle n'a pas répondu. Dans le doute, j'ai demandé à Marion de jouer le jeu.

— OK, si elle vient je l'embarquerai au resto ! a-t-elle dit.

— Il ne faut surtout pas qu'elle entre dans l'appart, sinon elle va voir que je ne vis plus ici.

— T'inquiète, ma biche, je gère.

Alors je ne me suis pas inquiétée. Jusqu'à ce que je tombe sur ma sœur en rejoignant mon studio après l'épisode quotidien de *Plus belle la vie*.

Elle est postée devant la porte de l'annexe, les yeux rivés sur l'écran de son téléphone. Tout mon sang afflue vers mon visage. J'envisage de partir en courant, ou de me mettre en boule, elle croira peut-être que je suis une pierre, quand elle lève les yeux vers moi.

— Qu'est-ce que tu fais là ? je demande en la rejoignant.

— Je te retourne la question, répond-elle en rangeant son portable dans la poche de son manteau.

Je la prends dans mes bras et la serre fort. Ses cheveux caressent mon nez, ils sentent les souvenirs. J'ai dix ans. Après, on jouerait à « Dessinons la mode » et on regarderait *Bouba le petit ourson* en mâchant des Tubble Gum. Et puis Papa et Maman nous gronderaient parce qu'il ne faut pas manger avant de passer à table.

— Tu pensais vraiment que je n'allais pas l'apprendre ?

Je quitte ses bras et l'enfance. Affronter.

— Tu veux monter ?

— Je ne préfère pas.

Le banc au fond du parc est le siège de notre explication. Face à nous, le ciel gris se fond dans les vagues. Le vent souffle fort, c'est presque réconfortant, cette cohérence. Carole n'a pas la tête d'un jour de beau temps.

— Comment tu as su ? je demande sans oser la regarder.

— Marc.

— Marc ? Mais comment ça ?

— Il m'a appelée au cabinet hier. Il ne voulait pas te trahir, mais il s'inquiétait pour toi. Il dit que tu es en pleine dépression, il s'en serait voulu de ne rien faire pour t'aider.

— Tu parles. Connard.

— Ouais. C'est ce que je me suis dit aussi. Tu comptes m'expliquer ou pas ?

Alors je lui raconte. Papa, le manque, la douleur, Maminou, Marc, l'angoisse, le vide, les excès, le sentiment de ne plus être à ma place là-bas et de marcher à côté de ma vie. L'offre d'emploi, ma réponse sur un coup de tête. Mon envie de tout lui dire, mon besoin de me taire. Ma vie ici. Le sentiment de regagner mon chemin. Elle m'écoute sans un mot, le regard droit devant, les mains crispées sur son sac qui annonce « Je peux partir à tout moment ». Quand j'ai fini, on se dévisage. Je cherche un indice, une piste sur son ressenti. Mais elle a tout verrouillé. Accès aux émotions interdit.

— T'es là depuis quand ?

— Quatre mois.

— Quatre mois… Elle n'en a aucune idée ?

— Non, aucune.

— Et tu comptes le cacher encore longtemps ?

— Je ne sais pas. J'ai bien avancé depuis que je suis ici, mais je ne suis pas encore prête.

— Mais qu'est-ce qui te fait si peur, bon sang ? s'écrie-t-elle soudain. Qu'est-ce qui t'effraie au point de ne pas lui dire la vérité ? Tu perds du temps, t'en as conscience ? Ça ne se rattrape pas, on le sait !

Je baisse la tête.

— Je sais. Je n'ai rien prémédité, je me suis enfuie. J'ai quitté mon malheur en espérant qu'il ne me suivrait pas. Quand j'ai débarqué ici, j'étais complètement perdue. Je ne savais pas si c'était une énorme connerie ou une issue de secours. Pendant des mois, j'ai enfermé mes émotions dans une boule que j'ai placée dans ma gorge. Je me réveillais chaque matin avec la peur d'affronter la journée à venir. Le seul moment où je n'allais pas mal, hormis quand je dormais, c'était les premières secondes de l'éveil, quand mon cerveau n'avait pas encore fait la mise au point sur ma vie. Et puis je revenais à la réalité. Depuis quelques semaines, la boule a disparu. Je crois que j'ai fait le bon choix.

Son regard se radoucit, il me semble. Je l'espère.

— Tant mieux pour toi, Ju. Sincèrement, je suis heureuse si tu as trouvé la solution pour aller mieux. Mais je suis en colère. Je t'en veux énormément. On est une famille, merde ! Je pensais qu'on était unis ! Je t'en voulais déjà de ne pas être très présente depuis la mort de papa. Avant, il ne se passait pas une semaine sans que tu appelles, tu descendais à la moindre occasion, on était au courant de toute ta vie, et toi pareil. Je me suis dit que c'était ta manière de dépasser tout ça, que, même si je ne réagissais pas pareil, il fallait que j'accepte ton besoin de te replier sur toi. Il y a tellement de moments que j'aurais voulu qu'on partage… Je me suis sentie seule, à devoir dominer mon chagrin et celui de maman. Parce que, oui, surprise : maman souffre. On n'aurait pas été trop de deux pour l'entourer, tu sais. Ne pas pouvoir t'aider m'a fait du mal aussi. Tu as rejeté toutes mes tentatives, je voyais que tu n'allais pas bien. Mais soit. Chacun surmonte comme il peut. Je me suis dit que l'essentiel était que tu t'en sortes, avec ou sans nous. On finirait par se retrouver. Comme avant. Et là, j'apprends que tu es ici depuis quatre mois. Juste à côté de nous…

Elle soupire profondément.

— Je t'aime, Julia. Je t'aime de tout mon cœur et je ne pourrais jamais arrêter. Mais quelque chose s'est cassé. Tu m'as déçue, et je ne sais pas si ça pourra s'arranger un jour.

Je suis abasourdie. Les mots de ma sœur me fouettent. Je n'ai même pas la force de rétorquer. Tétanisée, comme en état de choc. Pourtant, j'en aurais des choses à lui dire. Que c'est elle l'égoïste, à me balancer ces horreurs alors que je suis fragile, que j'ai le droit de me protéger comme je l'entends, que moi aussi je suis là pour Maman, même si c'est moins qu'elle. Je voudrais me disputer avec elle et user de mauvaise foi pour retourner la situation à mon avantage, lui jurer qu'elle a tort en croisant les doigts derrière mon dos, comme quand on avait dix ans. Mais je n'y arrive pas. Parce qu'on n'a plus dix ans, et parce que je me rends compte que c'est elle qui a raison.

Je ne réagis pas quand elle se lève. Ni quand elle prend le temps de réajuster le col de son manteau, comme si elle me laissait quelques secondes supplémentaires pour me racheter. Ni quand elle s'éloigne, me laissant seule, grise face à la grisaille. Ni quand elle me lance, dernière fléchette avant l'abandon :

— Je parie que tu n'es même pas allée sur la tombe de Papa.

Juin

« Si je devais recommencer ma vie,
je n'y voudrais rien changer ;
seulement j'ouvrirais un peu plus grand les yeux. »

Jules Renard, *Journal*

Chapitre 43

La nouvelle résidente s'appelle Rosa. Elle occupera le studio de Miss Mamie. Elle a des cheveux courts et noirs qui tranchent avec sa peau presque transparente. Les *r* roulent dans sa bouche tandis qu'elle m'explique qu'elle n'est pas très sûre de vouloir vivre ici. Assise à ses côtés, face à mon bureau, sa fille triture un mouchoir, la tête baissée. C'est mon premier entretien d'admission, mais je sais déjà que je n'aime pas ça.

— Elle a fait une mauvaise chute, m'explique sa fille, elle s'est cassé la hanche. Elle a passé deux semaines à l'hôpital et un mois en centre de rééducation, mais elle a encore du mal à marcher. Dans sa maison, tout se trouve à l'étage, elle ne peut pas y rester… Moi je vis à Toulouse, je l'aurais bien prise chez moi, mais elle ne veut pas quitter le Pays basque…

— Je suis là ! la coupe la vieille dame. Tu n'es pas obligée de parler de moi à la troisième personne !

— Rosa, dis-je, personne ne vous forcera à vivre ici si vous ne le souhaitez pas. Ce n'est pas une prison. Le bonheur de nos résidents est notre préoccupation première. Je vais être honnête : il vous faudra peut-être une période d'adaptation, mais on va tout mettre en œuvre pour que vous vous sentiez chez vous.

— Ce n'est pas chez moi et ça ne le sera jamais. Mais je suppose que je n'ai pas le choix, puisque ma fille a décidé de vivre à l'autre bout du monde…

— Maman ! Toulouse est à deux heures à peine, n'exagère pas !

— La directrice a dit que je pouvais faire un essai, poursuit-elle comme si de rien n'était. Je vais m'installer ici jusqu'à la fin du mois, nous verrons bien.

— C'est une bonne idée, réponds-je. Vous emménagez aujourd'hui ?

— Oui, nous avons ses affaires dans la voiture, répond sa fille. La directrice préfère qu'elle s'installe directement dans la chambre libre, mais elle nous a expliqué qu'il y a des studios dans le petit bâtiment et que des proches peuvent y passer quelques jours, pour qu'elle se sente moins seule.

— Ah ! Vous allez rester ici ? C'est une très bonne idée !

— Non, pas moi… Je suis obligée de retourner à Toulouse pour mon travail. Mais mon fils ne devrait pas tarder, il va rester une semaine avec sa grand-mère. Ils s'adorent. Il vit à Londres, mais il descend dès qu'il le peut pour la voir. Moi je reviendrai ce week-end et je l'appellerai tous les jours.

Rosa fait claquer sa langue.

— Tu recommences à parler de moi comme si j'étais absente !

Je les raccompagne sur le parking avant de rejoindre Léon pour sa séance hebdomadaire. Anne-Marie et Greg les attendent pour les aider à décharger la voiture. Je les assure de ma disponibilité en cas de besoin et m'apprête à prendre congé lorsqu'un taxi se gare devant le perron. Un homme s'en extrait, Rosa trottine vers lui avec sa canne.

— Mon grand, te voilà ! Tu as fait bon voyage ?

Il étreint sa grand-mère, embrasse sa mère – qui lui reproche son retard –, puis se dirige vers nous avec un grand sourire.

— Bonjour, je suis le petit-fils de madame Goncalves.

— Bonjour, Anne-Marie, directrice de l'établissement, répond-elle en lui tendant la main. C'est donc vous qui allez séjourner ici ?

— C'est ça ! Au téléphone, vous m'avez dit que je pouvais loger dans un studio, je compte rester huit jours.

— Parfait ! Suivez-moi, je vais vous présenter Isabelle, elle vous fera visiter le centre.

Anne-Marie entre dans le bâtiment, suivie du nouveau venu, de sa grand-mère agrippée à son bras gauche et de sa mère au droit. Greg me regarde.

— Qu'est-ce que t'as ? me demande-t-il.

— Rien, pourquoi ?

— Parce que t'es en train de sourire.

Ah oui. Je suis en train de sourire.

— Hmmmm, je sens que la semaine va être intéressante ! poursuit-il en s'éloignant vers la porte.

En nous laissant seuls, moi et mon air niais.

Chapitre 44

Léon n'est pas seul dans son studio : son fils est assis près de la fenêtre. Je l'ai croisé plusieurs fois, c'est un homme poli et souriant, l'exact opposé du vieil homme. À un détail près : ils ont visiblement le même chirurgien esthétique. Son visage est aussi lisse qu'un bidet. Je suis sûre que ses orteils se soulèvent quand il cligne des yeux.

Je propose à Léon de décaler la séance afin qu'il profite de sa visite. Il secoue la tête.

— Je préfère que mon fils soit présent.

— Très bien ! dis-je en m'installant sur la chaise en bois. Alors, comment allez-vous aujourd'hui ?

— On fait aller, répond-il avec une voix faiblarde que je ne lui connais pas.

— Ça n'a pas l'air d'être la grande forme, vous voulez parler de quelque chose en particulier ?

— Je ne sais pas si c'est une bonne idée, fait-il en baissant la tête.

— Tu veux que je sorte ? interroge son fils.

— Non, non, c'est bien que tu sois là. C'est juste que… je ne voudrais pas que ça me retombe dessus.

— On peut tout entendre, interviens-je, intriguée.

Je n'ai jamais vu Léon aussi fragile. On dirait qu'il peut fondre en larmes à tout moment.

— D'accord... Je suis malheureux ici, souffle-t-il enfin. Je fais beaucoup d'efforts pour m'intégrer, mais on dirait que ce n'est jamais assez. Tout le monde me rejette, personne n'est gentil avec moi. Je me sens seul. Très seul...

Whaou. Du grand Léon. J'y croirais presque, j'hésite à applaudir. Son fils a l'air de tomber de haut, ses yeux sont écarquillés. Plus qu'à l'accoutumée, j'entends.

Je décide de le laisser continuer son sketch sans entrer dans son jeu.

— Je suis aimable, pourtant, je ne crois pas mériter ce traitement. J'imagine que chaque groupe a besoin de son souffre-douleur, c'est tombé sur moi. Tant pis, de toute manière, il ne me reste pas longtemps à tenir.

Il toussote. Hamlet est dans la place.

— Mais tu ne m'as jamais parlé de ça ! s'étonne son fils.

— Je ne voulais pas t'inquiéter, mon grand. Je sais que tu as assez à faire pour t'encombrer des soucis de ton vieux père. Mais j'en ai gros sur le cœur, je ne pouvais plus garder tout cela pour moi.

— Vous avez raison, dis-je. Qu'est-ce que ça peut être d'autre que de la jalousie ? Vous êtes tellement adorable, mon Lélé...

Léon lève les yeux vers moi, ils brillent de colère. Il a compris que je me foutais de lui. La guerre est déclarée.

— Je ne sais pas, je n'ai pourtant rien à envier. C'est très dur, j'aurais souhaité finir ma vie entouré de personnes qui m'aiment. Au lieu de cela, je suis seul contre tous. L'autre jour, on m'a même caché mon dentier. Et ça a fait rire tout le monde, même le personnel.

Son fils est devenu livide.

— Le personnel ?! s'exclame-t-il. Tu veux dire que le personnel se moque des résidents ?

Léon a le dos courbé et la tête basse. Il maîtrise bien le rôle de la victime. J'ai presque envie de le plaindre.

— Des résidents, non. De moi, oui.

Presque.

— Si tu savais, poursuit-il. Je ne suis jamais convié aux activités, pourtant il y en a tous les jours !

J'ai envie de bondir sur mes pieds, de lui hurler dessus, de dire à son fils qu'il ment, que c'est lui qui refuse d'y participer. J'ai envie de le démonter comme un meuble Ikea. Mais il n'attend que ça. Alors je la joue fine.

— Je n'avais pas pris conscience de tout ça, j'en suis désolée. On va remédier à cette situation. Dorénavant, rien ne se fera sans vous. Vous serez inscrit d'office à toutes les activités et un membre du personnel viendra vous chercher pour vous y accompagner.

— Ça me semble bien, même si cela aurait dû être mis en place bien avant ! commente son fils.

— C'est entièrement de ma faute, je n'avais pas pris la mesure du mal-être de votre père. Ce que je vous propose également, Léon, c'est de vous aider à vous intégrer aux autres en créant des petits groupes d'échanges. Ça favorisera le dialogue et ils apprendront à vous connaître et à découvrir vos nombreuses qualités. Vous êtes d'accord ?

Il ne bouge pas, toujours voûté, comme s'il portait le deuil de toute sa famille. Quelqu'un lui dit qu'il en fait trop ?

— Papa, tu es d'accord ? insiste son fils.

— Oui, oui, gémit-il. De toute manière, je sais que cela n'arrivera pas vraiment.

— Que veux-tu dire ? interroge le fils.

Léon secoue la tête.

— Je ne peux pas…

— Vous pouvez parler, Léon. Vous ne risquez rien.

Il lève son regard vers moi et prend une longue inspiration, avant de se lancer, des trémolos dans la voix mais l'œil brillant.

— Je ne suis pas sûr de pouvoir faire confiance à une psychologue qui joue sur son téléphone pendant les séances au lieu de m'écouter.

Je reste muette, sous le choc. Son fils aussi. Tout son visage vibre. Son menton va tomber.

Je devrais argumenter, expliquer, raconter à son fils comment ça s'est réellement passé, lui dire combien il est odieux, qu'il se met à l'écart tout seul. Mais je suis lasse des petits jeux de Léon et j'ai arrêté de penser que, sous ses airs de grincheux, il était doux comme un agneau. Une preuve de plus que les seniors ne sont pas une espèce à part : comme chez les autres, il y a des maillons faibles. Alors je me lève, je rassemble mes affaires et je quitte la pièce sans même un au revoir. Léon se passera désormais de ses consultations.

Et moi, je me passerai de sa tête de con.

Chapitre 45

Comme chaque vendredi, ce midi, c'est poisson-riz. L'avantage de la cantine, c'est qu'il n'y a pas de surprise : chaque jour, c'est aussi dégueulasse que la veille. Sans sel, sans graisse, sans saveur. Aujourd'hui, c'est tellement mauvais que je sens mes dents se déchausser.

— Il est pas mal, le petit-fils, lance Marine.

— Julia est déjà sur le coup, grogne Greg.

— N'importe quoi ! me défends-je. C'est le petit-fils d'une résidente, c'est intouchable… même s'il a des yeux à faire sauter les bretelles de soutien-gorge.

Marine s'étouffe avec son riz. Greg soupire.

— Vous pouvez parler des mecs… Vous êtes pires !

— Jaloux, dit Marine.

— Pffff ! Aucune raison d'être jaloux. Mes yeux à moi font péter les élastiques des culottes.

On éclate de rire. De l'autre bout de la table, Isabelle nous interrompt :

— Vous parlez de Raphaël ?

Tous les collègues nous observent. Isabelle attend la réponse, les sourcils levés. Elle est gentille, mais il n'est pas exclu qu'elle ait l'intelligence d'une brosse à chiottes.

— Raphaël ? je demande.

— Oui, le petit-fils de la nouvelle, répond-elle en désignant la table voisine du menton.

Il est assis à côté de sa grand-mère, entouré de Louise, Élisabeth, Gustave, Léon et Pierre. À en juger par les rires qui fusent depuis le début du repas, ce jeune homme fait l'unanimité. Raphaël. Joli prénom.

— Pas du tout, rétorque Marine. Dis donc, ça t'arrive souvent d'écouter les conversations des gens ?

— Mais non, je ne voulais pas… bredouille Isabelle. C'est parce que je voulais poser une question à Julia.

— Ah ?

— Oui. Je me demandais si tu avais trouvé un boulot pour après.

— Pas encore, je n'en suis qu'à la moitié de mon contrat. Il me reste plus de quatre mois pour chercher, ça devrait aller.

— Mouais… je n'en serais pas si sûre à ta place, déclare-t-elle en mordant dans un morceau de pain. Ce n'est pas facile de trouver un poste dans le coin, c'est très demandé. Je serais toi, je ne traînerais pas…

Marine la coupe :

— Anne-Marie ne t'a pas dit qu'elle lui filait ton poste ?

— N'importe quoi, fait-elle en haussant les épaules.

Anne-Marie, assise à ses côtés, lève le nez de son assiette.

— C'est la vérité. Je comptais justement vous convoquer à ce sujet, je pense que Julia ferait une merveilleuse chargée d'accueil.

Isabelle cesse de mâcher son quignon. À voir son visage devenir blanc, il est probable qu'elle ait aussi cessé de vivre. La directrice, qui ne tient pas à avoir une mort sur la conscience, la rassure.

— On plaisante, Isabelle, on plaisante !

Ses joues reprennent vie. Ses yeux aussi, puisqu'ils perlent.

— Faut pas me faire des frayeurs comme ça, je suis sensible, moi ! hoquette-t-elle. Pfiou ! J'ai bien cru que j'allais faire un *infractus*.

Personne ne relève la faute, elle a eu son compte pour la semaine. Soudain, des éclats de voix nous parviennent de l'une des tables. Lucienne et Mina, habituellement inséparables, s'écharpent. Moussa et Sarah, chargés du déjeuner du jour, tentent en vain de les calmer. Elles ne se loupent pas.

— Je savais que je ne pouvais pas te faire confiance, vieille gourgandine ! fulmine Lucienne. Tu m'as piqué mon Babybel !

— Gourgandine ? Mais quel toupet ! Sois polie si tu n'es pas jolie !

— Tu peux remercier mon ostéoporose, sans elle je t'aurais rectifié le portrait !

— Et toi, prends garde à ne pas te trouver sur mon chemin, sinon je me ferai un plaisir de te rouler dessus ! assène Mina avant de s'éloigner avec son fauteuil.

La cantine n'a jamais été aussi silencieuse. Tout le monde, membres du personnel et résidents, s'est mis sur pause pour admirer le spectacle du jour. À la sortie de Mina, chacun se remet en marche. Rosa chuchote quelque chose à l'oreille de son petit-fils. « Sors-moi de cette maison de fous », sans aucun doute. Il l'embrasse sur la joue, se lève et se dirige vers la sortie, offrant à mes yeux la danse réjouissante des poches arrière de son jean.

Chapitre 46

Raphaël est assis sur un banc du parc, une cigarette à la main, quand Marine et moi sortons fumer la nôtre.

— Tu devrais aller lui parler, me dit-elle en faisant jaillir la flamme de son briquet.

— Pourquoi veux-tu que j'aille lui parler ?

— Ben, parce que c'est ton job ! Il a pas l'air en grande forme, je pense qu'il a besoin de se confier…

Je l'observe. Il est assis sur le dossier du banc, les pieds sur l'assise, les coudes posés sur ses cuisses. Il regarde au loin, sans doute perdu dans ses pensées. Marine a raison, c'est forcément traumatisant d'accompagner une personne que l'on aime dans son dernier foyer. Je n'ai pas l'habitude de travailler en plein air, une cigarette à la main, mais je peux bien faire une entorse.

— T'as raison, je vais aller le voir, réponds-je en allumant ma cigarette sur sa flamme.

Elle s'esclaffe.

— Eh ben ! Il faut pas grand-chose pour te convaincre ! Greg avait raison !

— Hein ? Greg avait raison sur quoi ?

— Tu craques à fond sur ce mec.

Elle me regarde avec un grand sourire. Elle est contente d'elle, en plus.

— Vous êtes de grands malades... Vous n'avez rien d'autre à faire, quand vous vous retrouvez, que de parler de moi ? Vous voulez un mode d'emploi illustré ?

Elle ricane.

— Allez, sois honnête. Il te plaît pas ?

— Mais j'en sais rien ! Je l'ai entraperçu à peine trois minutes !

— T'as le sourire de Mickey sous ecstasy à chaque fois que tu le vois ou qu'on te parle de lui. On ne dort pas, hein !

— Ah ça non, vous ne dormez pas... mais vous hallucinez à fond ! Il est plutôt agréable à regarder, mais ça s'arrête là ! Je ne suis pas une hystérique qui ne sait pas se contrôler et tombe raide dingue du premier venu. Et puis, comme je te l'ai déjà dit, c'est un client. Je ne le vois pas autrement. D'ailleurs, uniquement guidée par mon professionnalisme, je vais de ce pas lui accorder l'écoute dont il a besoin.

Je lève le menton et me dirige vers le banc. J'imagine la tête effarée de Marine et me retiens de rire. Ils ont manifestement décidé de me mettre en couple avec le premier venu, ces tarés. Ils vont être déçus : ça ne fait absolument pas partie de mes plans.

Avant d'arriver aux Tamaris, je n'avais jamais été seule. Il y a eu Olivier, mon premier amoureux du lycée, puis deux histoires de deux ans, et puis Marc.

Après lui, il y a eu une collection d'aventures d'une nuit dont j'ai oublié la plupart et qui me donnaient l'illusion de ne pas être seule. Je ne l'ai pourtant jamais été autant qu'à cette période.

Je suis arrivée ici sur un coup de tête. C'était une urgence. Il fallait que je me sauve, dans tous les sens du terme. L'un des côtés positifs inattendus, c'est que, loin des autres, je me rapproche de moi.

Les premiers jours, j'ai cru que ce serait le plus dur : être seule. Petit à petit, je m'y suis faite. Il y a bien des moments où j'aimerais avoir quelqu'un, mais c'est une envie. Plus un besoin. Peut-être que les derniers temps avec Marc m'ont aidée à prendre conscience que, même à deux, on est seul. Peut-être que les nuits sans lendemain avec des inconnus, en quête d'une affection éphémère, m'ont poussée à comprendre que les autres ne peuvent remplir les vides que l'on a en soi. Depuis que je suis ici, je suis seule. Mais je ne me sens pas seule.

Mon cheminement n'est pas terminé. Je suis en cours de réparation, il me reste quelques impacts et c'est seule que je compte m'en occuper. Quand j'aurai terminé, j'espère être assez solide pour reprendre la route en n'ayant plus peur de ce qui m'attend.

J'arrive à la hauteur de Raphaël au moment où il rallume une cigarette. Il tourne la tête vers moi et me sourit.

Ça doit être sympa, parfois, d'être une clope.

Chapitre 47

— Bonjour, dis-je en lui tendant la main. Je m'appelle Julia, je suis la psychologue de l'établissement.

— Raphaël, le petit-fils de madame Goncalves.

— Oui, je vous ai vu arriver tout à l'heure. Ça ne vous ennuie pas si je fume une cigarette avec vous ?

— Pas du tout, au contraire : vous allez peut-être pouvoir me renseigner. Vous organisez des combats de mamies tous les midis ou c'était exceptionnel ?

Son visage est impassible. J'ignore s'il plaisante ou pas. Je choisis donc de rester prudente en optant pour le premier degré.

— Ne vous inquiétez pas, c'est beaucoup plus calme d'habitude. Il leur arrive de se chamailler, mais ça ne va jamais loin.

Il hoche la tête.

— D'accord. Donc je n'ai pas besoin d'apprendre à ma grand-mère à faire des clés de bras.

Il a toujours l'air sérieux, mais cette fois le second degré ne fait aucun doute.

— Non, les clés de bras seront inutiles, réponds-je sur un ton professionnel. En revanche, j'espère qu'elle a quelques notions en chimie.

— En chimie ? Pourquoi ?

— Pour les ateliers du dimanche.

Il me regarde, les sourcils levés.

— Vous faites quoi le dimanche ? s'enquiert-il.

— On fabrique de la drogue, bien sûr.

Ses yeux se plissent et ses lèvres esquissent un sourire entendu.

— Je me disais bien qu'il régnait une atmosphère étrange ici !

J'opine.

— Et encore, vous n'avez pas tout vu. Le samedi soir, les résidents nous font un spectacle à mi-chemin entre le Crazy Horse et les Chippendales. On vend les places à prix d'or, ça finance les armes pour les braquages.

Cette fois, il rit franchement.

— Je suis satisfait de voir qu'on a fait le bon choix ! Ma grand-mère se sentira chez elle ici.

Son regard replonge dans le vide. Un silence chargé de points de suspension s'installe.

— Si vous avez besoin d'en discuter, n'hésitez pas. Ça ne se voit pas forcément, là, tout de suite, mais c'est mon métier.

— Merci. Parler ne changera pas les choses, malheureusement. Et c'est la seule chose qui pourrait me faire du bien.

Il soupire.

— Je descends la voir autant que possible, mais, ces derniers temps, mon boulot m'a pris beaucoup de temps. Ça faisait six mois que je n'étais pas venu. Six mois, ce n'est rien dans une vie, mais c'est beaucoup quand il n'en reste qu'un tout petit bout. J'ai eu un choc en la voyant, hier. J'ai l'impression qu'elle est devenue plus petite. Comme si elle s'effaçait peu à peu.

— Vous n'avez pas à culpabiliser. Vous êtes là, vous allez passer une semaine avec elle, c'est super !

— Je ne culpabilise pas, j'ai de la peine. Pour elle, surtout, parce que quitter sa maison, c'est une épreuve. Elle y est née, elle y a toujours vécu, elle y a tous ses souvenirs. Elle ne montre pas grand-chose, on est comme ça dans la famille… Mais ça doit être dur de se retrouver dans un endroit qu'elle ne connaît pas au moment où elle a le plus besoin de repères.

— C'est difficile, oui. Je ne vais pas vous dire le contraire, ce serait mentir. Mais je peux vous promettre que l'équipe des Tamaris est formidable et que tout sera fait pour qu'elle s'y sente bien.

— Ouais, fait-il en se levant avant d'écraser sa cigarette contre le banc. Vous n'allez pas me dire le contraire, de toute manière. Donc elle vivra heureuse dans le meilleur des mondes et aura beaucoup d'enfants. Youpi.

Et il s'éloigne, du pas décidé de celui qui veut cacher qu'il boite.

Chapitre 48

— Il faut qu'on parle de Léon.

Le ton d'Anne-Marie n'augure rien de bon.

Comme chaque deuxième mardi du mois, la réunion du personnel se tient dans le réfectoire. Attablés autour de documents photocopiés et de viennoiseries, tous les membres de l'équipe débriefent le mois passé et planifient celui à venir. On attaque avec l'ordre du jour : Léon.

— J'ai reçu son fils hier, un homme charmant par ailleurs. Son père serait mis à l'écart du groupe, volontairement selon lui.

Des soupirs blasés s'élèvent de la table.

— Ce n'est pas tout. Il accuse le personnel de ne pas prendre en compte sa souffrance et, pire, d'attiser les moqueries des autres résidents.

— Arrêtez, on connaît tous Léon ! s'exclame Marine. Il ne sait plus quoi inventer pour nous emmerder !

— C'est vrai, renchérit Laura, la kiné. C'est le seul à être désagréable, il se met à l'écart tout seul.

Anne-Marie se tourne vers moi.

— Julia, apparemment vous en avez discuté ensemble.

— C'est vrai. Je n'ai pas le droit de divulguer le contenu de nos séances, mais, en gros, il s'est plaint devant son fils d'être malmené par les résidents et le personnel. J'ai bien compris qu'il s'agissait d'un petit jeu de Léon, donc j'ai essayé de le prendre à son propre piège en lui proposant de l'intégrer d'office à toutes les activités.

— Bonne idée ! dit Greg. On pourrait commencer par du saut à l'élastique !

— Ou du tir à l'arc, ajoute Sarah. Il tiendra la cible.

— Son fils m'en a parlé, en effet, reprend Anne-Marie à mon intention. Il m'a aussi dit que vous aviez mis un terme à la discussion en quittant le studio comme une furie.

Je ricane.

— Les chiens ne font pas des chats…

— Je suis heureuse que cela vous fasse rire. Ce genre d'accusations peut nuire à notre réputation, c'est très grave. Il faut arranger les choses. Je vous demande à tous de faire des efforts pour que Léon se sente intégré.

— On pourra faire tous les efforts qu'on veut, réagit Greg, Léon continuera à jouer la victime. Si on entre dans son jeu, ce sera pire. On va être ses marionnettes.

Autour de la table, hochements de têtes. Tout le monde est d'accord : ce n'est pas comme ça qu'on mettra un terme à la nouvelle occupation de Léon.

— Que proposez-vous ? demande Anne-Marie.

Isabelle lève la main.

— Moi j'ai une idée ! chuchote-t-elle, comme si on était sur écoute. On n'a qu'à s'en débarrasser. Mon cousin est pharmacien, il pourra me donner des barbituriques. Après, on découpe son corps en morceaux, j'ai un copain qui est boucher, et on le jette dans l'océan. Ni vu ni connu. On n'aura qu'à dire à son fils qu'il est parti se promener et qu'il n'est jamais revenu.

Plus personne ne bronche. Les regards, tous tournés vers elle, oscillent entre consternation et perplexité. Elle devait être absente le jour de la distribution de neurones, ce n'est pas possible autrement.

— Mais je rigooooole ! s'écrie-t-elle soudain. Vous m'avez vraiment prise pour une foldingue ! De toute manière, y a pas de requins dans le coin, donc ses morceaux seraient rejetés sur la plage.

— Personne n'a de méthode moins radicale ? s'enquiert Anne-Marie avec l'air de celle qui se demande ce qu'elle fout là.

— On ne peut pas le faire partir ? demande le médecin.

— Arrête, on ne va pas le mettre dehors, quand même ! intervient Moussa, l'infirmier. Il est chiant, d'accord, mais c'est un vieux monsieur, il ne mérite pas ça.

— C'est facile pour toi, il ne t'appelle pas tous les quatre matins pour se plaindre de pathologies qu'il trouve sur Internet…

— Ne nous échauffons pas, tempère Anne-Marie. On ne peut pas se débarrasser d'un pensionnaire si facilement, et même si c'était le cas, on ne le ferait pas pour si peu. Mais il faut trouver une solution pour que ses accusations cessent. Julia, puisque vous êtes directement visée, vous avez peut-être une idée ?

Je secoue la tête. Je ne sais absolument pas ce qu'on peut faire pour rétablir la vérité et convaincre Léon d'arrêter ses délires. Mais je compte bien trouver.

Chapitre 49

Il n'est pas loin de minuit lorsque le hurlement me fait sursauter.

Je suis au chaud sous ma couette, le corps engourdi de fatigue, en train de lutter contre la gravité de mes paupières pour terminer le polar qui me tient en haleine. La nuit s'annonce bienfaitrice après la soirée cocooning que je me suis offerte : bougie parfumée, musique à doux volume, chocolat chaud, pyjama en pilou et bon bouquin. Un seul élément est venu troubler ce moment : le grincement de la porte de Marine, immédiatement suivi de rires étouffés et du claquement de celle de Greg. Si j'avais eu un orchestre et des pompons, je serais allée leur faire une chorégraphie de félicitations. À deux jours du déménagement de Greg, on a frôlé le fiasco.

Et puis, le cri a retenti.

Ça vient du parc, encore une fois. Avec les nuits qui radoucissent, les voix et les bruits qui m'ont tant terrorisée le premier soir deviennent de plus en plus fréquents. J'ignore si c'est la fatigue ou la lecture de mon thriller qui m'enhardit, mais je me dégage de la couette, bien décidée à percer ce mystère : qui traîne dans le parc d'une maison de retraite en pleine nuit ?

J'enfile une veste par-dessus mon pyjama, glisse mes pieds dans des boots et attrape la seule arme que compte mon studio : un couteau à bout rond. On sous-estime souvent l'efficacité d'un couteau à bout rond face à un tueur en série. Si jamais je me retrouve acculée, je pourrai le tartiner de confiture.

Une fois au milieu du parc, tout à fait réveillée, je ne me trouve plus aucun point commun avec les héros de mon polar. La lune, cachée par les nuages, apporte juste assez de lumière pour projeter des ombres menaçantes sur le sol et des bruits angoissants s'élèvent autour de moi. Je grelotte, un peu de froid, beaucoup de peur, je n'ai plus qu'un désir : regagner mon lit saine et sauve. Mon couteau à bout rond brandi telle une épée, je lance un pauvre « Youhou ! Y a quelqu'un ? » qui ressemble à s'y méprendre à un chuchotement, puis j'entame un repli stratégique.

À peine ai-je fait deux pas qu'une voix masculine rugit « Qui est là ? », et qu'une silhouette massive se détache de l'obscurité, avançant dans ma direction. N'écoutant que mon courage, je me mets à courir tellement vite que mon ombre reste sur place.

J'ai l'impression de voler, j'enjambe toutes les racines, j'évite tous les trous, la peur décuple ma vélocité. Le vent me rend presque sourde, j'ignore si mon assaillant me suit, mais j'entends clairement les petits cris d'animal effrayé qui s'échappent de ma bouche. Pourvu qu'il ne soit pas chasseur.

Le bâtiment se rapproche, l'espoir m'insuffle les dernières forces. Je bondis sur la porte, j'extrais le trousseau de ma poche et insère la clé dans la serrure du premier coup. Je souffle presque de soulagement quand une main se pose sur mon épaule.

Adieu. C'était bien, quand même.

Chapitre 50

Je ne suis pas morte. Enfin si, mais juste de honte.

Raphaël pleure de rire. Il paraît que je ressemblais à, je le cite, « une bête sauvage en pleine électrocution ».

— Mais qu'est-ce que vous foutiez dans le parc en pleine nuit ? je lui demande en claquant des dents. Vous êtes un psychopathe !

— J'ai entendu un cri, je suis venu voir ce que c'était, répond-il en retrouvant un peu son calme. C'était vous ?

— Oui, évidemment. Toutes les nuits, je me mets au milieu du parc et je hennis. Il paraît que ça fait pousser les cheveux plus vite.

Il me regarde comme si j'avais un entonnoir sur la tête.

— Bien sûr que non, ce n'était pas moi ! dis-je. À cette heure-là, je dors, figurez-vous. Ce n'est pas la première fois, j'entends souvent des voix…

— Donc vous vous êtes lourdement armée et vous êtes descendue, fait-il en avisant mon couteau à bout rond.

Je le dévisage quelques secondes sans savoir quoi répondre, puis mon regard tombe sur ses mains.

— Et vous, vous pensiez faire quoi, au juste, avec un stylo quatre couleurs ?

Il sourit et lève les mains en signe d'abdication.

— OK, OK, je ne suis pas le mec le plus courageux de la planète. Mais j'avais quand même prévu des munitions supplémentaires, fait-il en sortant deux autres stylos de sa poche.

J'éclate de rire, entre moquerie et soulagement. Il y a pire, comme agression. J'ouvre la porte pour regagner ma chambre, il me retient par le bras.

— Ce n'est sans doute pas le bon moment, mais je voulais vous voir. On fume une cigarette ?

J'acquiesce. Il me tend son paquet ouvert, j'en tire une et la porte à mes lèvres, il allume son briquet. Le vent fait danser la flamme autour de la tige blanche, qui ne s'embrase pas. Alors Raphaël forme deux paravents : le premier avec sa main, le deuxième avec son corps, qu'il place tout près du mien pour ne laisser aucune ouverture. Cette scène pourrait contenir un fort potentiel érotique, si je ne portais pas un pyjama parsemé de petits poneys multicolores.

— Je voulais m'excuser pour hier, dit-il quand nos deux cigarettes sont allumées. Je n'aurais pas dû m'énerver.

— C'est pas grave, ne vous en faites pas. Je comprends, c'est un sujet sensible.

— Ouais. C'est dur. J'essaie de m'y préparer depuis un moment, mais je ne m'y fais pas. Ma grand-mère m'a presque élevé. Ma mère était très prise avec son boulot, elle l'a remplacée, en quelque sorte… Bref, je ne vais pas vous déballer ma vie, mais je voulais vous dire que je suis désolé. Je ne parle pas comme ça aux gens, habituellement.

— Pas de souci, je ne l'ai pas pris personnellement. Et puis, j'ai l'habitude : les psychologues, c'est un peu les services clients de l'esprit. Les cas faciles ne passent pas par nous.

Dans la lumière qui s'échappe de la porte, je le vois me dévisager en souriant.

— Bon, dis-je pour masquer ma gêne, il se fait tard. Je vais aller me coucher, tant pis pour le mystère du parc. Il faut que je me rende à l'évidence : je suis tout sauf une aventurière.

— Je crois que c'est plus sage. Mais ne regrettez surtout pas d'avoir eu un sursaut de courage. Sans ça, je serais passé à côté d'une découverte majeure.

— Ah bon ? Laquelle ?

— J'ai découvert que vous aviez beaucoup de goût en matière de pyjama.

Je m'apprête à me défendre quand un hurlement nous parvient. En un regard, on se met d'accord : fini de jouer les héros, chacun va gentiment rentrer se coucher. Dix secondes plus tard, je suis chez moi, essoufflée et hilare, avec, dans la tête, l'image de Raphaël qui regagne son studio en courant comme une bête sauvage en pleine électrocution.

Chapitre 51

Pierre m'a toujours semblé être le plus solide de tous les résidents. Grand et costaud, il a conservé d'épais cheveux sombres qui le font paraître plus jeune que son âge, même s'il se plaint parfois de son corps qui faiblit. Mais, aujourd'hui, il affiche dix ans de plus. Assis sur son canapé recouvert de livres et magazines, il soupire.

— Je lis pour faire passer le temps plus vite, mais cela ne fonctionne pas. Au contraire, j'ai l'impression que chaque seconde loin d'elle s'étire comme une lente torture.

— Ils vous ont dit combien de temps ça allait durer ?

— Ils parlent de plusieurs semaines, entre l'hospitalisation et la rééducation… Je n'en sais pas plus, tout dépendra de l'évolution de son état. Comment vais-je tenir plusieurs semaines sans mon épouse, vous pouvez me dire ?

Non, je ne peux pas lui dire, parce que je n'ai pas la réponse. Élisabeth est hospitalisée. Hier, en rejoignant Louise pour leur rendez-vous matinal sur le banc, elle a manqué une marche du perron. Fracture du col du fémur. Lorsque Marine, Greg et moi lui avons rendu visite dans sa petite chambre blanche, nous nous sommes demandé comment elle allait surmonter la douleur et l'éloignement de ses repères, elle qui est si angoissée. Elle nous a surpris par sa sérénité : tout allait bien se passer, pouvait-on demander au chat rayé de faire moins de bruit en mâchant ses clous, merci bien. Manifestement, la morphine est efficace.

C'est Élisabeth qui est blessée, mais c'est Pierre qui est diminué.

— Vous savez que je n'avais jamais dormi sans elle ? Pas une seule fois !

— Vous vous sentez seul ?

Il regarde par la fenêtre et réfléchit longuement.

— Je ne me sens pas seul, je me sens incomplet. Après tant d'années ensemble, nous ne faisons plus qu'un. Élisabeth et Pierre, Pierre et Élisabeth. Pierre tout seul, je ne sais plus qui il est. J'ai vécu trois fois plus longtemps avec mon épouse que sans elle. Seul, je ne suis plus que la moitié de moi-même, et pas celle où se trouve mon cœur.

— C'est beau ce que vous dites…

— Je ne sais pas si c'est beau, mais en tout cas c'est vrai. Ma femme, je l'aime encore plus qu'au premier regard. Quand je vois les jeunes de maintenant, qui se séparent au premier obstacle, je me dis que nous avons de la chance d'avoir vécu à cette époque. Sinon, nous serions sans doute devenus des étrangers et je ne saurais même pas à côté de quel bonheur je serais passé. Attention, je ne dis pas que c'est facile ! Bien au contraire, il est plus simple d'arrêter d'aimer que de faire l'effort de s'accrocher. Chaque soir, en me couchant, je…

Il s'interrompt.

— Vous quoi ? je demande.

— Non rien. Vous allez vous moquer.

— Bien sûr, c'est mon genre… Que faites-vous chaque soir en vous couchant, Pierre ?

— Chaque soir, en me couchant, j'effectue le même rituel depuis soixante ans : je prends mon épouse dans mes bras et je la serre en remerciant le Ciel de nous avoir mis sur le même chemin. On se souhaite une bonne nuit. Elle se blottit, je sens son odeur et mon cœur se met à bondir comme au premier jour. On ne prend jamais l'habitude d'aimer. J'ai compté, on a partagé ce moment vingt et un mille huit cent soixante-quinze fois. Ce n'est pas rien… Hier soir, mes bras étaient bien vides, et mon cœur encore plus.

Je cligne fort des yeux pour empêcher mes larmes de se sauver. Je ne connais rien de plus émouvant que les personnes vulnérables au point de lâcher leur carapace. Leurs paroles ne sont pas filtrées par le cerveau, mais viennent directement des tripes.

— Il faudrait trouver un moyen de vous changer les idées en attendant son retour. Vous y avez pensé ?

— Déjà, je compte aller la voir tous les jours. Anne-Marie m'a proposé de m'y déposer après chaque déjeuner et de me récupérer quelques heures plus tard. Pour le reste de la journée, eh bien je compterai les secondes… J'avais prévu d'organiser une fête-surprise pour nos soixante ans de mariage, mais maintenant c'est fichu.

— C'est quand ?

— Le 7 juillet, dans moins d'un mois. Elle ne sera pas revenue, c'est une certitude. Je vais juste rester assis sur ce canapé et attendre son retour.

Je réfléchis quelques minutes pendant que le vieil homme énumère toutes les choses qu'il faisait avec Élisabeth et qui vont lui manquer. Puis l'idée me vient.

— Pierre, j'ai une proposition à vous faire.

Il plisse les yeux et m'observe avec attention.

— Je peux vous aider à organiser quelque chose pour votre anniversaire de mariage. Ce ne sera sans doute pas la grande fête que vous aviez imaginée, mais on pourra faire quelque chose de sympa quand même. Hors de question de ne pas marquer le coup, et je suis plutôt douée pour organiser les surprises. Surtout si on ne me laisse pas l'occasion de faire une gaffe auprès du principal concerné…

D'un coup, son visage reprend vie.

— Vous feriez ça ? demande-t-il avec entrain.

— Oui, je vais le faire.

— Mais je n'ai pas assez d'argent pour vous payer, je ne peux pas vous laisser passer des heures à organiser une fête pour nous sans vous rémunérer.

Je secoue la tête.

— Ne vous occupez pas de ça, ça me fait plaisir, je n'ai pas besoin de compensation. À moins que…

— À moins que quoi ?

— Vous êtes la personne la plus proche de Léon, n'est-ce pas ?

Chapitre 52

Greg s'en va. Je le savais, je voyais la date approcher, il n'empêche que l'époque où il était mon voisin de palier me manque déjà. J'ai toujours été comme ça. Les choses ne sont pas encore terminées que je les regrette déjà. J'ai un problème évident avec la fin, qu'elle concerne une plaque de chocolat, une période ou une relation. Alors mon esprit essaie inconsciemment de m'y préparer en lançant des alertes : « Attention, c'est bientôt terminé » ; « Profite, c'est peut-être la dernière fois ». Résultat : je ne parviens jamais à apprécier pleinement le moment présent, il y a toujours une part de moi qui joue la rabat-joie. Je suis nostalgique du présent. Et c'est pire avec le passé.

Le fourgon que Greg a loué pour le déménagement est garé devant l'annexe. Avec Marine, on descend les sacs-poubelle qui contiennent ses affaires ; il s'y est pris trop tard pour trouver des cartons. Il croit qu'on cherche à l'aider, en réalité notre but est de le garder un peu plus près de nous. C'est bien simple : si on ralentit encore, on va reculer.

— Allez, les filles, on a bientôt fini, fait-il, plein d'enthousiasme alors que je m'octroie une pause bien méritée après avoir descendu un sac de coussins.

Marine me lance un regard ; si Droopy et Calimero avaient une fille, elle lui ressemblerait. Je la rejoins à l'arrière du fourgon.

— Ça va aller ?

— Mouais… Ça va faire bizarre, surtout. Franchement, je ne pensais pas le prendre comme ça. J'ai envie de chialer depuis que je suis réveillée.

— Je comprends… Je n'arrête pas de me dire que c'est la fin des soirées colocs, qu'on ne partagera plus ces super moments de rires et de confidences, alors j'imagine même pas pour toi.

Elle fronce les sourcils.

— Ben moi, c'est pareil. Pas plus.

— Bien entendu, réponds-je avec un sourire entendu. Pas plus.

— Arrête ! glousse-t-elle. N'importe quoi, je ne vois pas pourquoi tu dis ça…

— T'as raison, moi non plus. Surtout que je ne vous ai pas du tout entendus vous rejoindre, l'autre soir.

— Tant que tu ne m'as pas entendue l'appeler Rocco, lâche-t-elle en regagnant l'annexe.

Raphaël en sort à ce moment-là. Marine, avec toute la discrétion qui la caractérise, se retourne et m'adresse un clin d'œil appuyé. Il nous sourit et se dirige vers moi, les mains dans les poches.

— Remise de tes émotions d'hier soir ?

Il doit sentir mon hésitation, parce qu'il ajoute :

— Ça ne te dérange pas qu'on se tutoie ? On a à peu près le même âge, j'ai du mal à te vouvoyer…

— Aucun problème, je préfère aussi ! Ça va, j'ai réussi à m'endormir, mais j'aimerais bien percer ce mystère… Et toi ? T'as dormi avec tes stylos sous l'oreiller ?

Il sourit et regarde le fourgon.

— Quelqu'un déménage ?

— Oui, Greg, l'animateur. Les travaux dans son appart sont terminés, il nous quitte.

Greg sort du bâtiment, sa télé dans les bras.

— Vous avez besoin d'aide ? demande Raphaël.

— Non, c'est gentil, réponds-je. Ta grand-mère doit avoir envie de te voir.

— Tu parles ! Madame passe son samedi après-midi à un atelier broderie. Elle s'est liée avec une résidente, une certaine Louise, elle n'a pas besoin de moi. En plus, j'ai prévu de passer toute la soirée avec elle. C'est la dernière, je pars demain matin.

— Alors j'accepte ton aide avec plaisir ! lance Greg depuis le fourgon. Parce que si je reste seul avec les deux filles, je suis encore là l'année prochaine.

L'appartement de Greg est métamorphosé depuis notre visite. Il avait raison : c'est magnifique. Le carrelage gris et les meubles blancs confèrent à la salle de vie une atmosphère scandinave douillette, renforcée par la luminosité qu'offrent les larges baies vitrées. Le sol de la cuisine a été recouvert de petits carreaux à motifs rouges et bleus qui tranchent avec la modernité des équipements. La chambre a été en partie débarrassée, c'est une invitation au cocooning. Si son look tendance laissait peu de doutes, c'est maintenant confirmé : Greg a du goût.

— Whaou ! dis-je pour la dixième fois. Même les toilettes sont canon, c'est un appartement-témoin chez toi !

— Julia, viens voir ici, tu vas être folle ! me lance Marine depuis la salle de bains.

Je la rejoins, elle est allongée dans la grande baignoire d'angle, bras et jambes écartés. Une étoile de mer blonde.

— On peut y loger à douze, bordel ! Greg, t'as braqué une banque ou quoi ? crie-t-elle.

Depuis le salon où il range des livres dans la bibliothèque, il répond :

— Non, c'est Jean-Luc qui m'a légué toute sa fortune. Tu sais, Jean Luc, mon ex !

Marine éclate de rire.

— En vrai, j'ai mis de côté tous mes cachets. La télé, ça paie mal, mais la publicité, c'est jackpot !

— T'as tourné dans des pubs ? interroge Raphaël en entrant dans l'appartement, deux sacs-poubelle dans les mains.

— Une seule, il y a très longtemps.

— Ah, c'est peut-être pour ça que j'ai l'impression de t'avoir déjà vu ! C'était quoi comme pub ?

— Bof, tu ne dois pas connaître… bafouille-t-il. T'as dû me voir dans une série plutôt, j'ai eu un bon rôle dans *Julie Lescaut*.

Marine sifflote un air qui me rappelle vaguement quelque chose. Pourquoi ne veut-il pas dire dans quelle publicité il a joué, bon sang ? Ça ne peut pas être si terrible ! D'un geste brusque, afin qu'il n'ait pas le temps de m'en empêcher, j'ouvre la porte de sa chambre et je me précipite dedans, bien décidée à retrouver le cadre en liège avec les photos de ses rôles, repéré la dernière fois. Il n'est plus contre la tête de lit, mais il ne doit pas être loin. Je balaie la pièce du regard tandis que les pas de Greg résonnent, de plus en plus proches de moi. Ah ! Le voilà ! Le cadre dépasse de l'étagère inférieure de la table de chevet. Je m'en saisis et plonge vers la sortie en essayant d'éviter mon collègue qui se rue sur moi. Peine perdue, il me plaque, je rebondis sur le lit et, dans un dernier effort, je fais la passe à Raphaël, qui vient d'entrer dans la surface de jeu. Il le réceptionne et s'éloigne au pas de course, sous les encouragements hystériques de Marine. Essai transformé.

— Voilà, vous ne me verrez plus jamais de la même manière, dit Greg en soupirant avec exagération. Vous faites chier…

— C'est le cas de le dire ! lance Raphaël depuis le salon, avant d'étouffer un rire.

Marine glousse. Greg m'observe en attendant que je percute. Il me faut quelques secondes pour assimiler tous les indices. J'ai toujours été mauvaise au Cluedo. Et puis ça y est, ça me revient. La plage, la noix de coco, le beau mec, le dicton. Cette publicité a été diffusée en boucle pendant des mois, impossible de passer à côté. Sans un mot, je me lève, attrape mon téléphone dans mon sac et lance la recherche. La vidéo se lance.

Une plage paradisiaque au crépuscule. Greg, beau et bronzé, nonchalamment appuyé contre un cocotier, une noix dans la main. Face caméra, avec un grand sourire, il déclame : « Selon un proverbe local : “Qui avale une noix de coco fait confiance à son anus.” Moi, je préfère faire confiance à Calmicide. » Deux danseuses vêtues de pagnes colorés le rejoignent en chantant le slogan, sur un air de synthé : « Pour les hémorroïdes, pensez à Calmicide ! »

Je lève le nez de mon écran ; les trois paires d'yeux sont braquées dessus. Je n'arrive plus à me contenir, tout mon corps est secoué de spasmes. Marine a le visage déformé tellement elle prend sur elle pour ne pas exploser. Raphaël s'en tire mieux, mais ses lèvres qui vibrent n'augurent rien de bon. Finalement, c'est Greg qui nous libère en éclatant le premier. Pendant un moment qui semble ne jamais prendre fin, on rit tous les quatre à gorge déployée, on essuie nos larmes, on se tient les côtes, on se calme, puis on redémarre en voyant les mines hilares des autres.

— Sérieusement, dis-je en reprenant mon souffle, sans parler du sujet, on dirait une publicité des années quatre-vingt !

— Justement, c'était l'idée de l'agence qui s'occupait de la campagne ! répond Greg. Mais, au vu du nombre de lettres que la marque a reçues, et de ce que je me suis pris dans la rue à chaque fois que quelqu'un me reconnaissait, il faut croire que le premier degré a encore de beaux jours devant lui. Enfin, leur chiffre d'affaires a explosé, ils étaient contents. Pour fêter ça, ils la rediffusent de temps en temps…

— Je serais toi, ça me ferait mal au cul… fait Marine, encore joyeuse, déclenchant une nouvelle salve de rires.

Quand tout le monde a repris son sérieux, on se remet au travail. Raphaël doit rentrer retrouver sa grand-mère et Greg ramener le fourgon. Tandis que Marine et moi faisons des tas avec les vêtements de notre collègue, les garçons tentent de déplacer une armoire entre la chambre et le salon. On les entend gémir, râler, forcer, le meuble est lourd et l'effort douloureux. Au bout de dix minutes, un coup de coude de Marine me fait tourner la tête vers eux. Le spectacle qui nous est offert nous laisse sans voix : les deux hommes ont fait tomber leurs tee-shirts. Marine fait mine de s'éventer avec sa main, elle frôle la surchauffe. J'aimerais dire que moi, pas du tout, que les épaules carrées ne m'ont jamais attirée, que cette vue ne me donne absolument pas envie d'aller me glisser entre les bras musclés-mais-pas-trop de Raphaël. J'aimerais. Mais la vérité, c'est que cet homme me fait le même effet que dix calendriers des dieux du Stade, deux spectacles de Chippendales et quatre films avec Brad Pitt réunis. Heureusement, j'ai appris à me méfier de mes envies. La dernière m'a menée dans un lit avec mon ex.

— Tu crois que, si on pousse le chauffage, ils enlèveront le bas ? me souffle Marine, extatique.

Je souris et tente de me reconcentrer tant bien que mal sur le pliage des vêtements. Un tee-shirt, un pantalon, il a un regard qui pourrait allumer un barbecue, un jean, un tee-shirt, il est drôle, chaussettes, chaussettes, il est sensible, un pull, un sweat, il est bien foutu, un bermuda, une chemise, il a de la conversation... J'ai beau ne pas avoir la tête à ça ni la volonté de tomber sous le charme du petit-fils d'une patiente, quand même, si ce garçon ne dévoile pas un défaut au plus vite, ma résolution risque de se mettre en grève.

Deux heures plus tard, les torses sont couverts et chaque chose est à sa place. Greg aussi. Il observe le rendu final de son nouveau foyer avec l'air de l'enfant qui découvre ses cadeaux au pied du sapin. Il sait que c'est à lui, mais il lui faut encore se les approprier.

— Je fais un dernier tour et je vous ramène, dit-il en se dirigeant vers le fond de l'appartement.

— On t'attend en bas, je lance, préférant le laisser seul pour qu'il profite de ce moment.

Je laisse la porte ouverte derrière moi afin que les deux autres me suivent et je m'engage dans les escaliers. J'ai descendu deux étages quand je me rends compte que Raphaël est derrière moi. Je veux dire, *seul* Raphaël est derrière moi.

— Où est Marine ?

— Elle est restée en haut, je l'ai vue fermer la porte derrière nous, répond-il en haussant un sourcil d'un air entendu.

Je ricane intérieurement. Elle n'a manifestement pas lâché son idée de me pousser dans les bras de Raphaël. Si encore il y avait eu un ascenseur, je ne dis pas, mais les escaliers ne sont pas exactement un lieu qui me fait fantasmer. Je remonte sans faire un bruit, bien décidée à les surprendre en train de planifier mon mariage. Raphaël me suit, visiblement amusé. Je me dis en ouvrant la porte que, si ça se trouve, c'est le leur qu'ils échafaudent.

Trop tard.

Au milieu du salon, à un mètre de la lourde armoire, Marine et Greg s'adonnent à une visite approfondie de leurs bouches.

Chapitre 53

Il n'était pas loin de dix heures du matin quand Marine est venue frapper à ma porte.

— J'ai besoin de me changer les idées, a-t-elle avoué. T'es dispo aujourd'hui ?

J'avais prévu de profiter de ce samedi ensoleillé pour aller me promener à San Sebastian. On y allait souvent, avec mes parents et ma sœur. La discussion avec elle m'a chamboulée, je n'arrête pas d'y penser, je peine à trouver le sommeil, j'ai du mal à me concentrer, je me suis même retrouvée plusieurs fois en train de pleurer, sans raison. M'immerger dans un endroit chargé de souvenirs me semblait être une bonne idée pour faire le point. Mais, en abandonnant Marine et sa petite mine pâlotte, je me serais rendue coupable de non-assistance à personne en danger.

On a réfléchi à ce qu'on pourrait faire. Quelque chose de réconfortant et qui ne demande aucun effort. On s'est vite mises d'accord.

En rejoignant la voiture, nos sacs sous le bras, on a croisé Louise, assise sur son banc. Le gang des mamies à elle toute seule. Elle nous a demandé où on allait, on le lui a dit, ses yeux se sont illuminés. On n'a pas eu le cœur de la laisser.

C'est ainsi qu'on se retrouve, Marine, Louise et moi, en maillot et bonnet de bain, à faire trempette dans le lagon du centre de thalassothérapie d'Anglet : un immense bassin d'eau de mer chaude plein de bulles, de jets et de courants.

— Ce sera notre secret ! a dit Louise sur le trajet.

— Il vaut mieux, sinon ils vont tous penser qu'on fait du favoritisme, a répondu Marine.

— J'ai dit à Anne-Marie que j'allais voir ma fille, que j'étais désolée de ne pas l'avoir prévenue avant, que cela m'était complètement sorti de l'esprit. Elle m'a crue ! a-t-elle déclaré avec un sourire malicieux.

— Oh la délinquante ! ai-je lancé, en lui adressant un clin d'œil dans le rétroviseur.

Elle a eu l'air flattée.

Dans le jacuzzi, les bulles chaudes remontent le long de mes jambes et courent sur mon dos. Un à un, mes muscles se décontractent. Quelques minutes suffisent à mon corps pour être complètement détendu. Je laisse échapper un grognement de plaisir, puis entrouvre un œil : mes deux acolytes sont dans le même état.

— Je veux vivre dans un jacuzzi, lâche Louise, les yeux mi-clos.

— Moi aussi ! Un grand jacuzzi que je partagerai avec Gr…, répond Marine avant de s'aviser qu'elle se détend peut-être un peu trop.

— Et Louise partagera le sien avec Gustave ! j'ajoute en ricanant, avant qu'une gerbe d'eau salée vienne s'échouer dans mon œil droit.

Les deux se mettent à rire. Puis Louise confie :

— Vous savez, la première fois que j'ai vu Gustave, j'ai pensé qu'il était insupportable. Je venais de perdre quarante années de souvenirs et je me retrouvais dans une maison de retraite, entourée d'inconnus dont l'un débitait des jeux de mots et des blagues à longueur de journée… Je n'aime pas blesser les gens, donc je ne disais rien, mais je n'en pensais pas moins. Un matin, je devais être là depuis un mois, je ne l'ai pas vu au petit déjeuner. Pas plus au déjeuner. Il n'a pas quitté son studio pendant huit jours. La grippe…

— Je m'en souviens bien ! dit Marine. C'était presque trop calme…

— Eh bien, figurez-vous qu'il me manquait, reprend Louise. Ses attentions, sa présence, même ses blagues ! Quand on apprécie les petits travers de quelqu'un, c'est bon signe, non ?

— Mais vous êtes vraiment ensemble ? j'interroge. Vous ne pensez quand même pas vous en sortir comme ça ! Je veux des détails croustillants !

— Oh oui ! Des détails croustillants ! renchérit Marine.

Louise sourit. Sous le costume de vieille dame, une gamine a les yeux qui brillent.

— J'ai commencé à recevoir des lettres anonymes en début d'année. Quelqu'un les glissait sous la porte de mon studio et disparaissait. La première fois, je me suis demandé qui pouvait m'écrire ces jolies choses, même si j'avais un petit doute à cause du cœur dessiné sur le *i* de mon prénom. Peu d'adultes font ça... La deuxième fois, j'ai entendu le déambulateur s'éloigner à la hâte.

On rit toutes les trois en imaginant Gustave prendre son déambulateur à son cou, en espérant ne pas se faire prendre. Comme un gosse qui sonne à une porte avant de détaler.

— Il y avait quoi dans ces lettres ?

— Des déclarations d'amour. Il me dit ce qu'il ressent, ce qu'il aime chez moi, il me fait la cour par correspondance. C'est simple, parfois maladroit, mais, justement, ces mots qui ne se donnent pas de grands airs me vont droit au cœur, sans détour.

— Genre vous allez nous faire croire que vous avez juste échangé des lettres ! s'esclaffe Marine. À l'hommage de Miss Mamie, on voyait bien que c'était pas votre premier essai...

— Vous avez raison, nous nous sommes beaucoup entraînés, répond Louise, les yeux dans le vague. Petit à petit, j'ai regardé Gustave différemment. Je l'ai trouvé attendrissant, courageux, généreux. Il faut sacrément l'être pour sans cesse chercher à faire rire les autres ! J'aimais beaucoup recevoir ces jolies lettres, mais je me suis dit que ce serait encore mieux de recevoir toutes ces attentions de vive voix. Alors, un soir je suis allée le trouver. C'était après un épisode particulièrement émouvant de *Plus belle la vie*...

Je m'aperçois que Marine et moi sommes suspendues à ses lèvres comme si elle tirait les numéros du loto. Louise réajuste son bonnet pour faire durer le suspense.

— Je lui ai simplement dit que je savais que c'était lui ! lâche-t-elle en gloussant.

— Et ? demande-t-on en chœur.

— Il a fait comme s'il ne comprenait pas de quoi je parlais. « Vous savez que c'est moi quoi ? » a-t-il demandé, l'air aussi innocent qu'un chiot qui vient de déchiqueter une paire de chaussons. Alors j'ai écarté son déambulateur, je lui ai déposé un baiser sur les lèvres et j'ai regagné mon studio. Autant vous dire que, le lendemain, la lettre était signée…

— Ah d'accord ! dis-je en feignant un air choqué. Vous êtes une petite dévergondée !

Elle pouffe, puis reprend :

— Eh oui, mon petit, à nos âges nous n'avons plus de temps pour les préliminaires !

On repart à rire toutes les trois, puis Marine s'interroge :

— Mais c'est du sérieux entre vous ?

— Oh, vous savez, on n'est pas sérieux quand on a quatre-vingts ans ! Nous sommes heureux de nous retrouver chaque matin, nous aimons discuter et il me fait rire, c'est incroyable ! Parfois, on se donne des rendez-vous secrets, j'ai l'impression d'avoir vingt ans et de vivre un amour interdit… Nous ne pensons pas au futur, de toute manière nos projets sont derrière nous, mais cette relation nous fait du bien.

— Vous l'aimez ? insiste-t-elle.

Elle hésite quelques secondes.

— Je ne sais pas si on peut parler d'amour… Mais je me sens plus heureuse avec lui que sans lui, c'est une certitude !

On reste toutes les trois pensives pendant plusieurs minutes, puis on prend la décision douloureuse de quitter les bulles pour les jets massants. La vie est faite de choix cornéliens.

Le jet fend l'eau chaude pour venir frapper mon dos, juste entre mes deux omoplates, avec une douce puissance qui achève de me détendre. Je me demande pourquoi je n'ai pas eu l'idée de venir plus tôt. Même sous anesthésie générale, je ne suis pas aussi détendue. Comme si toutes les angoisses, toutes les douleurs étaient emportées dans les courants d'eau chaude. Marine gémit de plaisir pendant que l'eau lui masse les lombaires, tandis que Louise, qui a choisi un débit plus doux au niveau des mollets, ne se départ pas d'un sourire béat. Je pourrais rester des heures ainsi. Je pourrais, si Marine ne décidait pas de venir planter ses deux pieds dans mon plat.

— Bon, et toi alors ? Pas trop triste que le beau gosse Raphaël soit parti ?

— Pas du tout. Je ne vois pas pourquoi je serais triste.

Louise entrouvre un œil et le pose sur nous.

— Que se passe-t-il avec le jeune Raphaël, Julia ?

— Rien. Marine voit des cœurs partout depuis qu'elle roucoule avec Greg.

— Marine et Greg ? s'exclame la vieille dame en ouvrant le deuxième œil. Je n'aurais pas cru…

Nous n'étions manifestement pas les seules à douter de l'orientation sexuelle de l'animateur. La tournure que prend la conversation me sied, bien contente que je suis d'avoir détourné leur attention. Pour m'assurer définitivement la tranquillité, j'en rajoute une couche :

— Pourtant, vous les auriez vus hier soir : leur baiser était presque aussi torride que le vôtre avec Gustave !

Toutes deux haussent les épaules, l'air faussement gêné.

Près de quatre heures se sont écoulées lorsqu'on regagne les Tamaris, complètement ressourcées, le ventre plein, parées pour la sieste. Je dépose Louise devant le portail afin de ne pas éveiller les soupçons. Avec Marine, on ira faire un tour de Biarritz en voiture et on rentrera plus tard. Je l'aide à descendre de la voiture et me rassois tandis qu'elle s'engage dans l'allée. Elle a parcouru quelques mètres lorsqu'elle rebrousse chemin et se penche à ma vitre.

— Merci pour ce délicieux moment, jeunes filles. J'étais avec deux amies, les âges ne comptaient plus. Vous n'imaginez pas à quel point c'était agréable de ne pas être vieille pendant quelques heures.

Elle a déjà recommencé à s'éloigner lorsque je murmure, en retour :

— Pour moi aussi, c'était bien.

Chapitre 54

Il m'aura fallu un peu de temps pour mastiquer et digérer les mots de ma sœur. Elle a plongé sa main dans mon cœur, elle est allée chercher pile le sentiment que j'avais choisi d'anesthésier et l'a ranimé avec vigueur. Depuis, je déborde de culpabilité.

Je ne regrette pas d'avoir tout plaqué. J'assume ma décision de taire à mes proches ma présence ici et je ne suis pas prête à leur révéler la vérité. Pas encore. Mais, même si j'essaie de me trouver de bonnes raisons, j'ai du mal à me pardonner d'avoir été si égoïste. Je n'ai pensé qu'à ma petite personne, à la manière de sortir du gouffre sans y laisser trop de moi. J'ai guetté la moindre manifestation de ma douleur, mais je n'ai pas écouté celle des autres. J'aurais dû les appeler tous les jours, même pour ne rien dire. J'aurais dû descendre les voir. Même pour les fêtes de fin d'année, j'ai préféré partager la table de parfaits inconnus que celle de ma famille. Je pensais à eux, souvent. J'imaginais leur chagrin, je le tenais à distance. J'envoyais des SMS, beaucoup, j'appelais, parfois. Toujours en espérant tomber sur la messagerie. J'ai appliqué ce que j'avais appris pendant mes études : on ne peut pas aider les autres si on va mal. Mais j'ai mis dans le même sac prendre en charge et être présent. Puis je l'ai fermé à double tour et je l'ai rangé sur l'étagère des choses à régler plus tard.

Il y a quelques jours, j'ai appelé ma mère. Je n'ai pas espéré tomber sur la messagerie.

— Allo ?

— Maman, c'est moi…

— Ma puce ! Comment vas-tu ?

— Je voulais te demander… Je peux venir passer le week-end ?

— …

— Maman, t'es là ?

— Je prépare ton lit, ma puce. Tu prends toujours du chocolat au petit déjeuner ?

Elle a insisté pour venir me chercher à l'aéroport. J'ai insisté pour qu'elle m'attende sur le parking. Je trouvais moyennement réjouissante la perspective de devoir faire Biarritz-Paris-Paris-Biarritz rien que pour couvrir mes mensonges.

Elle a trouvé un compromis entre ma demande et son impatience : elle s'est postée devant l'entrée. J'ai repéré les horaires des vols et je me suis faufilée parmi les passagers arrivant de Paris. Pourvu que ce soit aussi facile au retour.

Je la vois avant qu'elle ne me repère. Elle vérifie sa montre, ses cheveux courts chahutés par le vent. Maman. J'accélère le pas, comme pour rattraper quelques secondes de temps perdu. Tout à coup, me protéger est la dernière de mes envies. Pendant deux jours, elle va être ma mère, je vais être sa fille, on va être une famille. Différente, amputée, mais une famille quand même.

Elle me voit. Elle me sourit. Elle est rassurée, elle n'y croyait pas. Les portes s'ouvrent. Ses bras aussi. Je me réfugie dedans. Je suis toute petite. Maman.

On reste longtemps comme ça. Parenthèse de douceur avant de reprendre le chemin.

Elle parle durant tout le trajet. La fuite d'eau, qu'il a fallu réparer, son amie Anna, qui a acheté une nouvelle voiture, et à la clinique, comment ça va, tu n'as toujours pas trouvé d'appartement, ça se passe bien avec Marion ? Je réponds, en veillant à ne pas faire d'erreurs. Je pourrais tout lui dire, mais je ne suis pas prête. Ce mensonge, c'est ma dernière échappatoire.

Elle se gare devant la maison. C'est le moment que j'appréhende le plus. Comme si elle le sentait, elle rompt le bal des banalités pour me demander si ça va.

— Ça va aller, merci. Ça fait longtemps, c'est tout…

— Je sais. La dernière fois, c'était pour lui dire au revoir. J'ai changé les meubles de place, tu verras, ça fait entrer la lumière.

— Tu as dit à Carole que je venais ?

— Oui, bien sûr ! Elle aurait aimé te voir, mais elle n'est pas là du week-end. Un colloque à Madrid, je crois.

— Tant pis. La prochaine fois. Vas-y Maman, je te rejoins.

Je reste dans la voiture plusieurs minutes. Je me prépare. La haie n'est pas taillée, je ne l'ai jamais vue aussi haute. Au bout de la rue, j'aperçois le portail en métal blanc que j'ai poussé tant de fois. Celui de Maminou. Je descends de la voiture et prends une grande inspiration. Bienvenue chez moi.

C'est vrai qu'il y a plus de lumière. Un nouveau canapé et une nouvelle table basse se sont fait une place à côté du vieux fauteuil vert de mon père. L'odeur a changé, aussi. Imperceptiblement. Les yeux bandés, je la reconnaîtrais, cette odeur – celle de chez moi. Un mélange de vieilles pierres et de bois, de lessive, de cuisine et de tabac caramélisé, une odeur qui, instantanément, se diffuse dans mes veines et désactive les alarmes. Je suis en sécurité. Rien ne peut m'arriver.

Chaque vendredi soir, mon père fumait la pipe. Il montait dans sa chambre, ouvrait la fenêtre, celle qui donne sur la place recouverte d'herbe et de pruniers dans lesquels nous avons passé des heures, bourrait le tabac dans le foyer, et savourait sa pipe en laissant ses pensées vagabonder. J'aimais l'odeur de cette fumée un peu sucrée, qui avait fini par imprégner les murs, malgré ses précautions. J'aimais ce rituel, qui sonnait la fin de la semaine et le début de la liberté du week-end. J'aimais son visage quand il redescendait, après avoir laissé partir en fumée les soucis professionnels. Aujourd'hui, je sens les vieilles pierres, je sens le bois, je sens la lessive, la cuisine aussi. Mais le tabac caramélisé s'est presque évaporé.

— Viens, j'ai préparé ton lit, dit ma mère en m'entraînant dans l'escalier.

Mon ancienne chambre s'est transformée en chambre d'amis. Je pose mon sac sur le tapis et jette un coup d'œil par la fenêtre. La place n'a pas changé.

— Je suis contente que tu sois là, ma puce.

— Moi aussi, Maman. Je suis désolée de ne pas être venue plus tôt.

— Tsss tsss, fait-elle en secouant la tête. Je sais que tu as beaucoup de travail, et puis le temps doit passer vite avec Marion. Elle est rigolote, cette fille, je l'ai toujours appréciée.

J'ai envie de lui dire. Que ça n'a rien à voir avec le travail. Que si je ne suis pas venue plus tôt, c'est parce que ça me déchire le bide rien que d'y penser. Que venir à la maison en sachant qu'il y manque deux personnes que j'aime, c'est un supplice. Que la voir, elle, toute seule, alors qu'il y a un an elle avait encore son mari et sa mère, ça me fout en l'air. Que je ne supporte pas de l'imaginer en train de pleurer. Alors la voir… J'ai envie de lui dire tout ça, qu'on parle, pour de vrai, qu'on se mette autour d'une table et qu'on y vide nos cœurs. Mais son envie à elle, c'est de me parler de la fuite d'eau, de la lumière dans la maison et de sa copine Anna. Ou de Papa et Maminou, mais comme si elle parlait d'une fuite d'eau, de la lumière dans la maison, ou de sa copine Anna. Je lui dois bien ça.

La première soirée se passe comme s'il n'y avait pas eu de coupure. On cuisine ensemble, on mange en échangeant des nouvelles des gens qu'on connaît, on s'affale sur le nouveau canapé pour regarder un DVD. Au moment où je l'embrasse pour lui souhaiter une bonne nuit, rassurée que certaines choses soient restées les mêmes, elle éteint la télé et me dit :

— Demain matin, je vais voir Papa et Maminou. J'y vais tous les dimanches. Tu veux venir ?

Je secoue la tête. Je ne suis pas prête.

— Non, Maman. Je suis désolée, je ne peux pas…

— Je comprends, ma puce. Prends ton temps… Quand tu seras prête.

Je me dirige vers l'escalier en sentant son regard sur moi. Serrer les dents. Fort. Attendre d'être dans la chambre pour pleurer. On dit que les mères souffrent plus pour leurs enfants que pour elles-mêmes, je ne suis pas venue pour lui refiler mes sacs de chagrin.

— Julia ?

Je me retourne. Serrer les dents.

— Tu sais, ma puce, j'y pense beaucoup. Pour Papa, on ne peut trouver aucun soulagement. Il était jeune, il était en bonne santé, c'est injuste et incompréhensible. Mais pour Maminou… c'est triste, mais je crois qu'elle est mieux là où elle est. Elle était fatiguée, tu sais… Allez, va te coucher, t'as besoin de te reposer ! Demain, fais-moi penser à te raconter ce qui est arrivé à madame Poulain, tu sais, la voisine du 17, tu vas rire, j'en suis sûre. Bonne nuit ma puce !

Serrer les dents. Serrer les dents. Serrer les dents.

Chapitre 55

Il n'y a plus de nom sur la boîte aux lettres. Ce n'est plus sa maison. C'est la maison de personne.

Je pose ma main contre le métal blanc et pousse le portail. J'entends le grincement avant qu'il ne résonne vraiment. Je le retiens derrière moi pour qu'il ne claque pas. Comme avant.

C'est le cerisier que je vois en premier. Comme avant. J'imagine les fruits gorgés de sucre qui ont récemment fait ployer ses branches, jadis promesses de coulées rouges sur les mentons, de clafoutis juste sortis du four, de boucles d'oreilles improvisées et de stratagèmes pour faire fuir les merles gourmands. Cette année, le rouge a coulé de leurs becs.

Les pâquerettes dansent au vent. Je ferme les yeux pour me souvenir. Cueillir les petites fleurs blanches. Couper les têtes avec les ongles, bien à ras. Transpercer les cœurs jaunes avec la tige jusqu'à ce qu'elle soit recouverte de pâquerettes. Tiens, Maminou, une couronne pour toi !

Il y a les trèfles, aussi, que je passais des heures à scruter, dans l'espoir d'en trouver un dont la feuille supplémentaire m'assurerait bonheur et chance. Peut-être que, si je l'avais trouvé, elle serait encore là. Je gratterais au carreau de verre, c'était notre code, j'ouvrirais la porte, elle marcherait vers moi avec son sourire qui effaçait le moche et me dirait, de sa petite voix qui ne se faisait jamais grosse : « Entre, ma chérie, ça me fait plaisir de te voir. » On ferait quelque chose, n'importe quoi, un Scrabble, un gâteau, un câlin, un goûter, une lecture de poèmes, une discussion. N'importe quel prétexte pour passer du temps ensemble. Je surprendrais son regard posé sur moi, plein de cet amour mêlé d'angoisse que l'on réserve à ceux qui comptent vraiment. Elle surprendrait le mien, aussi. Il y aurait, cachées derrière un baiser appuyé, un sourire qui dure ou un compliment banal, des choses que l'on ne dit pas parce qu'il n'existe que trois mots pour les dire, et qu'on ne dit pas ces mots-là comme ça, sans occasion.

La balancelle n'a pas été couverte. Le tissu a blanchi, il est taché, le métal a rouillé. La porte du garage est sale. De la boue séchée tache les dalles de béton. L'hiver est passé par là. Les arbustes penchent la tête, l'herbe s'est allongée, l'érable fait de l'ombre aux iris qui, eux, font la gueule. Maminou n'est plus là. Mes souvenirs non plus.

Je fais le chemin inverse, une dernière fois. Mentalement, je dis adieu à cet endroit qui m'a vue marcher à quatre pattes, gazouiller, trébucher, rire, pleurer, dormir, jouer, aimer. Grandir.

Je pose ma main contre le métal blanc et je tire le portail. J'entends le grincement avant qu'il ne résonne vraiment. Je le retiens derrière moi pour qu'il ne claque pas. Comme avant. Avec, en plus, cette certitude qu'il ne faut pas attendre les occasions pour dire les trois mots à ceux qui comptent.

Chapitre 56

J'ai insisté pour qu'elle me dépose sur le parking de l'aéroport. Elle a insisté pour m'accompagner jusqu'à l'intérieur. On a trouvé un compromis entre son besoin de garder sa fille encore un peu et ma nécessité de cacher mon mensonge : on s'est dit au revoir devant l'entrée. Je ne partais pas loin, pourtant, quand elle m'a serrée dans ses bras et que j'ai senti les sanglots qu'elle essayait de contenir, j'ai eu mal comme si je partais à l'autre bout du monde, pour toujours.

Je regagne mon studio avec mon sac plein de gâteaux et le cœur gonflé d'émotions contradictoires.

Il était bien, ce week-end. Il était doux, il était moelleux, il était comme un tas de coussins sur lequel on se laisse tomber sans avoir peur de se faire mal. Il était plein de pudeur et de non-dits aussi. Il était surtout plein de cet amour inconditionnel qui lie une mère et son enfant dès l'instant où leurs yeux se croisent. Chez nous, il ne s'affiche pas, cet amour-là. La première fois que j'ai dit « Je t'aime » à ma mère, c'était par téléphone, après le décès de Miss Mamie. Quand on a raccroché, elle a appelé Marion pour lui dire de me surveiller, que je devais penser au suicide. Chez nous, l'amour, il se cache dans les petits détails. Dans une couverture qu'on relève sur celui qui dort, dans un film qu'on a envie de voir, mais qu'on préfère attendre de regarder ensemble, dans un sourire alors qu'on est à deux doigts de pleurer, dans la dernière part de gâteau au chocolat qu'on laisse à l'autre, dans une tête posée sur son épaule, dans un rire à une blague pas drôle, dans le papier cadeau qu'on garde parce qu'elle a écrit « Pour ma petite chérie » dessus.

J'espère qu'elle me pardonnera.

Marine n'est pas là. Elle m'a prévenue par SMS : « Je passe la nuit chez Greg, si t'as besoin, préviens-moi, je rentre. » Je crois que sa compagnie aurait mis une raclée à ce blues du dimanche soir plus intense que les autres, mais je m'en voudrais de les déranger pendant qu'ils font la bête à deux dos. Je me fais couler un chocolat chaud, défais mon sac, range mes affaires, j'enfile mon pyjama et allume mon ordinateur. Ça fait un moment que je n'ai pas relevé mes mails.

Son nom apparaît au milieu des offres spéciales de boutiques dont je n'ai jamais entendu parler, de newsletters et de messages envoyés par de généreuses personnes en fin de vie qui souhaitent m'offrir des millions sans aucune condition, sinon celle de leur envoyer mes coordonnées bancaires.

De : Raphaël Marin-Goncalves
Objet : Nouvelles

Heureusement que personne ne me voit, il n'est pas impossible que j'arbore l'air de la niaise du village au moment d'ouvrir le mail.

Salut Julia,
J'espère que tu vas bien.
J'espère que tu ne seras pas dérangée par mon mail, j'ai trouvé ton adresse sur le site des Tamaris. Je suis bien rentré à Londres et la vie a repris son cours effréné, mais je pense beaucoup à ma grand-mère. Je l'appelle souvent, elle me dit que tout va bien, mais elle me dirait la même chose si ce n'était pas le cas, donc je ne suis pas tranquille.
Serais-tu d'accord pour que je te demande des nouvelles de temps en temps ? Je te connais peu, mais j'ai l'impression de pouvoir te faire confiance.
J'espère que tu me répondras. Je viendrai passer quelques jours dès que possible.
Cordialement,
Raph

Le mail a été envoyé il y a trois jours. Il doit penser que ça ne m'a pas plu. Je clique sur « Répondre ».

Bonsoir Raphaël,
Je vais bien, merci, j'espère que toi aussi.
Tu as bien fait de m'écrire, je serai ravie de te donner des nouvelles de ta grand-mère. La semaine passée,

j'ai eu l'occasion de passer du temps avec elle et elle s'intègre doucement. Tu dois savoir qu'elle a même pris la décision de rester ici. Je ne vais pas te dire qu'elle est folle de joie, mais elle a déjà créé des liens avec plusieurs résidents et elle participe aux activités avec plaisir. Elle a même avoué qu'elle ne s'attendait pas à ça.

Bien sûr, elle dit aussi que sa maison lui manque et elle a du mal à se faire à sa perte d'autonomie, mais c'est tout à fait normal, et le fait qu'elle voie les côtés positifs est très encourageant.

C'est une bonne idée de venir la voir bientôt, elle sera heureuse de te voir, j'en suis sûre.

N'hésite pas à me demander des nouvelles quand tu le souhaites, tu peux aussi m'appeler si c'est plus pratique pour toi : 06 56 87 44 85.

Bonne soirée !

Julia

Envoyer.

Fermer l'ordinateur.

Arrêter de sourire bêtement.

Me demander combien de dodos ça fait, « dès que possible ».

Juillet

« La vie, ce n'est pas d'attendre que l'orage passe.
C'est d'apprendre à danser sous la pluie. »

Sénèque

Chapitre 57

Le minibus se gare sur le parking tandis qu'Anne-Marie donne les dernières recommandations aux résidents rassemblés sur le perron.

— L'année dernière, ça s'est très bien passé, c'est pourquoi nous renouvelons l'expérience. Ce ne sont pas les mêmes jeunes, mais ils sont là pour la même chose : sortir de leur cité et voir l'océan, souvent pour la première fois. Soyez indulgents, certains peuvent être un peu brusques, mais ils n'ont pas une vie facile et leurs éducateurs sont là pour les encadrer. Merci d'avoir accepté de participer à cet échange et profitez-en !

Les jeunes descendent du minibus et se dirigent vers nous pendant que nous avançons vers eux. On se croirait dans *West Side Story*.

Un grand brun en jogging blanc fait une révérence :

— Bonjour, chers damoiseaux et damoiselles, comment vous allâmes en cette journée fort chaleureuse ?

Ses camarades s'esclaffent.

— Qu'est-ce tu fous, Moundir ? Pourquoi tu parles comme un bouffon ?

— Ben quoi ? se défend-il. Ils causaient comme aç au XIVe siècle ! Je m'adapte, moi, Monseigneur !

Tout le groupe se met à parler dans tous les sens. Une éducatrice intervient et leur demande de se calmer. Au bout de plusieurs rappels, le silence se fait. Au moment où Anne-Marie va faire les présentations, une petite voix tremblotante s'élève du groupe des résidents.

— Wesh gros, t'as cru qu'on était périmés ?

Face à moi, les yeux s'écarquillent. Je suis heureuse que Greg ait filmé l'arrivée, je me passerai la vidéo en boucle les jours de moins bien.

Tous les résidents se tournent vers Rosa. Elle hausse les épaules.

— Quoi ? J'ai regardé tous les spectacles de Jamel Debbouze avec mon petit-fils…

Les jeunes éclatent de rire. Les résidents les imitent. Cette journée s'annonce mémorable.

Les présentations se font dans la salle de vie commune. Les résidents commencent. Prénom, âge, ce qu'ils attendent de cette journée. Puis, c'est au tour des jeunes. Prénom, âge, ce qu'ils attendent de cette journée. Les premiers attendent majoritairement un échange, une transmission, un partage. Les seconds attendent de voir l'océan. Les premiers doivent être stoppés pour ne pas raconter toute leur vie. Les seconds doivent être poussés pour en dire un peu plus, entre deux rires gênés.

Anne-Marie explique le déroulement des heures à venir : départ en minibus dès que tout le monde sera prêt, arrivée sur la plage, baignade et jeux, pique-nique, baignade et jeux, retour aux Tamaris à seize heures.

— Quelqu'un a des questions ?

Personne n'a de question.

Linda, l'éducatrice, prend la parole à son tour pour rappeler les règles. On reste groupés. Jamais sans un éducateur. On rentre dans l'eau progressivement. On ne va pas là où on n'a pas pied. On fait attention de ne pas courir sur les gens. On évite de trop crier. On ne met pas de sable dans la bouche des copains. On évite d'enfoncer la tête des autres sous l'eau pendant plus de dix minutes, quand ils deviennent bleus, c'est qu'ils ne vont plus très bien. On profite, on s'amuse et on rapporte plein de souvenirs ce soir.

— Vous avez des questions ?

— Ouais ! dit Marie, l'une des jeunes, en levant la main. On peut quand même crier si on voit un requin ?

La Grande Plage est bondée. Les vacanciers ont commencé à arriver en même temps que le mois de juillet et le soleil est au rendez-vous. On déniche un petit coin de sable, on y plante les parasols et on y pose les glacières. Reste à installer les serviettes.

— On pourrait se mettre en cercle, propose Louise. Cela nous permettrait d'échanger plus facilement, tous ensemble.

Les résidents hochent la tête : c'est une bonne idée. Les jeunes se regardent comme si on venait de leur proposer d'avaler de l'arsenic. Pour toute réponse, ils balancent leurs sacs au sol, arrachent leurs vêtements et pressent leurs éducateurs :

— Allez, Chef, on va se baigner !

— On attend que tout le monde soit prêt, répond Younes, l'éducateur.

— J'ai trop le seum, ça va durer des heures ! râle un ado.

Ça ne dure pas des heures, mais dix bonnes minutes. La déception face à l'attitude des jeunes se lit sur les visages des résidents. Je les soupçonne de faire durer leurs préparatifs volontairement. Au ralenti, ils enlèvent leurs vêtements, les plient, les rangent, ajustent leur tenue de bain, se badigeonnent de crème solaire, se couvrent la tête et s'assurent qu'ils n'ont rien oublié. Lucienne grommelle :

— Ceux de l'année dernière étaient plus polis. Si j'avais su, je serais restée au frais.

Quand ils ont fini, les jeunes applaudissent et se dirigent en courant vers la zone de baignade surveillée, sans s'apercevoir, manifestement, que les serviettes des gens n'ont pas vocation à servir de tapis.

Les cris fusent quand ils atteignent l'eau.

— Sa mère ! Elle est glacée !

— Oh ça va, fais pas ton Kevin !

— On va finir comme le mec de *Titanic* !

— Mouillez-vous la nuque avant d'entrer dans l'eau !

— C'est toi, le *Titanic* !

— Elle est tellement froide que j'ai l'escargot qui rentre dans sa coquille !

— Non mais je vais jamais pouvoir me baigner ! C'est pour les ours polaires, cette plage !

Ils ont de l'eau jusqu'aux genoux et râlent autant qu'ils rient. Moundir, plus téméraire que les autres, s'avance sur la pointe des pieds, comme si ça retardait l'échéance. Quand l'eau atteint son torse, il se retourne vers ses copains, fier comme s'il avait traversé l'Atlantique à la nage :

— Alors les boloss, c'est qui le patron ?

Les boloss se gardent bien de dire au patron qu'une grosse vague arrive derrière lui. Elle le percute, son sourire disparaît, puis lui tout entier, pris dans le rouleau d'écume dont sort tantôt un bras, tantôt un pied, tantôt une touffe de cheveux. Les autres sont hilares, les résidents aussi, et Moundir émerge du tourbillon en réajustant son caleçon de bain et ses cheveux sous les acclamations des deux groupes.

Louise s'approche de Sonia, l'une des jeunes filles.

— Le secret, c'est de se dire qu'elle est chaude. Si vous le pensez très fort, vous aurez l'impression qu'elle l'est vraiment.

Sonia essaie, tandis que Pierre va vers Rayane.

— La première fois que je me suis baigné ici, j'ai cru que j'allais perdre tous mes membres. Mais une fois qu'on y est, elle est vraiment bonne. Ça vaut le coup d'insister.

Petit à petit, les deux générations se mêlent. Les anciens aident les nouveaux, les ados transmettent leur fraîcheur aux plus âgés. Je dois être beaucoup trop sensible en ce moment, parce que ce spectacle me touche. La transmission. Les jeunes d'hier et les vieux de demain. Le passé et l'avenir au présent. On est tous immergés jusqu'à la taille quand un hurlement retentit.

Un requin ?

Un cadavre ?

Un tsunami ?

Non.

Juste Isabelle qui a surpris Greg et Marine en train de se tenir la main sous l'eau.

Chapitre 58

Ce matin, ce sont deux minibus qui nous ont déposés à la plage. Le minibus des jeunes et le minibus des résidents.

Cet après-midi, ce sont deux minibus qui nous déposent sur le parking des Tamaris. Le minibus des jeunes et des résidents ensemble et le minibus des résidents et des jeunes ensemble.

Lucienne s'approche de moi :

— J'ai changé d'avis. En fait, je préfère ceux-là à ceux de l'année dernière.

Aujourd'hui, autour des parasols bleu et blanc, des glacières et des serviettes de plage étalées en cercle, on avait tous le même âge.

Au début, il y avait de la méfiance, des carapaces, de l'arrogance, des certitudes. L'inconnu. Et puis, au fil des minutes, des heures, la relation s'est créée, au-delà des générations.

On a couru pour échapper aux vagues, on a sauté dedans, en tout cas les plus agiles, on a laissé le sable mouillé nous ensevelir les pieds, on a bâti un château qui semblait avoir été bombardé, on a mangé des beignets, on a parlé verlan et vieux français, on a comparé les euros et les anciens francs, on s'est demandé si quelqu'un était en train de faire la même chose de l'autre côté de l'Atlantique, on a ramassé des coquillages, on a admiré le bal des mouettes au-dessus de nos têtes.

On prend un goûter dans la salle de vie commune, tous réunis autour d'une table. Dans une heure, les jeunes seront partis.

— Vous savez, dit Rosa, je suis arrivée ici il y a peu de temps. J'ai failli ne pas venir aujourd'hui, je pensais que ma hanche m'empêcherait d'en profiter. Mais j'ai pensé qu'il fallait que je le fasse, ne serait-ce que pour apporter quelque chose à des jeunes défavorisés. J'avais raison sur un point : ce n'est pas facile de sauter les vagues avec une hanche en plastique, heureusement que Greg était là pour me soutenir. En revanche, sur le reste, j'étais bien présomptueuse… Ce n'est pas moi qui vous ai apporté quelque chose, mais le contraire.

— Vous êtes sérieuse ? demande Sonia. On vous a apporté quoi ?

— Je suis très sérieuse. Toute la journée, j'ai vu vos yeux émerveillés face aux vagues, face au sable mouillé, face aux mouettes… Je connais cela depuis que je suis née, c'est devenu naturel, je n'y fais plus attention. C'est comme si c'était acquis, vous comprenez ?

Rayane fronce les sourcils.

— Et c'est à qui alors ?

— À qui est quoi ? demande la vieille dame.

— Ben, j'en sais rien, moi, c'est vous qui avez dit « C'est comme si c'était à qui ». Alors je vous demande à qui c'est !

Quelques secondes sont nécessaires aux cerveaux présents pour prendre la mesure du chantier.

— Toi, t'es le roi des boloss ! lance Brice. *Acquis*, du verbe « acquérir », t'as bouffé ton Bescherelle ou quoi ?

Tout le monde se met à rire. Rosa poursuit :

— Donc je voulais vous remercier. Grâce à vous, j'ai pris conscience de ma chance d'avoir vécu avec tous ces trésors. Et je n'ai plus envie de me plaindre.

Plusieurs hochements de têtes approuvent le sentiment de la vieille dame. La mienne en fait partie. Aujourd'hui, j'ai tout vécu avec le filtre de la première fois. Entendre les cris de joie et les éclats de rire a décuplé le plaisir.

— Pourquoi vous parlez de vous au passé ? demande Sonia. On dirait que vous êtes morte...

— On n'est pas morts, répond Pierre, mais notre vie est derrière nous.

— N'importe quoi ! s'exclame Moundir. Mon arrière-grand-daron, il a cent deux ans, et mon petit frère, il est mort quand il avait trois ans. On peut pas savoir combien de temps ça va durer. La vie, elle est là, elle est pas hier, elle est pas demain...

— Eh bien ! lance une voix depuis la porte. Elle a l'air joyeuse, votre petite sauterie... Je regrette presque de ne pas y avoir participé !

Léon nous observe depuis l'entrée avec son rictus habituel. Louise hausse les épaules.

— Eh oui… Chez les vieux aussi, il y a des boloss !

On fait de grands signes de main au minibus qui s'éloigne. Agglutinés contre la vitre arrière, les jeunes nous font au revoir. Avant d'y monter, ils ont dit merci, ils ont promis de revenir, on sait bien que ce n'est pas vrai, mais on a dit d'accord. L'envie de se serrer dans les bras était palpable, mais, à la place, ce sont les mains qui se sont serrées. Sans doute plus par respect que par méfiance, cette fois.

Lorsque le véhicule disparaît du champ de vision, chacun tourne les talons, prêt à réinvestir son quotidien. Greg nous arrête.

— Attendez une seconde ! Linda, l'éducatrice, m'a donné ça. Elle m'a dit qu'ils étaient plus à l'aise par écrit.

Il déplie une feuille blanche et la tient en hauteur, pour que tout le monde la voie. Au feutre noir, entouré de cœurs, il est écrit :

« Merci pour tout ! Vous déchirez, les yeuves ! »

C'est signé de chaque prénom.

Personne ne réagit, hormis Greg, Marine, Rosa et moi, qui éclatons de rire.

— On déchire quoi ? demande Pierre.

Marine reprend son souffle et répond :

— Ça veut dire « Vous êtes super, les vieux » !

Chapitre 59

Élisabeth ne se doute de rien. Pierre l'a prévenue qu'il ne pourrait pas venir lui rendre visite aujourd'hui, car il avait des examens médicaux à passer. Il était désolé, il n'avait pas fait attention à la date, il ne manquerait pas de l'appeler pour lui souhaiter un joyeux anniversaire de mariage. Soixante ans, ce n'est pas rien. Elle n'a pas cherché la faille, aveuglée par sa déception.

— Même si tu m'appelles mille fois, je ne répondrai pas, a-t-elle déclaré.

Il ricanait en nous racontant sa réaction, mais, à quelques minutes du tomber de rideau, il ne fait pas le fier.

Comme je m'y étais engagée, j'ai pris en charge une grosse partie des préparatifs. Assistée de Marine et Greg, qui y ont mis tellement de cœur qu'il n'est pas exclu qu'ils se soient légèrement projetés, on a mis sur pied une surprise qui devrait laisser Élisabeth coite.

Je frappe à la porte de la chambre qu'elle occupe dans la maison de convalescence. D'une petite voix, elle m'invite à entrer.

— Bonjour Élisabeth, comment allez-vous ?

Son visage fermé me répond : ce n'est pas la grosse forme. Assise sur son lit face à la télé, elle zappe sans conviction d'un programme à l'autre.

— C'est notre anniversaire de mariage aujourd'hui, me dit-elle alors que je m'installe sur une chaise. Figurez-vous que mon cher époux a préféré se faire filmer les intestins plutôt que venir le fêter avec moi.

— Je suis au courant. Il n'a pas eu le choix, le prochain rendez-vous n'était pas avant six mois.

Je songe sérieusement à ajouter une nouvelle compétence à mon CV : experte en mensonge.

Élisabeth secoue la tête.

— J'aurais dû divorcer quand l'occasion s'est présentée, voilà tout.

J'ai dû mal entendre.

— Pardon ?

— Oui, j'ai failli quitter Pierre il y a dix ans.

— Ah non ! Si vous aussi vous vous y mettez, comment voulez-vous qu'on croie encore à l'amour ? Vous êtes le couple idéal !

— Justement, c'est cette quête de la perfection qui a failli nous séparer. Il y a dix ans, je ne supportais plus rien chez Pierre. Tout ce que j'avais aimé chez lui, ou que je n'avais jamais remarqué, m'irritait. Sa façon de marcher, le bruit de sa bouche quand il mâchait, sa manière de me quémander un baiser quand je sortais faire les courses, sa façon de tout ramener à lui, ses sourires… C'est bien simple : je ne pouvais plus le voir en peinture ! J'enviais beaucoup ma sœur, qui ne se plaignait jamais de son époux et qui lui trouvait toutes les qualités du monde. J'ai fini par croire que ce n'était pas normal, que je ne l'aimais plus. Je ne voyais plus que le négatif. J'en devenais presque méchante, sans cesse à le rabrouer. Le pauvre, il ne comprenait pas, il avait toujours été ainsi... J'ai pris rendez-vous chez un avocat spécialisé dans le divorce, pour me renseigner. Ma sœur m'a accompagnée, même si elle n'était pas d'accord avec ma décision.

Je suis effarée par ces confessions. Ils m'ont souvent dit que cela n'avait pas toujours été facile, mais je n'imaginais pas à quel point.

— Qu'est-ce qui vous a fait changer d'avis ? je demande.

— La vérité. Depuis l'enfance, on nous bassine avec l'amour idéal, qui ne connaît aucune crise et résiste à tout. Le cœur qui bat la chamade, les papillons dans le ventre, les frissons, la passion... L'avocat avait du retard. Dans la salle d'attente, j'ai discuté avec ma sœur. « Qu'est-ce que tu crois ? m'a-t-elle dit. Tu crois que j'ai des frissons chaque fois que Jean m'approche ? Tu penses vraiment que je n'ai pas parfois envie de lui crier dessus, de faire ma valise, de ne plus le voir ? Tu crois que l'amour est un roman Harlequin ? » Il y avait deux autres personnes dans la salle d'attente : une dame et un monsieur. Ça a fini en groupe de parole ! La dame était plus jeune que nous et se séparait de son mari qui l'avait trompée avec toute la ville. Le monsieur venait d'être quitté par sa femme, il était abasourdi. J'ai imaginé Pierre et ça m'a serré le cœur. Il ne méritait pas ça. Et moi non plus ! Il m'aurait trop manqué ! L'amour était toujours là, bien caché derrière quelques agacements. À force de vivre continuellement avec quelqu'un, on ne voit plus que ses mauvais côtés. C'est comme quand on achète un nouveau vêtement : au départ on l'adore, puis on le trouve fade et on finit par ne plus le supporter. Cela demande un gros effort de ne pas se laisser polluer par les petits détails négatifs. Ils sont usants, au bout d'une vie entière. Mais le plus important, c'est de ne surtout pas croire que l'amour doit être parfait. Ce n'est pas rien de partager son quotidien, ses pensées, sa vie avec une personne. Et puis, s'il n'y avait pas les bas, on n'apprécierait pas autant les hauts !

— Eh ben ! Je n'aurais jamais imaginé ça…

— Louise, qui adore tricoter, a eu une jolie métaphore l'autre jour. L'amour, c'est comme un tricot : on enchaîne les rangs tranquillement, on fait de jolis motifs dont on est fier, parfois on focalise sur une maille manquée. Mais en fin de compte, ce qu'il en restera, c'est un pull-over chaud et réconfortant.

Je suis tellement plongée dans ses paroles que j'ai failli oublier la raison de ma présence ici.

— Allez, venez, je vous emmène faire un tour dehors ! Il fait super beau, il faut en profiter.

— Je n'ai pas envie. Et de toute manière, je ne peux pas marcher longtemps.

— Mais si ! Allez, ça vous changera les idées !

— Non, non, vraiment, je préfère regarder la télé. Vous êtes mignonne de venir me voir régulièrement, mais aujourd'hui vous tombez mal.

Je n'avais pas envisagé cette configuration. Il faut absolument que je parvienne à la faire bouger. J'espère ne pas avoir à faire appel à l'anesthésiste. Je me lève et approche le fauteuil roulant du lit.

— Allez, debout ! Vous passez à la salle de bains pour arranger un peu votre coiffure et on va dehors. Je vous préviens, je suis plus têtue que vous.

Vingt minutes plus tard, je franchis la porte d'entrée en poussant le fauteuil. Élisabeth ne sort pas un mot. À l'angle du bâtiment, le chemin débouche sur le parc. Elle pousse un cri.

Face à nous, ils sont tous là. Pierre, en première ligne, un bouquet de fleurs à la main. Leurs enfants, leurs petits-enfants, leurs arrière-petits-enfants, les résidents et les membres du personnel des Tamaris. En tout, ce sont près d'une cinquantaine de personnes qui sont venues célébrer leurs soixante ans d'amour. Élisabeth se retourne vers moi, les yeux pleins de larmes.

— J'aurais dû me douter qu'il trouverait un prétexte pour ne pas faire sa coloscopie.

Des boissons fraîches et des gâteaux, que nous avons préparés lors de l'atelier cuisine d'hier, sont disposés sur des tables décorées. Des fanions ont été accrochés aux arbres. Plusieurs patients de la maison de convalescence se sont joints à la fête. Pierre s'approche de moi alors que je me sers une troisième part de tiramisu.

— Merci beaucoup Julia, c'est encore mieux que parfait !

— Franchement, ça m'a fait plaisir de préparer tout ça, et Marine et Greg m'ont bien aidée. Si jamais je ne trouve pas de boulot après les Tamaris, je pourrai toujours me reconvertir en organisatrice de fêtes. Mais il faudra que je me tienne loin des tiramisus…

— Julia, écoutez-moi s'il vous plaît, reprend-il plus sérieusement. Je ne sais pas trop dire ces choses-là, mais j'y tiens. Vous n'imaginez pas le bonheur que vous nous faites. Sans vous, on aurait sans doute soufflé une bougie devant un feuilleton allemand. Cette journée, on ne l'oubliera jamais. À nos âges, on est un peu blasés, on a connu de grands bonheurs, notre mariage, la naissance de nos enfants, puis de leurs enfants à eux… C'est difficile de rivaliser. Pourtant, aujourd'hui, je ressens des émotions fortes. Je décèle dans les yeux de mon épouse que c'est pareil pour elle. Regardez-la, vous le voyez, vous aussi ?

Je regarde Élisabeth. Elle est debout, accrochée au bras de l'une de ses filles. Un petit garçon lui tient la main. Si la plénitude avait un visage, ce serait celui de la vieille dame à cet instant.

— Je sais que c'était votre part du pacte, poursuit-il. À ce propos, je n'ai pas encore trouvé quoi que ce soit sur Léon, mais je continue à chercher. Vous auriez très bien pu organiser quelque chose de simple, mais vous avez mis du cœur à l'ouvrage. Vous avez dû y passer un temps fou.

— Papa ! Viens, on va faire une photo de famille ! appelle le fils de Pierre.

Le vieil homme s'excuse en souriant et s'éloigne vers le groupe. Au bout de quelques pas, il se retourne :

— Vous êtes une belle personne, Julia. Vous méritez de vivre un amour comme le nôtre, parce que c'est la seule chose qui rend vraiment heureux. Je vous le souhaite sincèrement.

Il rejoint sa famille pour la photo qui trônera chez chacun de ses membres.

Je vais reprendre une part de tiramisu, moi.

Chapitre 60

De : Raphaël Marin-Goncalves
Objet : News

Hello Julia,

Ça fait quelque temps que je ne t'ai pas demandé de nouvelles de ma grand-mère, même si je l'ai souvent au téléphone, j'aime bien ton avis de pro.

J'ai failli t'appeler, mais je me suis aperçu qu'il était plus de minuit… Je rentre juste du boulot. En ce moment, c'est tous les soirs comme ça. Et c'est le temps qui court, comme disait le grand philosophe Alliage.

Je compte sur toi pour me dire si elle se fait vraiment à sa nouvelle vie. Elle m'a parlé d'une journée avec des jeunes, elle a adoré ! Elle m'a dit aussi que tu passais lui parler souvent, elle apprécie beaucoup. Moi aussi.

J'espère que tout va bien de ton côté, que Greg ne te manque pas trop et que ton pyjama s'est remis de ses frayeurs.

Ah, j'allais oublier ! Je descends le week-end prochain, pas un mot à Rosa, c'est une surprise ;)

Cdt,

Raph

Il est une heure du matin quand je découvre le mail. Je les relève chaque soir avant de me coucher, désormais. Marine vient de partir, on a passé la soirée à enchaîner de vieux épisodes de *Friends* en mangeant du fromage et du chocolat. Ah oui, on a bu du vin aussi. Un petit peu.

De : Julia Rimini
Objet : Re : News

Hello Raphaël,

Ici Pilou, le pyjama de Julia. Je suis heureux que quelqu'un s'intéresse enfin à mes émotions ! Je suis plutôt habitué à être utilisé quand on en a besoin, avant d'être jeté dans une panière ou lavé avec une lessive même pas adaptée à mon type de tissu. Là, j'ai carrément été rangé sur une étagère, entre un bonnet et un manteau, en attendant l'hiver prochain. Je songe très sérieusement à faire un signalement au FLPD (Front de libération des pyjamas en détresse).

Rosa va bien, j'ai entendu Julia en parler. Elle participe à toutes les activités avec enthousiasme et s'entend bien avec les autres résidents. Elle sera très heureuse de te voir, c'est une belle surprise !

Je te dis adieu, il y a peu de chances que je te revoie un jour. Fais-moi plaisir : prends soin de tes pyjamas. Ils sont sensibles.

Pilou

Bon, d'accord. J'ai peut-être bu plus qu'un petit peu.

Chapitre 61

Si ce n'est pas un guet-apens, ça y ressemble fortement.

Cet après-midi, quand Greg m'a proposé de pique-niquer ce soir sur la plage des Sables-d'Or à Anglet, lui, Marine et moi, j'ai accepté avec plaisir. Ça me rappellerait les soirées entre copains de ma jeunesse, autour des guitares et des djembés, qui s'éternisaient jusqu'au petit matin. Passé trente ans, les nuits à la belle étoile se font dans un lit, des autocollants phosphorescents collés au plafond. Ce que je n'avais pas compris, c'est que Raphaël, qui est là pour le week-end, ferait partie du package. Ma décision aurait été la même, mais j'aurais sans doute moins eu l'impression que mes amis avaient tout manigancé.

— On pourrait allumer un feu ? propose Greg.

— C'est interdit ! réponds-je. Apparemment, il reste plein de munitions de la guerre sous le sable et ça pourrait les faire sauter.

— T'es vraiment une rabat-joie… dit-il.

Marine intervient :

— Oui, mais elle a aussi plein de qualités ! Elle est généreuse, elle est drôle, elle est intelligente et, quand elle se prépare, elle est super jolie !

Je m'attends à ce qu'elle ajoute : « Le tout pour la modique somme de 99 euros, c'est une affaire, monsieur, et si vous la prenez, on vous offre la garantie pendant dix ans ! » Mais non, elle se contente de sourire. Elle est fière d'elle. Par bonheur, Raphaël n'a pas l'air d'avoir remarqué leur manège, absorbé par la contemplation du soleil qui s'enfonce dans l'océan. Je me lève, attrape un sandwich dans le sac et me rassois juste à côté de lui. Les Thénardier sont au bord de l'infarctus.

— Content d'avoir vu ta grand-mère ? je lui demande.

— Oui, ça fait vraiment du bien. Même si sa première parole concernait l'apparition de mes cheveux blancs ! répond-il en riant.

— Ça ne se voit pas du tout ! dit Marine. Hein, Julia ?

Le regard courroucé que je lui adresse la fait glousser. Je vais la noyer.

— En tout cas, poursuit-il comme si de rien n'était, je suis rassuré de la voir comme ça. J'étais très remonté contre ma mère, qui a pris la décision de la placer. J'étais persuadé qu'elle allait se laisser mourir. Au contraire, elle recommence à faire des projets. Elle m'a même demandé de lui installer un ordinateur depuis que je lui ai expliqué tout ce qu'on pouvait en faire.

Marine s'assoit entre les jambes de Greg. Il l'entoure de ses bras. Ensemble, tous les quatre, on admire le plongeon du soleil, note technique 10, note artistique 10. Raphaël se penche à mon oreille :

— Comment va Pilou ?

Merde. J'espérais, au mieux, que ce mail navrant se serait perdu en route, au pire, qu'il l'aurait oublié. Nous voilà donc en dessous du pire. À ce point, plus la peine de faire bonne figure.

— Il va mal, je le crains. Je lui avais in-ter-dit de toucher à mon ordinateur, je me doutais bien que je ne pouvais pas lui faire confiance. Il est puni, roulé en boule juste à côté de son pire ennemi, mon pyjama à cœurs pailletés.

— Quelle horreur ! grimace-t-il.

— Ouais, je sais. Dur. Tu veux des chips ?

Cette honteuse histoire de pyjama nous aura au moins permis de lancer la conversation. Greg et Marine étant occupés à s'inspecter les amygdales (ils doivent penser qu'à l'instar des bâillements, voir des gens s'embrasser donne envie de faire la même chose), on a tout le loisir d'en apprendre un peu plus l'un sur l'autre. De temps en temps, Marine ou Greg suspend son activité de spéléologie pour relever des points communs entre nous deux. Le moins que l'on puisse dire, c'est qu'ils vont chercher loin.

Raphaël a trente-quatre ans, j'en ai trente-deux : « C'est fou, vous êtes de la même décennie ! »

Raphaël est graphiste à Londres, dans une start-up qui conçoit des jeux vidéo : « Julia sait super bien dessiner le champignon de Mario ! »

Raphaël déteste les chips au vinaigre : « Julia n'assaisonne jamais sa salade ! »

Raphaël vit en colocation avec un copain français : « C'est dingue, nous aussi on faisait des soirées colocs à trois ! »

Raphaël adore Londres, mais l'océan lui manque : « La coïncidence ! Julia adore l'océan aussi ! »

J'ai essayé de les arrêter discrètement, il se peut même que j'aie cassé le tibia de Marine avec mon talon, mais rien à faire, ils se croient subtils. Raphaël doit remarquer mon air désespéré, parce qu'il m'adresse un clin d'œil et sort :

— Sinon, je sais faire l'hélicoptère avec ma bite. Je parie que t'as déjà pris l'hélicoptère, Julia, pas vrai ?

J'essaie de garder mon sérieux, mais la mine choquée de mes deux collègues a raison de ma volonté. Raphaël n'a pas l'air d'assumer totalement ce qu'il vient de dire, je ris encore plus. C'est l'occasion qu'il manquait à Bonnie et Clyde pour nous offrir le bouquet final de leur plan foireux. Ils se lèvent comme un seul homme :

— On va acheter des glaces, on revient vite ! dit Greg.

— Soyez sages ! minaude Marine.

Et ils déguerpissent avant qu'on n'ait eu le temps de réagir.

« Vite » n'a manifestement pas la même signification pour tout le monde. Une heure plus tard, il fait nuit, des groupes se sont installés sur la plage éclairée par des spots, on a fini les chips et épuisé tous les sujets de conversation de surface : le travail, un peu les études, quelques anecdotes marrantes, les projets superficiels. La couche en dessous, c'est la famille, les amours, les blessures, les projets personnels. On s'entend bien, il me fait rire et on dirait que moi aussi, on a des points communs plus évidents que ne le pensent Marine et Greg, j'ai été tentée de lui faire quelques confidences, mais, peut-être parce que c'est le petit-fils d'une patiente, et donc quelque part un client, peut-être par méfiance, peut-être parce que je sens que ça pourrait être dangereux, je n'ai pas envie de lui en dévoiler davantage. Encore un point commun, puisqu'il met fin à la gêne qui s'installe en bondissant sur ses pieds.

— Viens, on va se baigner ! dit-il.

Je fronce les sourcils.

— Tu fais un AVC ? Fais voir, lève ton bras et répète après moi…

— Arrête, je suis sérieux ! Regarde, y en a plein qui se baignent, ça te donne pas envie ?

— Sincèrement ? Non.

— T'as peur ?

— Pas du tout ! je m'écrie, un peu trop fort.

— Alors viens ! Ça va être génial, tu vas adorer !

Alors si je vais adorer… Je me lève avec un enthousiasme forcé, enlève ma robe en veillant à ce que mes seins restent dans leurs bonnets, ajuste mon maillot de bain, rentre le ventre et le suis vers les vagues.

La vérité, c'est que j'ai vraiment peur. J'aurais pu le lui avouer, mais ni la taille des vagues (petites) ni la température de l'eau (bonne) n'auraient justifié un refus. Je ne peux tout de même pas lui dire que j'ai peur des requins. Il rirait, et il aurait raison, on n'a jamais vu un squale mangeur d'hommes au Pays basque. S'il savait que, depuis que j'ai vu *Les Dents de la mer*, petite, j'angoisse exagérément dès que je n'ai plus pied, même dans une piscine. Ne pas savoir ce qui se trouve sous moi me rend hystérique. Alors un bain dans l'océan en pleine nuit…

— Tu vois, elle est super bonne ! dit Raphaël en sautant dans l'écume.

— Délicieuse. Tu viens, on sort ?

Il rit. J'ai de l'eau jusqu'à la taille, je commence à me détendre. On n'est pas les seuls à se baigner, certains sont plus loin du rivage, les requins ont des têtes de fainéants, ils attaqueront sans doute les plus près en premier. Ça me laissera le temps de sortir et je garderai tous mes membres. Je saute à chaque fois qu'une vague me dépasse, l'eau a un effet apaisant, je suis presque totalement décontractée. Raphaël désigne du menton une vague qui approche, plus grosse que les autres.

— On la prend ?

La question est rhétorique, il ne me laisse pas le choix. Il m'attrape la main, on se met face au rivage et on se propulse quand la vague nous atteint. On glisse sur l'eau, on vole, l'écume nous rattrape, je suis prise dans un tourbillon, position essorage, je finis échouée dans dix centimètres d'eau, la tête dans le sable, à rire comme la baleine à laquelle je ressemble probablement. Raphaël est dans le même état que moi. Je me relève d'un bond.

— On y retourne ?

Il me suit en riant, je n'ai plus peur du tout, je suis juste excitée, j'avais oublié à quel point c'était bon de jouer avec l'océan. On se met en position pour atteindre la prochaine vague, Raphaël me tient la main, je crois sentir qu'il la caresse avec son pouce, je le regarde, il me regarde, je souris, il sourit, je vois un truc bouger derrière lui, il sourit, je me tétanise, il sourit, je hurle :

— UN AILEROOOOOOOONNNNNNNN !!!

Et je sors en courant, ralentie par l'eau qui est subitement devenue mon ennemie.

J'apprendrai plus tard qu'il s'agissait de la tête d'un jeune homme qui nageait au large. On n'a pas idée d'avoir une tête en forme de pointe. Greg et Marine ont choisi pile ce moment pour revenir, sans glace mais avec du sable dans la culotte. Ils ont donc assisté à la fin de la scène, Raphaël leur en a raconté le début, les trois ont pleuré de rire et m'ont appelée Pamela le reste de la soirée, rapport à mon sprint au ralenti.

En me souhaitant bonne nuit, Marine me serre fort dans ses bras. Elle me caresse le dos, me lance un regard désolé et se précipite dans sa chambre.

La pauvre, le choc est rude. Il va lui falloir un peu de temps pour comprendre que, même en déployant tous leurs efforts, ils ne parviendront jamais à trouver quelqu'un de suffisamment cinglé pour s'intéresser à moi.

Chapitre 62

— Comment ça va aujourd'hui ?

— Ça va, Lise. Et vous ?

Gustave a rangé son studio. À peu près. Les posters ont déserté les murs, le cendrier est presque vide, l'odeur âcre et mentholée qui flotte toujours ici s'est légèrement estompée, les bandes dessinées sont empilées et les vêtements ne jonchent plus le sol, mais forment une masse compacte au pied du lit. On y voit plus clair. Tellement que je remarque un détail qui me fait sourire.

— Je vois que vous avez ajouté un oreiller !

Je ne le croyais pas capable de rougir.

— C'est pour mon torticolis, je dors mieux avec deux coussins.

— Bien sûr ! dis-je en m'approchant du lit. Et c'est pour votre torticolis aussi que vous prenez ces pilules ?

Là, il ne rougit pas. Il devient mauve.

— C'est le médecin qui me les a prescrites…

— J'espère bien que vous ne les avez pas achetées à un dealer au coin de la rue ! réponds-je en riant.

Vous n'avez pas à avoir honte, Gustave, ça s'appelle l'amour.

Il soupire.

— Je sais, je sais, mais Louise préfère éviter que cela s'ébruite. J'ai l'impression qu'elle veut y aller doucement… Moi j'ai envie de passer chaque minute qu'il me reste avec elle.

Je ne l'ai jamais vu aussi sérieux. Peut-être que la vie ne lui apparaît plus comme une farce.

— Julia, nous n'avons plus le temps de prendre notre temps. Vous voulez bien m'aider ?

— Vous aider ?

— Oui. Je sais que vous avez été très efficace pour organiser l'anniversaire de mariage d'Élisabeth et Pierre. Il n'arrête pas d'en parler, ils vous sont très reconnaissants. C'est vrai que cette fête était réussie !

Je n'ai aucune idée de ce qu'il a en tête, mais ses yeux brillent d'excitation. Derrière sa peau plissée, on pourrait presque apercevoir le petit garçon de huit ans.

— Je voudrais que vous m'aidiez à organiser une demande en mariage inoubliable.

— Une demande en mariage ? Carrément ! je m'écrie en me retenant de lui sauter au cou tant cette idée me met en joie.

— Oui. Je veux que Louise devienne ma femme. Je veux qu'on vive ensemble, je ne veux plus qu'on se cache. Et surtout, je veux lui offrir des émotions, voir des étoiles dans ses yeux.

Quelle belle idée ! Se marier à leur âge, alors qu'ils n'ont plus rien à prouver, plus rien à construire que quelques souvenirs, juste par envie de s'unir et de faire partie de la même famille, c'est magnifique. Je suis tellement flattée d'avoir un rôle à jouer dans ce projet.

Je commence à réfléchir à la meilleure manière d'organiser une demande digne de leur amour quand une question essentielle s'impose.

— Vous pensez qu'elle acceptera ?

— Je ne sais pas. Mais je n'aurai la réponse qu'en lui posant la question. Vous êtes couillonne, parfois !

Ah, Gustave n'a pas totalement changé.

— Et votre fille ? Elle sera d'accord ?

Il s'assoit sur la chaise face à moi.

— Je l'ignore. J'avoue que c'est ce qui m'inquiète le plus.

Chapitre 63

De : Raphaël Marin-Goncalves
Objet : Pour Pamela

Hello Julia,
Comment vas-tu ?
Je sais que je ne suis reparti que depuis trois jours, mais je m'inquiète un peu pour ma grand-mère. J'ai eu l'impression qu'elle était triste de me voir m'en aller, elle m'a à peine dit au revoir et regardait ailleurs.
Je me doute qu'elle n'est pas malheureuse, que ses journées sont chargées, mais je voudrais m'assurer que je ne lui manque pas trop. Je pense beaucoup à elle.
J'espère que de ton côté tout va bien, j'ai passé une soirée extra avec vous trois samedi soir !
À bientôt,
Raphaël
P-S : Tu feras gaffe, il y a un requin derrière toi.

Je clique sur « Répondre », je commence à taper mon message, puis je m'interromps pour relire son mail. Une fois. Deux fois. Trois fois.

Je ne suis vraiment pas sûre de moi, mais le doute est suffisamment présent pour que j'aille demander son avis à Marine.

Août

« Le moment présent a un avantage sur tous les autres :
il nous appartient. »

Charles Caleb Colton

Chapitre 64

— C'est qui cette Pomponnette dont tu me parles ? geint Marine, du sommeil dans les yeux et un nid de huppes dans les cheveux. Je crois que je la réveille.

Elle se passe de l'eau sur le visage et s'assoit sur son lit.

— Explique-moi tout.

Alors je lui explique. Le mail de Raphaël, différent des premiers, cette impression qu'il contient une double lecture, Pomponnette.

— Mais c'est qui Pomponnette, bordel ?

— Tu n'as jamais vu *La Femme du boulanger* ?

— Celui de La Brioche dorée ? Sa femme s'appelle Pomponnette ?

J'éclate de rire. J'adore cette fille.

— Mais non ! *La Femme du boulanger*, c'est un film culte de Pagnol. Je te la fais courte, c'est l'histoire d'un boulanger, sa femme le quitte pour un autre, il est malheureux comme tout. La scène finale est la plus marquante. Sa femme revient, il lui pardonne, mais quand leur chatte, qui s'appelle Pomponnette, revient pour boire son lait, il lui sort une tirade : « Garce, salope, ordure ! Et tu y as pensé à ce pauvre Pompon pendant que tu étais avec ce chat de gouttière ? » Je sais, mon accent marseillais n'est pas génial, mais t'as compris le principe. À travers ce qu'il dit à la chatte, c'est à sa femme qu'il s'adresse.

Marine me regarde comme si j'étais en train de me transformer.

— Je ne comprends rien de ce que tu me racontes. Tu as bu ?

Je lui tends le mail que j'ai imprimé. Elle le lit.

— Oui, et ?

— Eh bien je me demande s'il parle vraiment de sa grand-mère.

— Ou alors, tu as pris de la drogue…

— Mais non, regarde ! dis-je en pointant le texte. Là, tu vois, quand il se demande s'il lui manque, peut-être qu'il veut savoir s'il me manque, à moi.

Pendant plusieurs secondes, Marine n'a plus aucune réaction. Je me demande si elle vit encore. Puis elle esquisse un sourire.

— T'as peut-être raison… « Elle était triste de me voir partir », « je sais qu'elle a des journées chargées », « je pense beaucoup à elle »…

Elle bondit sur ses pieds, tout à fait réveillée à présent.

— Mais oui, c'est tout à fait ça ! C'est Poupounette !

Je regagne mon studio avec les recommandations de Marine : l'appeler de suite et lui dire que je suis folle de lui. Elle manque de sommeil, à n'en point douter.

Je ne sais pas si j'ai raison, je ne sais pas s'il me glisse vraiment quelque chose entre les lignes. Je ne peux m'empêcher de me dire que, si j'ai cette impression, c'est peut-être que ça me plairait bien. Et en même temps, tous les verrous que j'ai consciencieusement semés sur le chemin des autres brouillent mes sentiments. Je ne sais pas ce que je veux, je ne sais même pas ce que je ne veux pas, et je ne sais pas quand je le saurai. Alors on va jouer la sécurité.

Bonsoir Raphaël,

Je vais bien, merci, et toi ?

Je n'ai pas l'impression que ta grand-mère ait été plus affectée de ton départ que la dernière fois, mais si tu l'as ressenti ainsi, je m'en assurerai demain. Tu lui manques beaucoup, c'est vrai, mais comme tu le dis, on fait en sorte de la distraire et de rendre ses journées agréables. Promis, si je sens qu'elle a un coup de blues, je te préviens.

Oui, c'était super chouette l'autre soir, Greg et Marine ont adoré aussi. On se refera ça ;-)

Bonne soirée et à bientôt !

Pamela

P-S : Tu feras gaffe, il y a un hélicoptère dans ton caleçon.

Chapitre 65

Élisabeth et Pierre sont assis sur leur canapé, si proches qu'on dirait des siamois.

— Je suis tellement heureuse d'être rentrée ! n'arrête pas de répéter la vieille dame. Pour vous dire à quel point, même la nourriture d'ici me manquait.

Pierre lui presse la main.

— Je revis ! dit-il. Quand on parle de vie à deux, on n'imagine pas ce que cela signifie avant de se retrouver seul. Soixante ans de vie commune : toutes mes habitudes comprennent la présence de mon épouse. Se réveiller, se laver les dents, regarder la télévision, manger, admirer un paysage… Je ne sais plus rien faire tout seul.

Je me sens presque de trop dans leur bonheur retrouvé. Je n'y suis pas habituée. Mes parents étaient pudiques, je n'ai pas souvenir de les avoir jamais vus s'embrasser, hormis sur leurs photos de mariage ou lors du petit baiser déposé du bout des lèvres pour se souhaiter une bonne journée ou nuit. Ils ne s'en aimaient pas moins, mais cela se manifestait autrement. L'autre soir, déjà, j'ai été gênée des étreintes de Marine et Greg sur la plage. À croire que l'amour m'agresse. Il faudra que je creuse ça.

Pour l'instant, je me lève et leur propose de les laisser profiter de leurs retrouvailles.

— Vous venez de rentrer, on aura tout le temps de discuter plus tard. Si vous avez besoin, vous savez où me trouver.

Je fais signe à Élisabeth de rester assise, le col de son fémur est encore fragile, mais Pierre se lève et se précipite vers le placard de l'entrée.

— Attendez, j'ai failli oublier avec tout ça ! dit-il en me tendant un vieil appareil photo numérique. Je pense qu'il y a tout ce qu'il vous faut dedans.

À peine la porte est-elle refermée que je fais défiler les images sur le petit écran fané. Ce n'est pas net, j'y verrai mieux sur mon ordinateur, mais ce que je devine m'arrache un hoquet de surprise.

— C'est pas vrai !

Puis un sourire.

À nous deux, Léon.

Chapitre 66

Un an.

Il y a un an s'arrêtait l'avant et débutait l'après. L'après-mort-de-papa. La vie dans le clan de ceux qui savent.

Je pleure depuis que j'ai ouvert les yeux ce matin. Heureusement qu'on est dimanche. Ma mère a essayé de me joindre trois fois, je n'ai pas eu le courage de lui répondre. Cette fois, je ne pourrai pas serrer les dents assez fort. Je la rappellerai ce soir. Marine a frappé à la porte, plus doucement qu'à l'accoutumée, comme si elle y mettait de la tendresse. Je n'ai pas ouvert. Quelques minutes plus tard, elle a glissé une feuille dessous : un gros cœur et les mots « Je suis là ». J'ai pleuré encore plus.

L'autre jour, j'ai eu Marion au téléphone. Elle m'a dit que j'étais forte de réussir à surmonter tout ça. Papa, Maminou, Marc. Je ne suis pas forte. Si j'avais le choix, je sortirais de mon corps et je le laisserais vivre tout ça sans moi. Si j'avais le choix, je fermerais les yeux et je dormirais jusqu'à ce que ça ne fasse plus mal. Je n'ai pas le choix. Le soleil continue de se lever chaque matin, les vagues continuent de rouler et mon corps continue de fonctionner. Je suis obligée de suivre. On ne peut pas mettre sur pause.

J'ai sorti les vieilles photos. Souvent, je fais en sorte de penser à autre chose pour ne pas laisser le chagrin m'engloutir. Mais, aujourd'hui, j'ai envie de passer la journée avec lui. Comme si je n'avais plus peur de ma douleur. Je crois qu'ici je suis en train de grandir.

Je vis avec des personnes qui ont trois fois mon âge. Des drames, elles en ont vécu. Comme moi, elles ont cru ne pas se relever, elles ont pensé ne pas être assez fortes. Elles sont peut-être en mille morceaux à l'intérieur, elles ont sans doute des blessures tellement profondes qu'elles ne peuvent cicatriser, mais elles sourient, elles rient, elles vivent. Pire, elles sont heureuses. De ces expériences douloureuses, elles ont tiré une force : celle de voir l'essentiel.

Auprès d'elles, j'apprends la résilience.

Je n'ai jamais autant apprécié les petits détails que depuis que je *sais* que tout va s'arrêter. Maintenant, je connais leur valeur. Je crois de plus en plus que le bonheur est fait de petits bouts ramassés sur son chemin.

Je ne parviens pas encore à tirer du positif de ces épreuves. Je ne suis pas sûre de le vouloir. Mais je mesure ma chance de connaître la valeur de la vie.

Les Tamaris m'ont apporté ça.

Je soulève la lourde couverture en cuir de l'album. Les pages intérieures, protégées par des films plastique, collent quand je les tourne. C'est mon album.

Depuis ma naissance, mes parents y ont compilé des photos de moi et me l'ont offert le jour de mes dix-huit ans. Ma sœur possède également le sien. Je pleure en voyant mon père si jeune, fier de poser avec son bébé dans les bras. Je ris de sa tête avec une moustache. Je pleure en les voyant si heureux avec ma mère, je ris en revoyant ma tronche au collège, avec des bagues sur les dents, des lunettes sur le nez et une moustache à la place des sourcils. Je pleure devant ce cliché de Maminou qui m'apprend à tricoter. Je ris en me souvenant de cette fois où j'avais maquillé mon père. Je caresse les photos, j'aimerais que ce soit sa peau. Il piquait toujours un peu, je râlais en lui faisant la bise. Je veux ne jamais oublier ça.

Je tire de la boîte un énième Kleenex quand Marine frappe à la porte. Je ne réponds pas, je ne suis pas prête. Ce soir, après avoir appelé ma mère, j'irai la remercier de sa présence. Si elle veut, on regardera *Friends* avec du fromage, du chocolat et du vin. Mais pas maintenant. Maintenant, j'ai Papa. Elle insiste. Je souffle. Elle est gentille, mais ce serait bien qu'elle comprenne. Elle frappe encore. Plus fort. Puis une voix dit : « Ouvre, Julia. C'est Carole ! »

Ce n'est pas Marine. J'ouvre la porte et ma sœur essaie de me sourire à travers ses larmes. Contre sa poitrine, elle serre quelque chose que je reconnais de suite. Son album photo.

Le chagrin rapproche ceux qui le partagent. Ça tombe bien, parce qu'il est moins lourd à porter à deux.

On a décortiqué toutes les pages des deux albums. On a pleuré, beaucoup, on a ri, beaucoup aussi. Les souvenirs ne sont pas douloureux, c'est savoir qu'ils appartiennent au passé qui l'est. On a parlé de Papa, on a parlé de Maminou, on a critiqué Marc, on a vidé trois boîtes de mouchoirs et autant de chocolats. On a appelé Maman, à tour de rôle pour qu'elle ne se doute de rien.

Il fait nuit quand elle part. Elle me serre dans ses bras et me murmure qu'elle ne m'en veut pas. Puis elle descend l'escalier et je la revois, à sept ans, avec sa queue-de-cheval qui se balance et ses dents du bonheur. Ma petite sœur.

Mon père est mort le 8 août. Huit huit. Le double infini. Je crois que, de là où il est, il est fier de ses deux infinis.

Chapitre 67

Léon a sa tête des mauvais jours. Sa tête de tous les jours, donc. La bouche pincée, les sourcils froncés, il fixe le sol pendant qu'Anne-Marie lui demande si les allégations de son fils sont vraies.

— Allez, Papa, implore ce dernier, tu n'as pas à avoir peur. Répète ce que tu m'as dit.

Il secoue la tête et me lance un regard noir. Il ne manque pas grand-chose pour qu'il se mette à cracher des flammes.

— J'ai tout inventé, finit-il par avouer.

— Quoi ? s'exclame son fils. Tu as reçu des pressions, c'est ça ?

Léon prend un air navré.

— Tu as vraiment hérité de la mauvaise moitié… Tu crois qu'on est dans la Mafia ?

Son fils s'affole, il n'arrête pas de remuer la tête. On dirait le petit chien qu'on pose sur la plage arrière des voitures. S'il continue, ses coutures vont craquer.

— Mais pourquoi avez-vous fait ça ? demande Anne-Marie.

— Pourquoi, pourquoi ? Il faut toujours des raisons à tout ? Je m'ennuyais, voilà tout. Je peux retourner dans mon studio maintenant ?

— Vous pouvez, répond la directrice fermement. J'espère que vous trouverez d'autres occupations, nous ne tolérerons plus ce genre d'accusations à l'avenir.

Léon sort du bureau, le visage fermé. Je ricane intérieurement en repensant à celui qu'il avait quand il a découvert que je savais tout. C'était il y a trois jours.

Quand j'ai tapé à la porte de son studio, il m'a accueillie avec sa sempiternelle amabilité :

— Que me voulez-vous ? Je croyais que vous aviez compris que je ne voulais plus de vos séances de pleurnicherie.

Je lui ai lancé un regard moqueur.

— Vous, d'accord, mais peut-être que Matteo a besoin de se confier ?

Son visage à cet instant précis valait tous les aveux. Il est devenu tellement rouge que j'ai cru que de la vapeur allait sortir de ses oreilles. Cela n'a pas duré, il a vite remis son masque méprisant.

— Je ne connais pas de Matteo. Laissez-moi tranquille, a-t-il asséné en refermant la porte.

J'ai glissé mon pied dedans et je me suis imposée dans son studio. Bizarrement, il ne s'y est pas réellement opposé et m'a laissée m'installer. Je n'étais pas à l'aise. Je ne me suis jamais sentie à l'aise dans le rôle de la méchante. Je ne prends aucun plaisir à faire du mal aux gens, si désagréables soient-ils, et la perspective de mettre Léon face à ses bizarreries ne m'enchantait pas. Mais je n'avais pas le choix : si je voulais qu'il cesse son chantage envers les Tamaris, je devais jouer dans sa cour.

Pierre avait été un détective de choc. Lorsque je lui avais demandé d'essayer de trouver des dossiers sensibles chez Léon, il s'était souvenu qu'une fois le vieil homme avait manifesté de la gêne quand il l'avait surpris en train de pianoter sur sa tablette. Pierre n'y entendait rien en technologie, mais il se doutait que, si dossiers il y avait, il les trouverait dans ce machin connecté. Alors, il avait profité d'un rendez-vous de Léon avec la pédicure – seul moment où il consentait à ne pas emporter ses appareils –, pour s'introduire dans son studio (pour des raisons de sécurité, les portes ne sont jamais fermées à clé), allumer la tablette, cliquer sur les icônes au hasard et photographier le résultat. Résultat qui était au-delà de mes espérances.

— Léon, je ne suis pas votre ennemie. J'aurais voulu éviter d'en arriver là, mais vous ne me laissez pas le choix. Je ne souhaite pas vous faire de mal, juste trouver une solution. Vous savez que je sais tout pour Matteo. Je n'en parlerai à personne, je vous le promets, si vous arrêtez vos fausses accusations. On n'en parlera plus jamais. Vous êtes d'accord ?

Il m'a dévisagée, impassible, puis s'est assis dans son fauteuil massant et a pris le temps de lancer un programme avant de me répondre.

— Ne pensez surtout pas que vous avez gagné, petite intrigante. Si je décide de taire les maltraitances dont je suis victime, c'est uniquement parce que je n'ai pas de temps à perdre. Votre petit chantage n'a pas de prise sur moi, je n'ai absolument rien à me reprocher.

Léon, égal à lui-même.

— C'est vrai, vous ne faites rien d'illégal, ai-je consenti. Mais je suis persuadée que vous n'aimeriez pas que tout le monde soit au courant de vos activités. Ça s'appelle de l'usurpation, vous le savez ?

Il a affiché un rictus dédaigneux et a ricané.

— Vous ne pouvez pas comprendre. Toute ma vie, j'ai été dans l'ombre de célébrités... Je côtoyais des acteurs, je fréquentais des réalisateurs, mais moi, personne ne me voyait. Aujourd'hui, j'ai cinquante-six mille fans sur Facebook, quatre-vingt mille *followers* sur Instagram et autant sur Twitter. Chaque matin, mon premier geste est d'attraper ma tablette pour vérifier le nombre de *likes*. C'est mon baromètre d'humeur. Je poste des photos. J'embarque mes lecteurs en voyage aux Bahamas, je leur montre mes derniers achats, je mets mon chat en scène, je leur présente mon petit frère, je leur expose mes abdos, je leur offre des *selfies*, je les fais rêver. Ils me disent que je suis beau, qu'ils adorent mon chat, que j'ai une vie de rêve, qu'ils aimeraient être à ma place. Certains me jalousent et me détestent. Je ne leur réponds pas, mes fans s'en chargent pour moi. Parfois, je regarde leurs photos, pour voir à quoi ils ressemblent. J'ai pitié d'eux, ils sont moches, ou gros, ou vieux, ou pauvres. Certains cumulent les quatre. Je comprends qu'ils préfèrent suivre ma vie que la leur…

— Mais ce n'est pas *votre* vie ! me suis-je écriée. Vous volez celle de quelqu'un !

Il m'a regardée comme si j'étais trop niaise pour comprendre.

— Je ne vole la vie de personne, je copie des photos qu'il publie de son plein gré sur son compte Instagram. Pour le reste, c'est moi qui ai imaginé son prénom, Matteo, son âge, le lieu où il vit, le nom de son chat…

— Vous n'avez pas peur que quelqu'un le découvre un jour ?

— Vous pensez bien que je ne l'ai pas choisi à la légère. En plus d'avoir un physique parfait, ce garçon a le bon goût d'habiter en Bulgarie, où il est totalement inconnu. Ce ne sont pas ses quatre-vingt-trois *followers* qui risquent de le reconnaître…

J'ai hésité entre compassion et dégoût. Ce vieux monsieur qui n'aimait pas sa vie au point de s'en fabriquer une autre avait quelque chose de touchant, mais il trompait des milliers de personnes et assumait un mensonge sans aucun complexe. Sa dernière phrase m'a aidée à faire mon choix.

— Peut-être que maintenant vous me respecterez. J'ai cinquante-six mille fans sur Facebook, tout de même.

Chapitre 68

De : Raphaël Marin-Goncalves
*Objet : Tada Tada Tadatadatadatada**

Salut Julia,

Il est plus de minuit, je viens de rentrer, les journées sont de plus en plus longues, l'ambiance est tendue, on vient encore de se faire piquer un gros contrat par un concurrent, j'ai besoin d'air. Résultat : j'ai réservé des billets, je serai là le week-end prochain !

Comment va ma grand-mère ? Je pense beaucoup à elle, je l'imagine dans son petit studio, toute seule, et ça me fend le cœur. J'espère venir la voir plus souvent à l'avenir. Ça lui fait plaisir et ça me fait un bien fou à chaque fois.

Et toi, comment tu vas ? Tu ne prends pas de vacances cet été ?

À bientôt !

Raph

**J'espère que tu as reconnu la musique des* Dents de la mer.

Pomponnette ou pas Pomponnette ?

Je suis moins catégorique que l'autre soir. Si son mail contient un double fond, il est drôlement bien caché. Mais si ce n'est pas le cas, le fait de m'envoyer des mails pour me parler de ses sentiments pour sa grand-mère pose quand même question. Ou alors il a cru que j'étais aussi sa psy à lui.

Il n'y a qu'un moyen de le savoir.

Hello Raphaël,

Je suis désolée de lire ta fatigue, et la perte du client. J'espère que ça ne met pas ta boîte en difficulté, mais si c'est le cas, pas d'inquiétude : je pense que tu es prêt pour une carrière d'imitateur de musiques de film.

C'est chouette que tu viennes ! Ta grand-mère sera heureuse de te voir. Elle parle beaucoup de toi, tu lui manques, mais qu'est-ce qu'elle est fière de son petit-fils qui vit à Londres ! L'autre jour, elle s'inquiétait de te voir maigrir, elle se demande si tu manges à ta faim…

Elle n'est pas malheureuse, ne t'inquiète pas. La solitude n'a pas l'air de lui peser. C'est vrai que, parfois, je la surprends les yeux dans le vague, elle pense sans doute à toi, c'est une belle relation que vous avez. Mais je t'assure qu'elle ne montre aucun signe de dépression, tu peux dormir tranquille

Je n'ai pas de vacances, mon contrat se termine bientôt. Pas grave, à Biarritz j'ai l'impression d'être en vacances toute l'année !

À bientôt !

Julia

J'ai à peine le temps de faire un tour sur Google, pour m'assurer que le bouton rouge qui s'est invité sur mon menton ne présage pas un cancer, qu'il a répondu.

Re,

Je ne savais pas que ton contrat se terminait bientôt, c'est dommage… Ma grand-mère s'est habituée à toi, ça va faire un vide.

Tu peux la rassurer, je mange bien et je ne maigris pas trop. La preuve en pièces jointes ;-)

Bises

Raph

J'ouvre les pièces jointes, légèrement perturbée par le « Bises » qui clôt le mail. La première est une photo de lui en train de manger un énorme hamburger. La seconde est une photo le montrant torse nu, le ventre rentré, les bras contractés, à l'image des *bodybuilders* en pleine compétition.

J'éclate de rire, c'est très drôle, mais ça ne laisse plus aucune place au doute. Raphaël est en train de me draguer.

Chapitre 69

Rosa vient me chercher dans mon bureau alors que je m'apprête à le quitter.

— J'ai un grand service à vous demander, Julia, mais il faut que vous me promettiez de garder le secret, chuchote-t-elle. C'est un très, très lourd secret.

Allons, bon. Elle va m'annoncer qu'elle garde le corps de tous ses amants sous son lit, on va se marrer.

— Je vous écoute, Rosa. Que puis-je faire pour vous ?

Elle regarde autour d'elle, à la recherche d'éventuels espions qui capteraient ses confidences, et murmure :

— Rejoignez-moi dans mon studio. Tapez sept fois à la porte, je saurai que c'est vous. À tout de suite.

Puis elle s'éloigne en trottinant, sa canne qui claque dans le couloir.

Une minute plus tard, je tape sept coups sur la porte bleue.

Deux minutes plus tard, je retape sept coups sur la porte bleue.

Quatre minutes plus tard, je tape quinze coups sur la porte bleue et je souffle.

Cinq minutes plus tard, je vois Rosa débarquer au bout du couloir.

— Mais comment avez-vous fait pour arriver avant moi ? me demande-t-elle, essoufflée. Vous avez couru ?

— Non, j'ai marché.

Elle balance un regard alentour, ouvre la porte et m'entraîne à l'intérieur.

— Vous êtes sûre que personne ne vous a suivie ?

— Je ne crois pas, inspecteur Derrick.

Dans un coin de son studio, un guéridon a fait son apparition. Dessus, des serviettes de toilette recouvrent quelque chose de volumineux. Rosa s'apprête à tirer dessus pour mettre fin au mystère. Elle me lance un regard grave.

— Je vous le demande une dernière fois. Vous saurez garder le secret, vous êtes sûre ?

Voilà, j'ai peur. Je n'arrive pas à discerner ce qui se cache sous les serviettes et, face au comportement mystérieux de Rosa, je m'attends au pire. Un kilo de cocaïne, une bombe, un ragondin empaillé, une tête humaine… Finissons-en.

— Je suis sûre. Allez-y ou vous devrez me réanimer.

Doucement, de ses longues mains veinées, la vieille dame fait glisser le tissu. Dessous, un grand carton maintient le suspense un peu plus longtemps. Un dernier coup d'œil dans ma direction l'informe que je suis prête à savoir. Alors elle lève le carton. Je ris de soulagement.

— Mais pourquoi tout ce mystère pour un ordinateur ?

Je me demandais où on pourrait enterrer un cadavre.

— Chut, parlez moins fort, voyons ! Les murs ont des oreilles, vous savez.

— Vous allez m'expliquer, oui ou non ? j'interroge plus bas.

Rosa triture ses mains.

— C'est mon petit-fils Raphaël qui m'a offert ce bidule. Il m'a dit qu'on pouvait visiter des pays, s'envoyer des lettres et écouter des disques.

— Mais vous savez vous en servir ?

— Il m'a expliqué, j'ai tout noté, répond-elle en attrapant une feuille noircie de notes. Voilà, il faut allumer en appuyant sur le bouton vert, puis on clique sur la planète et on va taper sur le gogole. Et après on fait du surf sur l'oued.

J'hésite entre rire et sauter par la fenêtre. On a du boulot.

— Vous attendez quoi de moi, exactement ?

— Eh bien... l'autre jour je regardais l'émission de Sophie Davant, vous savez, en début d'après-midi sur Antenne 2. J'aime beaucoup cette femme, on sent qu'elle écoute vraiment ses invités, ce n'est pas comme ces présentateurs qui ne font que couper la parole. Elle est de Bordeaux, vous savez ? Ça ne m'étonne pas, les Bordelais sont des gens qui savent vivre, j'en connais plusieurs et…

— Rosa, on peut en venir au fait ?

— Oui, oui, pardon ! Où en étais-je ? Ah oui ! Donc, dans l'émission, ils parlaient des annonces pour trouver l'amour. Ils ont dit qu'on pouvait en passer une sur un ordinateur et que les gens du monde entier la verraient. Avec tous les hommes que compte la planète, ça me laisse des chances d'en trouver un, n'est-ce pas ?

— Vous voulez que je vous inscrive sur un site de rencontres ?

Elle sourit timidement.

— Oui, c'est ça. Je ne savais pas à qui demander, vous êtes tellement gentille avec moi. Et puis, avec votre métier, vous êtes tenue au secret médical. Je sais que cela restera entre nous. Vous voulez bien faire ça pour moi ?

Elle a le regard de la petite fille qui demande un bonbon avant le dîner. Comment le lui refuser ?

Assise à ses côtés face à l'écran, j'initie Rosa au fonctionnement d'un site de rencontres. J'ai un peu pratiqué étant plus jeune, les souvenirs que j'en garde sont à ranger au rayon « À oublier au plus vite », mais il y a des chances que les seniors soient moins tordus que les jeunes. Peut-être que, passé un certain âge, les hommes attendent d'avoir échangé quelques mots avec leur interlocutrice avant de lui demander une photo de ses seins.

— Il faut choisir un pseudo, dis-je en croquant dans le biscuit sec qu'elle m'a offert.

— Un pseudo quoi ?

— Un pseudonyme, un surnom si vous préférez, réponds-je en recrachant le gâteau dans ma main. Il a un drôle de goût, votre gâteau, vous avez vérifié la date sur le paquet ?

— C'est moi qui l'ai fait au cours de cuisine le mois dernier.

— Bien. Donc nous ne cocherons pas « Cuisine » dans la liste de vos talents. Vous avez une idée pour le pseudo ?

— Pas tellement… Roro, ça irait ?

— Bof… Regardez les pseudos des femmes déjà inscrites : TendreRomantique78, JolieRousseDu77, AmoureuseDesLivres54… Il faudrait quelque chose de plus original, qui vous caractérise et donne envie de vous connaître, et vous pouvez y ajouter un nombre que vous aimez bien.

Elle réfléchit plusieurs minutes en silence, puis son visage s'illumine au moment où je porte la tasse de thé à mes lèvres.

— J'ai trouvé ! *Gourmande69*, c'est parfait !

Je manque de m'étouffer et recrache tout le liquide brûlant sur l'écran.

— Vous êtes sérieuse ? Vous voulez attirer tous les pervers ou quoi ?

— Mais pourquoi dites-vous ça ? s'étonne-t-elle avec une toute petite voix. Vous m'avez dit de choisir quelque chose qui me définisse, or j'adore manger.

Et je suis née un 6 septembre. Je ne vois pas ce qui cloche !

Après avoir finalement opté pour *Épicurienne64*, renseigné l'âge (81 ans), les passions (lecture, promenades, musique classique, mots croisés, Motus), la couleur des yeux (noirs), celle des cheveux (Brasilia de L'Oréal), la profession (retraitée), il ne reste plus qu'à écrire le texte qui donnera envie à des hommes de rencontrer Rosa.

Avec le sourire de celle qui a bien travaillé, elle attrape une petite boîte en bois fermée à clé, l'ouvre, en sort une feuille qu'elle déplie et pose sous mes yeux.

J'aime les couchers de soleil. J'aime lire et je commence toujours par les dernières pages, au cas où je n'aurais pas le temps de lire la fin. J'aime les bons plats. J'aime la beauté de notre monde. J'aime jouer au Scrabble. J'aime les chats. J'aime passer du temps avec mes proches. J'aime les roses quand elles commencent juste à éclore. J'aime l'odeur de l'océan quand il est déchaîné. J'aime prendre soin de moi. J'aime m'ennuyer. J'aime croire qu'un jour vous m'écrirez quelques mots qui nous mèneront à conjuguer le verbe aimer au pluriel.

Je suis soufflée. Son texte est parfait, il n'y a rien à jeter. Plus la peine de se demander d'où viennent les facilités de Raphaël.

— Je le peaufine dans ma tête depuis un moment, avoue-t-elle en fixant l'écran. J'espère que je vais avoir de nombreux prétendants qui me feront la cour ! Oh, regardez, Julia ! L'Internet me dit que *JAimeLaVie45* souhaite entrer en contact avec moi !

Je lui explique rapidement le fonctionnement du site, puis quitte le studio alors qu'elle demande à son premier prétendant s'il peut lui envoyer une photo récente.

Chapitre 70

Anne-Marie me fait signe de m'asseoir. Elle retire le crayon planté dans ses boucles et se gratte l'arrière de la tête. Elle semble chercher ses mots, puis se lance :

— J'ai reçu un appel de Léa, la psychologue que vous remplacez pendant son congé maternité. Comme vous le savez, elle a mis au monde un petit garçon il y a déjà plusieurs semaines. Tout se passe bien, mais elle souffre de dépression *post partum* et pense que rester à la maison n'est pas fait pour elle. Elle m'a demandé si elle pouvait reprendre le travail plus tôt.

J'ai l'impression d'être une de ces personnes qui marchent sur le trottoir, la tête en l'air pour admirer le paysage, et qui se prennent un poteau dans la tronche, de plein fouet. Je suis assommée.

Je sais que mon contrat s'arrête bientôt. Je devrais m'en réjouir, après tout, ça ne devait être qu'une transition, c'est déjà un petit miracle d'avoir tenu aussi longtemps. Je suis arrivée ici à reculons, presque sûre d'avoir fait une erreur que je n'allais pas tarder à regretter. Et puis il y a eu Marine, il y a eu Greg, il y a eu Louise, Gustave, Miss Mamie, Élisabeth et Pierre, Lucienne, Isabelle… J'essaie de m'y préparer, mais l'idée qu'on puisse me demander de partir avant la date prévue me donne juste envie de pleurer.

Ça doit se voir, car Anne-Marie reprend :

— J'ai accepté qu'elle revienne plus tôt, mais je l'ai prévenue que je ne pouvais pas raccourcir la durée de votre contrat.

Elle ne pouvait pas commencer par ça ? Sadique.

— Je n'en ai pas le droit, poursuit-elle, et je n'en ai pas l'envie. Vous savez, j'ai beaucoup hésité à vous embaucher. Vous n'aviez aucune expérience avec les personnes âgées, si ce n'est un stage, je dois vous avouer que je ne vous aurais pas choisie si j'avais eu une autre candidature. Mais c'était urgent, vous avez été la seule, je n'avais pas d'autre option. La première impression ne m'a pas rassurée, vous étiez en retard et on vous aurait crue tout droit sortie d'un film de zombies.

J'espère qu'elle a quelque chose de sympa à me dire après ça, sinon je vais lui demander de m'excuser quelques minutes pour aller me pendre avec les rideaux.

— Vous faites du bon boulot, Julia. Vous êtes investie, vous ne rechignez pas à participer aux activités, vous ne comptez pas vos heures. Mais, au-delà de ça, vous êtes généreuse. Vous faites votre possible pour que les autres se sentent bien, vous êtes agréable, vous apportez beaucoup aux Tamaris. Je ne veux pas donner l'impression de me mêler de votre vie, mais j'ai l'impression que les Tamaris vous apportent beaucoup aussi.

Je hoche la tête.

— Vous n'imaginez pas à quel point.

— Ça se voit. Je vais vous dire la vérité : quand Léa m'a appelée, j'ai espéré qu'elle allait m'annoncer qu'elle ne souhaitait pas revenir. J'aurais beaucoup aimé vous garder parmi nous. Malheureusement, notre budget ne nous permettra pas de garder deux psychologues, et Léa était là avant. Elle a refusé ma proposition, elle tient à être la seule à gérer ses patients. Elle reviendra donc à la date prévue, ce qui nous laisse presque deux mois à passer ensemble. Vous avez commencé à chercher un autre poste pour la suite ?

— Pas encore. Il va falloir que je m'y mette.

— Si j'entends parler de quelque chose, je vous en ferai part. N'hésitez pas si vous avez besoin d'une lettre de recommandation, je l'écrirai avec plaisir.

— Je vous remercie, ça me touche beaucoup.

Elle replante le crayon dans ses cheveux et me sourit.

— C'est moi qui vous remercie, Julia. Je crois que vous allez manquer à beaucoup de monde ici.

Je sors de la pièce un peu sonnée. Dans deux mois, les Tamaris ne seront plus qu'un souvenir.

Chapitre 71

— Tu crois qu'ils vont se faire bouffer par un requin ?

— Arrête, t'es trop drôle, j'ai mal au ventre.

Raphaël tire sur sa cigarette. On est assis côte à côte sur le dossier du banc qui se trouve au fond du parc. En contrebas de la falaise, des dizaines de surfeurs attendent une bonne vague, assis à califourchon sur leur planche.

Je revenais de la plage quand je l'ai croisé. Il sortait de l'annexe, j'y entrais. Il m'a proposé de fumer une cigarette avec lui. Je venais juste d'en écraser une, j'avais du sable jusqu'à l'intérieur de mon corps, ma peau me démangeait à cause de l'eau salée, je devais ressembler à une de ces poupées qu'on retrouve après des années au fond d'une malle, mais j'ai dit oui.

— Alors, cette pause te fait du bien ? je demande.

— Grave. J'adore Londres, j'adore mon boulot, mais en ce moment c'est vraiment dur. Je comptais les jours.

— Si dur que ça ?

— Ouais. Je préfère ne pas trop y penser, si ça ne te dérange pas.

— Pas de souci. Tu restes jusqu'à quand ?

— Demain soir… Et donc toi, tu t'en vas bientôt ?

— Ouais… Dans un peu moins de deux mois.

Il hoche la tête.

— Deux mois… Tu sais ce que tu vas faire après ?

— Aucune idée. Je n'ai pas vu le temps passer, va falloir que je m'en occupe. Je dois trouver un appart aussi.

— Tu es seule depuis longtemps ?

Il a demandé ça soudainement, comme un spasme, entre deux bouffées de nicotine. Coup de perceuse dans ma couche de protection.

— Quelques mois, réponds-je en me levant. Il faut absolument que j'aille prendre une douche, on se voit plus tard ?

— Je te suis, ma grand-mère veut que je lui apprenne à faire des smileys sur Internet, dit-il en se mettant debout à son tour. Je sens que je vais m'amuser…

On traverse le parc en silence. Sa question a jeté un froid, je voudrais dire quelque chose pour détendre l'atmosphère, mais aucun sujet léger ne me vient. Il m'a déstabilisée. On ne pose pas cette question comme ça, innocemment. En tout cas, pas si on n'a pas sept ans. Quand on devient adulte, on gagne des centimètres, des poils ou des seins, souvent des boutons, mais surtout des filtres. On ne se cure plus le nez en public, on ne dit plus aux gens qu'ils sont moches, particulièrement quand ils le sont, on ne montre pas sa culotte en faisant la queue à la Poste et on ne demande pas aux personnes qu'on connaît à peine si elles sont célibataires. Sauf si on a une idée derrière la tête.

Je devrais être flattée. Plus je le découvre, plus Raphaël a de cases cochées dans le descriptif de mon homme parfait. C'est justement le problème. Je le sens bien, que je guette ses mails, que j'attends sa venue, que j'espère ses sourires. Mais ce n'est pas le moment. Il tombe mal. C'est le facteur qui sonne pile au moment où on vient d'entrer dans le bain. C'est l'envie de faire pipi qui arrive alors qu'on vient de se vernir les ongles. C'est le morceau de salade entre les dents pendant un entretien d'embauche. Il tombe mal. Je suis encore trop vulnérable : si quelqu'un me fait du mal, je m'écroule. Et lui, il me fait peur. Si seulement il ne me faisait aucun effet…

— Tu veux une tomate ?

Je n'ai trouvé que ça pour désamorcer la gêne. Je me désole moi-même. Il est conciliant, il me suit jusqu'au potager où on cueille deux tomates auxquelles on s'accroche comme à des bouées. Je tourne les talons pour rejoindre mon studio.

— Qui s'occupe du potager ? me demande-t-il.

— C'est Gustave. Apparemment, il a demandé s'il pouvait utiliser un petit bout de parc quand il est arrivé ici. On profite de ses fruits et légumes à la cantine, je n'ai jamais mangé de si bonnes fraises !

Raphaël me regarde avec un drôle de sourire.

— Gustave, c'est bien le papy avec un déambulateur, celui qui fait des blagues tout le temps ?
— C'est bien lui. Pourquoi ?
— Parce que je pense savoir à qui appartiennent les voix que l'on entend la nuit.

Chapitre 72

Il est près de minuit quand un bruit s'élève du parc. Raphaël me fait signe : c'est parti.

Avant de rejoindre sa grand-mère tout à l'heure, il m'a demandé si les voix se faisaient entendre au hasard ou certains jours en particulier. Après réflexion, il me semble les percevoir sporadiquement, mais souvent le samedi soir. Il m'a donc proposé d'essayer de les surprendre ce soir. J'ai accepté. Il a dit qu'on se rejoindrait en fin de soirée, pour être sûrs de ne pas les manquer et mettre au point notre plan. J'ai accepté. Il a ajouté qu'on pourrait se retrouver dans mon studio. J'ai accepté et j'ai senti un drôle de truc dans mon ventre.

On descend les escaliers dans le noir, seulement éclairés par l'écran du téléphone de Raphaël. On doit être discrets. Je ne sais pas lui, mais moi je ressens la même excitation que la première nuit où j'ai fait le mur pour rejoindre des copains à la plage. La dernière aussi, cela dit, puisque mon père m'attendait dans le jardin. Le fait que j'aille me coucher en robe lui avait manifestement mis la puce à l'oreille. Mon cœur court au galop, mon corps est électrique, je me retiens de glousser. Raphaël referme doucement la porte de l'annexe derrière nous.

— On va traverser en courant, me murmure-t-il à l'oreille.

Il me prend la main. Je frissonne.

On parcourt main dans la main la distance qui nous sépare du bâtiment principal. Je me rends compte à mi-chemin que je suis en train de courir sur la pointe des pieds. Mon cerveau et moi, on fait un break.

— On va longer le mur jusqu'à l'arrière du bâtiment, chuchote-t-il, encore plus doucement, encore plus près.

C'est qu'il ne faudrait pas qu'on nous entende.

À pas de loup on avance vers le parc. On y est presque quand un rire nous parvient. On se fige, dos au mur. Mon cœur bat dans ma gorge, dans mes oreilles. Et si Raphaël se trompait ? Et si les voix appartenaient à un groupe d'assassins évadés de prison ?

— J'ai la trouille, je souffle.

Il cherche ma main à tâtons, la reprend dans la sienne et la caresse avec son pouce. Si c'est censé me calmer, c'est loupé.

— Allez, on y est presque, dit-il tout bas. Tu veux toujours y aller ?

Son visage est à quelques centimètres du mien, j'ai mes yeux dans les siens. La pénombre, sa voix qui chuchote, ses caresses sur ma main, son souffle sur mes joues… pendant quelques instants, le temps se met sur pause. Sa respiration s'accélère. Je dois faire un effort pour réguler la mienne. Ses doigts glissent entre les miens. Je ferme les yeux. Mon cerveau se met à diffuser un film érotique. Tout mon corps me pousse à l'abandon. Mais ma raison monte la garde.

— Je suis sûre, dis-je, enrouée. On y va ?

— C'est parti, souffle-t-il.

Les voix se font plus fortes à l'approche du potager. J'en reconnais une. Puis une deuxième. Raphaël avait raison. Une lueur s'échappe de derrière le muret. On le contourne tout doucement, puis, d'un bond, on se plante devant ceux qui hantent mes nuits depuis des mois.

Assis sur une chaise de jardin, Gustave est tranquillement en train de rouler un joint.

Chapitre 73

Il sursaute en nous voyant et fait tout tomber par terre.

Autour de la table, Pierre, Élisabeth et Louise sont tétanisés.

— Ah ah ! je lance. On vous y prend, bande de junkies !

Il faut croire que je ne suis pas du tout crédible et que les plantations de Gustave sont très bonnes, puisqu'il éclate de rire, immédiatement imité par ses copains de fumette. Et par Raphaël.

— Et ça vous fait rire ? je demande en essayant de garder mon sérieux face à cette scène improbable.

— Vous ne voulez tout de même pas qu'on pleure ! couine Élisabeth en s'essuyant les yeux, avant de repartir à rire.

— Elle va nous dire que c'est mauvais pour notre santé, pouffe Pierre.

Face à l'hilarité générale, je rends les armes. Je me mets à rire avec eux. Louise me regarde, les yeux brillants :

— Vous voulez qu'on roule un trois-feuilles ?

Une demi-heure plus tard, j'ai répété dix fois que non merci, je n'y tenais pas, que ce serait tout sauf professionnel. Je n'ai pas dit qu'en réalité le seul joint que j'aie fumé m'avait donné la désagréable impression de ne plus rien maîtriser et provoqué une attaque de panique mémorable. Raphaël, lui, tire sans complexe de longues bouffées, tandis que les quatre fantastiques passent aux aveux. La drogue les rend prolixes.

Gustave cultive du cannabis depuis son arrivée ici.

— J'ai fumé mon premier pétard en 1968, j'avais la trentaine. Avec ma femme, on venait d'acheter à Anglet. Nos nouveaux voisins vivaient en communauté, ils étaient très ouverts, nous avons vite sympathisé. On avait une vie bien plus conventionnelle que la leur, mais on a conservé cette originalité toute notre vie. Pendant sa maladie, je la faisais fumer sur son lit d'hôpital. Ça soulageait un peu la douleur... Quand je suis arrivé ici, j'ai demandé si je pouvais avoir un potager.

Depuis, au milieu des tomates et des fraises, il cultive des pieds de cannabis, dont il fait ensuite sécher les têtes dans le double fond de son canapé.

— Alors c'est ça, l'odeur dans votre studio ?

Tout s'éclaire. Même les hurlements de l'autre nuit :

— Léon nous a entendus en parler un jour, explique Pierre. Nous avons eu peur qu'il nous dénonce, alors nous lui avons proposé de se joindre à nous. C'était un soir de pleine lune, il s'est pris pour un loup-garou pendant une heure. Il n'en a plus jamais parlé.

— Tu m'étonnes ! s'esclaffe Élisabeth. Gustave lui a fait croire qu'il l'avait filmé au moment où il pensait que des griffes lui poussaient. Il doit avoir peur que ça sorte…

Raphaël rit.

Au début, Gustave fumait seul. Un soir, en passant devant le studio de Miss Mamie, il l'a entendue sangloter. Elle venait de recevoir une lettre qui l'informait du décès d'un vieil ami, elle n'en a pas dévoilé plus, mais elle était anéantie. Sans doute Helmut… Il lui a proposé de se joindre à lui. Plus tard, c'est Pierre et Élisabeth qui les ont rejoints, puis Louise, troisième membre du gang des mamies. Ils se réunissent au moins une fois par semaine.

— De préférence le samedi, précise Louise, parce que c'est Sarah qui est de garde cette nuit-là, et nous savons qu'elle dort comme un loir.

Raphaël rit encore. Il est défoncé.

— Mais comment personne n'a jamais rien vu ? Ou entendu ? je demande.

— Personne ne prête attention au potager, répond Gustave, et on veille à ne pas faire trop de bruit, même si parfois ça dérape. De toute manière, tous les studios qui donnent sur ce côté du parc sont habités par nous ou par des résidents qui n'entendent plus très bien. C'est aussi pour ça qu'on vient si tard. Et vous, comment avez-vous su ?

— C'est moi, explique Raphaël en tirant sur le joint. Ça faisait longtemps que je n'avais pas fumé, mais j'ai de suite reconnu les feuilles dans le potager. Bravo frère, c'est de la bonne !

Fou rire général.

— Je vous ai entendus plusieurs fois, reprends-je. J'ai même essayé de trouver d'où venaient ces voix.

— Oh, on sait ! dit Gustave. On vous a vue rôder une fois, vous nous avez fait une de ces peurs ! Vous ne direz rien, hein ?

Ils me scrutent tous en attendant ma réponse. Je ne réfléchis pas longtemps.

— Promis, je ne dirai rien. De toute manière, est-ce que quelqu'un pourrait me croire ?

Je regagne l'annexe rassurée. Désormais, quand j'entendrai des voix dans le parc en pleine nuit, je saurai qu'une bande de papys et mamies sont en train de s'offrir un moment de plaisir. Raphaël marche à mes côtés.

— Si ça se trouve, dit-il, la dispute entre les deux mamies à la cantine concernait leur trafic de cocaïne…

— Ouais. Et Arlette est sourde parce qu'elle cache ses sachets de LSD dans ses oreilles !

Il manque de s'étouffer de rire. J'ouvre la porte, on pénètre dans le couloir plongé dans l'obscurité. Aucun de nous deux n'appuie sur l'interrupteur. Je pose mon pied sur la première marche de l'escalier.

— Bonne nuit, je chuchote sans trop savoir pourquoi, puisque nous sommes les seuls à dormir ici, Marine passant la nuit chez Greg.

La suite s'enchaîne très vite. Il franchit le mètre qui nous sépare, dépose un baiser court mais appuyé sur mes lèvres, glisse la clé dans la serrure de son studio et disparaît, me laissant en tête-à-tête avec mes palpitations.

Chapitre 74

J'affronte Louise, Gustave et Élisabeth au Scrabble. Aux Tamaris, les règles sont adaptées à l'âge des résidents. Adieu le sablier, chaque joueur prend le temps qu'il souhaite pour former ses mots. On vient de commencer la partie et j'ai déjà dépassé le bout du rouleau.

— Louise, c'est à vous. Depuis seize minutes.

Elle bouge ses lettres, forme un mot, puis un autre, elle souffle, rien ne lui convient, tiens si on essayait comme ça…

— Je peux échanger mes lettres ? demande-t-elle enfin.

— Oui, vous pouvez, mais vous êtes obligée de passer votre tour, répond Élisabeth.

— Même si je n'en change que deux ?

J'aurais dû aller à l'atelier macramé, plutôt.

Dix jours plus tard, elle finit par poser le mot « allo » avec le *o* du « noces » de Gustave. Quatre points, ça fait pas cher la minute.

C'est à mon tour. Avec le *a* de Louise, je forme « alliance ». Scrabble.

— C'est la chance du débutant, lance Louise, mauvaise joueuse.

— Ou alors elle est cocue ! ricane Gustave. Pourtant, ça a l'air de bien coller avec le petit-fils de Rosa…

Les deux femmes hochent la tête d'un air entendu.

— Ah ça ! répond Élisabeth. Ils avaient les yeux brillants l'autre soir…

— N'importe quoi ! je m'exclame. Faut arrêter les pétards, ça vous donne des hallucinations… Bon, allez, Élisabeth, c'est à vous de jouer. Si on continue à ce rythme, ils vont nous retrouver desséchés sur nos chaises.

Le vieil homme m'adresse un sourire complice, comme s'il savait que je savais ce qu'il savait. Élisabeth pose son mot.

— B, A, G, U, E : « bague ». Mot compte double.

Gustave prend le temps de la réflexion, approximativement le même qu'il faut pour cuire un poulet, puis étale ses lettres.

— « Mariage » avec le *g* d'Élisabeth, le *r* double, dix points.

Louise enchaîne à toute vitesse, avec un « kiwi » bien placé qui la fait revenir au score. Puis je pose ma « demande » et Élisabeth sa « fiancée ».

La main de Gustave plonge sous la table. C'est le moment. Élisabeth m'adresse un sourire excité tandis que Louise déplace ses jetons à la recherche d'un bon mot. Le vieil homme pose la première lettre. Puis la deuxième. Puis la dixième.

— Mais tu as beaucoup trop de lettres ! s'étonne Louise avant de comprendre.

Sur le plateau, en lettres noires sur carrés blancs, s'étale sa demande :

VEUX TU M EPOUSER

Elle se lève et porte ses mains à son visage. Ses yeux sont écarquillés. Malgré les indices contenus dans tous les mots posés sur le plateau, elle ne s'y attendait pas du tout. Gustave s'appuie sur son déambulateur pour poser un genou au sol. C'est le moment que choisit Pierre, caché depuis le début dans le couloir, pour lancer la *Marche nuptiale* et entrer dans la pièce en lançant des pétales de roses, suivi de la quasi-totalité des résidents et membres du personnel des Tamaris.

Louise n'a pas bougé. Elle est tétanisée. Gustave a les larmes aux yeux. Moi aussi. Un cercle se forme autour du couple.

— Chère Louise, déclame Gustave, je ne te ferai pas un long discours, on n'a plus le temps pour cela. J'ai envie de vivre chaque seconde qu'il me reste à tes côtés, je ne peux plus me passer de ton rire. Je veux te rendre heureuse comme tu me rends heureux, jusqu'à mon dernier souffle. Ma chérie, veux-tu devenir ma femme ?

Louise rit et pleure en même temps. Elle se baisse pour se mettre à la hauteur de Gustave, qui peine à se relever. Le silence plane sur la salle. Elle pose sa main ridée sur la joue du vieil homme :

— Rien ne pourrait me rendre plus heureuse.

Tout le monde applaudit, et moi j'essuie mes larmes. Ils vont tous tellement me manquer.

Chapitre 75

De : Raphaël Marin-Goncalves
Objet : Sans

Hello Julia,

Comment vas-tu ?

Désolé de ne pas t'avoir dit au revoir dimanche, je suis venu frapper à ta porte, mais apparemment tu n'étais pas là. Je voulais te dire que j'ai passé un week-end extra.

Ma grand-mère m'a dit qu'il y avait eu une demande en mariage, j'aurais voulu voir ça !

Au sujet de ma grand-mère, comment tu la trouves en ce moment ? Je la sens un peu changeante, elle est enjouée et la minute d'après elle se ferme. Tu sais s'il s'est passé quelque chose ? J'espère qu'elle ne me trouve pas trop envahissant…

À très vite,
Bisous
Raph

Dimanche, j'étais chez moi quand il a frappé à la porte. Je suis restée immobile jusqu'à ce que ses pas s'éloignent dans l'escalier. La soirée de samedi m'a chamboulée. Son baiser m'a troublée. Mes sentiments m'ont remuée. Il faut que je me protège.

Salut Raphaël,

Je vais bien, merci, j'espère que toi aussi.

Ne t'inquiète pas pour dimanche, ce n'est pas grave. J'étais allée me promener.

En effet, Gustave a demandé la main de Louise, c'était un moment magique. Greg a tout filmé, il pourra te montrer ça.

Je n'ai pas eu cette impression avec ta grand-mère, au contraire je la sens à l'aise et de plus en plus sûre d'elle. Peut-être prends-tu les choses trop à cœur.

Bonne soirée,

À bientôt !

Julia

Mes courriers aux impôts sont plus chaleureux. Être si froide me coûte, je clique sur « envoyer » à regret. Je ne veux pas blesser Raphaël. Je veux juste éviter de l'être, moi.

Mon téléphone sonne au moment où je ferme l'ordinateur. C'est Marion.

— Salut ma biche ! Alors, t'as oublié ta meilleure amie ? attaque-t-elle.

— Dixit celle qui doit venir me voir depuis six mois. Comment tu vas ?

— Au top, j'ai plein de trucs à te raconter, mais ça attendra le 7 septembre.

— Pourquoi le 7 septembre ? je demande en me laissant tomber sur mon canapé.

— Parce que tu viens à Pariiiiis ! Je te préviens : tu vas me kiffer. Figure-toi que, l'autre soir, j'étais à l'anniversaire de Peter, tu sais, le mec de Charlotte Cartel ? Bref, c'était hyper snob, mais j'ai fait la connaissance de Jacques Martin, pas celui qui est mort, évidemment, mais le directeur de la clinique du Cheveu, dans le 15e. Tu connais la clinique du Cheveu ?

— Non, mais le nom laisse peu de place à l'imagination.

— C'est ça. Et tu sais quoi ? Les gens qui perdent leurs cheveux ne le vivent pas forcément bien. Je te le donne en mille : ils cherchent un psy. Je lui ai dit que t'étais la meilleure, tu as rendez-vous le 7 à onze heures. Alors, c'est qui la meilleure amie du monde ?

La meilleure amie du monde, c'est moi. Parce que, pour ne pas gâcher l'excitation de Marion, je m'extasie et la remercie alors que je ne rêve que d'une chose : raccrocher et enfouir ma tête sous l'oreiller.

Septembre

« Dans tous les cas, l'espérance mène plus loin que la crainte. »

Ernst Jünger, *Le Mur du temps*[1]

1. Ernst Jünger, *Le Mur du temps*, traduit de l'allemand par Henri Thomas. © Gallimard, 1963 ; Folio essais, 1994.

Chapitre 76

Je connais le générique de *Plus belle la vie* par cœur. Chaque soir, quand il débute, je lutte pour ne pas le chanter. La Julia du début d'année doit bien se marrer en me regardant.

L'épisode de ce soir est important : on va enfin connaître le visage du prêtre qui fait battre le cœur de Mélanie depuis longtemps. La tension est à son comble, les yeux des résidents rivés à l'écran et les mains crispées sur les accoudoirs. Comme chaque soir, Greg et moi sommes assis dans la dernière rangée de fauteuils. Exceptionnellement, Marine est présente : Greg lui a promis une surprise si elle venait.

À l'écran, Mélanie remonte le quai de la gare en prenant tout son temps. Il faut faire durer le suspense, les spectateurs n'attendent que depuis six mois. Elle demande à un contrôleur si c'est bien le train en provenance de Paris qui va arriver.

— Elle a dit quoi ? demande Arlette.

— Chut ! râle Léon qui, depuis que j'ai eu le toupet de contrarier ses plans, s'assoit au premier rang pour être le plus possible éloigné de moi. Plus loin, il est dans l'écran.

Le train entre en gare. Mélanie sort un mouchoir. Louise aussi.

Changement de scène. Samia pleure, car son mari, Boher, ne la croit pas quand elle lui dit que son ex est complètement folle et qu'elle l'a menacée d'enlever leur bébé. Élisabeth s'insurge :

— Moi, à sa place, je divorce sur-le-champ.

— Moi, à sa place, réponds-je, je lui arrache les dents une à une et je les lui fais bouffer.

Plusieurs résidents se retournent et me regardent bizarrement. Je prends peut-être les choses trop à cœur.

Retour sur le quai de la gare. Mélanie vérifie sur son téléphone le numéro du wagon dans lequel se trouve Luc. Père Luc pour les intimes. Les portes s'ouvrent, un pied s'engage, gros plan sur la chaussure noire, changement de scène. Greg n'arrête pas de remuer la jambe.

— Ça va ? je m'enquiers.

— Ça va. J'ai juste hâte de voir à quoi il ressemble.

À la télé, Barbara se demande si elle doit avouer à Ahmed qu'elle l'a trompé. Pierre secoue la tête.

— Il ne faut jamais avouer ce genre de choses, cela ne sert qu'à soulager sa conscience et à faire du mal à tout le monde.

Élisabeth prend un air effaré. Elle ouvre la bouche pour rétorquer quand l'image revient sur Mélanie. C'est le moment. On va enfin découvrir le visage de Luc. La chaussure noire se pose sur le quai, la caméra remonte, ses jambes, ses mains, son cou. Alors, à quoi il ressemble, le prêtre ?

— Qu'est-ce qu'il ressemble à Greg ! s'exclame Louise quand son visage est dévoilé.

Je regarde Greg, puis l'écran, puis Greg, puis l'écran. Je n'en crois pas mes yeux. Marine non plus, si l'on en juge sa bouche grande ouverte. Tous les résidents ont désormais les yeux rivés sur Greg. Lui, il sourit.

— C'est toi ? articule Marine.

— Eh oui, c'est moi ! crâne-t-il.

— Mais quand ? Comment ? Raconte ! je m'exclame.

Les images continuent de raconter leur histoire sur l'écran, mais celle qui intéresse désormais tout le monde, c'est celle de l'animateur de maison de retraite qui apparaît dans *Plus belle la vie*.

— Vous vous souvenez de ma semaine de vacances ? Eh bien j'étais à Marseille ! J'ai passé le casting en début d'année, c'est pour ça que j'avais posé deux jours, et ils m'ont pris pour le rôle du prêtre !

— Tu vas devoir y aller souvent ? s'inquiète Marine.

Il rit.

— Je ne suis présent que dans deux épisodes… Désolé de gâcher le suspense, mais Luc est juste venu dire en face à Mélanie qu'il ne se passerait rien entre eux.

Élisabeth se met à pleurer.

— Pourquoi pleure-t-elle ? grogne Léon. Elle préférerait que le prêtre vive dans le péché ?

— Cela n'a rien à voir, renifle la vieille dame. Je suis triste, car Greg va nous quitter, maintenant qu'il est une star…

Pierre prend sa femme dans ses bras et la réconforte. Lucienne lance un regard noir à Greg. Tout le monde attend sa réponse. Il ne devait pas s'attendre à cette réaction.

— Ben justement, je voulais vous dire, dit-il en baissant la tête, j'ai reçu un appel de Tarantino ce matin… Il me veut pour le premier rôle de son prochain film. Il m'a laissé le temps de la réflexion, mais évidemment je n'en ai pas eu besoin. Ce genre de choses, ça ne se réfléchit pas !

— Qu'est-ce qu'il a dit ? demande Arlette.

Louise pose sa main sur sa bouche. Marine a l'air aussi ahurie que moi de constater à quel point ils sont crédules. On leur ferait croire qu'un dinosaure vient dîner qu'ils se demanderaient quel plat lui préparer.

— Je lui ai donc répondu que c'était très gentil, mais que je préférais continuer à prendre soin de mes petits résidents.

Les visages s'éclairent.

— Vous êtes un homme bon, Grégory ! affirme Pierre.

— Et une star, en plus ! ajoute Lucienne.

Greg fait le paon.

— Vous voulez pas renommer les Tamaris au nom de Greg, tant qu'on y est ? lâche Marine en riant.

— Et pourquoi pas ? réplique Gustave. « Maison de Traite Greg », ça sonne bien !

— En tout cas, nous sommes très fiers de vous, mon petit, déclare Louise. C'est une belle aventure que vous avez vécue là, et nous la partageons un peu avec vous.

Greg adresse un sourire à Marine :

— Heureusement que certains sont fiers de moi…

Pour toute réponse, elle prend son visage entre ses mains et colle sa bouche contre la sienne. Les résidents sont médusés : c'est la première fois que le couple se dévoile en public. Tandis que Marine desserre son étreinte, Rosa se tourne vers moi, l'air circonspect :

— Je n'ai pas tout saisi… elle est comédienne elle aussi ?

Chapitre 77

Marion a mis mes draps préférés : les blancs avec des broderies.

Me retrouver dans cet appartement parisien dans lequel j'ai vécu plusieurs mois est tellement étrange. J'ai l'impression que cette époque appartient à une autre vie et, en même temps, les automatismes reviennent comme s'ils n'avaient jamais cessé. Je m'assois sur le côté gauche du canapé, comme avant.

— Alors, Paris t'a manqué ? demande Marion en insérant une dosette de café dans la machine.

— Franchement ? Pas une seconde. La seule chose qui me manque, c'est un Starbucks, mais ça ne pèse pas lourd face à l'océan.

Elle ferme les yeux et penche la tête en arrière.

— L'océan… Va vraiment falloir que je vienne te voir. Tu ne seras pas trop triste de revenir vivre ici, quand même ?

Sa question me gifle.

— Rien n'est encore fait, je n'ai même pas encore passé l'entretien !

— Non, mais je t'ai bien vendue ! Je suis sûre que ça va le faire.

J'ai beaucoup pensé à cette opportunité depuis que Marion m'en a parlé. Plusieurs fois, j'ai attrapé mon téléphone pour lui demander d'annuler. À chaque fois, j'ai raccroché avant la première sonnerie. Je n'ai pas envie de revenir travailler à Paris. Mais si on me le proposait, je n'aurais pas envie non plus d'aller travailler à Rome, à Bordeaux ou à Biarritz. Ce dont j'ai envie, c'est continuer à travailler aux Tamaris. Or, Anne-Marie a été claire : dans un mois, mon contrat s'arrête. Je n'ai pas le choix, et le poste à pourvoir ne me semble pas si horrible.

— Cache ta joie, grommelle Marion en me tendant une tasse fumante.

— Si, si, je suis emballée, je t'assure ! La seule chose qui m'ennuie un peu, c'est que je vais devoir m'éloigner à nouveau de ma famille…

— Ça y est, t'as tout dit à ta mère ?

— Pas encore, mais je me sens de plus en plus prête. Plus que quelques verrous à faire sauter et on y sera. Du coup, ça va faire « Coucou Maman, j'ai passé huit mois à quelques mètres de toi sans te le dire, et maintenant que tu le sais, je repars, salut ! ».

— Elle comprendra, j'en suis sûre.

— J'espère…

Elle me sourit tendrement.

— Et la vraie raison pour laquelle tu es retournée à Biarritz, tu veux en parler ? murmure-t-elle.

Je hausse les épaules en silence. Elle comprend que la réponse est négative, alors elle enchaîne sans transition :

— J'ai rencontré quelqu'un.

— Mais non ! Raconte !

Marion glousse et me confie son coup de foudre pour Issa.

— Je me suis cassé une dent en mordant dans un sandwich. Pas une du fond, sinon ce ne serait pas drôle, non, une de devant. Tu m'aurais vue, on aurait dit Zézette épouse X. C'est bien simple : j'aurais pu faire débander un gode. Mon dentiste était absent, c'est son remplaçant qui m'a sauvé la vie. C'était Issa. Il a connu l'intérieur de ma bouche et de mon nez avant de me connaître, ce mec ne me quittera jamais.

Elle rit. Je la regarde et je suis frappée en me rendant compte qu'elle ne m'a pas manqué. Comme si elle avait été présente en filigrane. Comme si savoir que je pouvais l'appeler à n'importe quel moment, qu'elle était là, équivalait à l'appeler vraiment.

Marion m'a recueillie un soir avec mes valises dans les mains et d'autres sous les yeux. Elle n'a pas posé de questions, elle a enfilé des draps blancs brodés sur son canapé et m'a préparé les pâtes les plus infâmes que j'aie mangées de ma vie. Elle ne m'a jamais demandé combien de temps j'allais rester ni fait sentir que je gênais. Elle ne m'a pas jugée quand je rentrais au petit matin, parfumée d'alcool et de l'homme de la nuit. Elle mettait des préservatifs dans mon sac. Elle affirmait à ma mère que j'allais bien quand elle s'inquiétait de ne pas avoir de nouvelles. Elle m'a encouragée à partir à Biarritz alors que j'allais lui manquer. Des copains, j'en ai vu passer. Certains ont compté, beaucoup. La bande du lycée, les copines de fac, les potes de soirée. Il y a eu des déménagements, des disputes, des caractères qui évoluent, des opinions aussi, des messages qui se font plus rares et des souvenirs qui s'estompent. Mais, avec Marion, je n'ai aucun doute, on s'aidera à ajuster nos perruques quand on aura quatre-vingts ans.

— Et toi alors, toujours décidée à rester seule jusqu'à la fin de tes jours ?

Je mets trop de temps à répondre, c'est louche.

— Toi, t'as rencontré quelqu'un ! jubile-t-elle.

Je secoue la tête, hausse les épaules et répète « non » deux fois. Ça aussi, c'est louche. Marion vient s'asseoir à côté de moi et me regarde droit dans les yeux avec un sourire en coin. Pire que le supplice de la chèvre. Je me marre.

— Je veux tout savoir, dit-elle.

— Il n'y a pas grand-chose à dire, le petit-fils d'une nouvelle résidente me drague et ça ne me déplairait pas si les circonstances étaient différentes.

— Quelles circonstances ? fait-elle en fronçant les sourcils.

— Toutes les circonstances. Je suis en phase de reconstruction, je ne peux pas prendre le risque d'être blessée encore une fois. De toute manière, après Marc, je crois que je n'arriverai plus à faire confiance. En plus, c'est le petit-fils d'une patiente. Et je suis partie à Biarritz pour me retrouver, je ne dois pas me laisser distraire. Et puis…

— La liste est encore longue ? Sérieusement, Julia, tu sais que je t'adore. Mais je n'ai jamais entendu de raisons aussi débiles pour repousser quelqu'un. Y a quoi encore ? L'alignement des planètes n'est pas favorable ?

Je hausse les épaules, vexée.

— Je n'ai aucune raison de mentir. Je ne vois pas pourquoi je trouverais des prétextes.

Elle me bouscule doucement avec son épaule.

— C'est toi la psy, ma biche. Mais on dirait que tu penses que rien de bien ne peut t'arriver. La vie n'est pas faite que de drames, tu sais.

Je reste interdite quelques instants. Sa dernière phrase vient de me percuter violemment.

Elle a raison. Inconsciemment, je suis persuadée que j'ai épuisé mon quota de bonheur et que le décès de mon père a ouvert le bal des épreuves que j'aurai à surmonter. Pire, mon angoisse n'est jamais si forte que quand tout va bien. Comme si ça allait forcément se payer. Ce n'est pas pour rien que, dernièrement, j'ai souvent en tête cette citation extraite du *Château de ma mère* de Pagnol, qui m'avait déjà marquée enfant : « Telle est la vie des hommes. Quelques joies, très vite effacées par d'inoubliables chagrins. Il n'est pas nécessaire de le dire aux enfants[1]. »

Je m'endors quelques heures plus tard aux sons presque oubliés de la nuit parisienne, heureuse d'avoir retrouvé mon amie, anxieuse pour l'entretien du lendemain et avec l'impression d'avoir enfilé des lunettes sur des yeux qui n'y voyaient plus très clair.

---

1. Marcel Pagnol, *Le Château de ma mère*, Éditions de Fallois, coll. « Fortunio ». © Marcel Pagnol, 2004.

Chapitre 78

Jacques Martin m'observe attentivement tandis que j'obéis à sa requête : je me présente en quelques phrases. J'ai l'impression d'être un paquet de lessive qui doit convaincre les clients qu'elle lave mieux que ses concurrentes. Dans la salle d'attente du directeur de la clinique du Cheveu, deux autres personnes attendaient. J'ai perdu des points dès mon entrée dans son bureau : je crois bien avoir eu un mouvement de recul en découvrant qu'il était chauve.

— Pourquoi voulez-vous travailler à la clinique du Cheveu ?

Parce que je suis passionnée par les cheveux depuis toute petite, je m'en suis même fait greffer une touffe sur le cœur. Une autre question ?

— L'accompagnement des personnes en souffrance est ma spécialité et je pense que les personnes qui perdent leurs cheveux peuvent réellement en souffrir. Vous les aidez sur le plan physique, en leur greffant des cheveux, je peux les aider sur le plan psychologique, en leur apportant l'écoute et la compréhension dont ils ont besoin.

Il sourit et croise les bras.

— Quelles sont vos trois principales qualités ?

Je sais me défendre avec un couteau à bout rond, je peux me bloquer le dos en faisant de la gymnastique douce et je suis incollable en Plus belle la vie.

— J'ai un sens de l'écoute très développé, je suis patiente et organisée.

Il note ma réponse au dos de mon CV et poursuit :

— Nos clients sont souvent des gens pressés, qui ont une vie très remplie. Ils ne peuvent pas se permettre d'avoir des rendez-vous aux horaires de monsieur et madame Tout-le-Monde. Êtes-vous disposée à travailler à des heures peu conventionnelles ?

— Peu conventionnelles ?

— Parfois tôt le matin, parfois tard le soir, quelquefois le week-end. On le sait rarement à l'avance. Le mot d'ordre de la clinique du Cheveu, c'est : « On s'adapte. » Êtes-vous prête à ne pas compter vos heures et à être flexible ?

Êtes-vous prêt à ajouter des chiffres à mon salaire et à me le régler quand je veux ?

— Je suis capable de m'adapter quand je suis passionnée.

Il sourit. Le paquet de lessive commence à lui plaire.

L'entretien se poursuit au rythme des questions habituelles, quelle est votre plus belle réussite professionnelle (*j'ai gagné au Scrabble contre Lucienne*), envisagez-vous d'avoir des enfants dans les dix prochaines années (*une quinzaine, si possible en une seule fois*), quelles sont vos passions (*dormir, faire des ronds avec la fumée de mes cigarettes et les reportages sur les marmottes*), je me demande ce que je fous là. Exactement comme le jour de mon arrivée aux Tamaris. Peut-être un signe.

Jacques Martin rentre la mine de son stylo et cale son dos dans son fauteuil. L'entretien semble toucher à sa fin.

— Une dernière question, mademoiselle Rimini. Vous m'avez dit que votre contrat arrivait bientôt à son terme. Je vois qu'auparavant vous avez travaillé à la clinique esthétique des Buttes. Pourquoi en êtes-vous partie ?

Parce que mon père est mort, que mon mec a préféré chouchouter son ordinateur plutôt que sa copine malheureuse, que ma grand-mère a disparu suite à un AVC et qu'il fallait absolument que je quitte Paris avant de me taper tous ses habitants et la tour Eiffel.

Je réfléchis à la meilleure réponse quand il recule son siège et se lève.

— Merci d'avoir pris le temps de venir me rencontrer, dit-il en me tendant la main. Je vous recontacterai dès que j'aurai pris une décision.

Je lui serre la main et me dirige vers la porte en sentant mon sang se figer dans mes veines.

Bordel. J'ai pensé la dernière tirade à voix haute.

Chapitre 79

De : Raphaël Marin-Goncalves
Objet : En passant

Hello Julia,
Un message un peu différent des autres, cette fois. Il est trois heures du matin, je suis épuisé et j'ai juste envie de te dire que mes séjours aux Tamaris n'auront pas la même saveur quand tu n'y seras plus.
J'espère ne pas regretter ce message demain…
Je t'embrasse,
Raph

Je supprime brusquement le mail. Comme pour court-circuiter mon cerveau avant qu'il n'identifie la joie.

Dommage qu'il n'existe pas une corbeille dans la mémoire.

Chapitre 80

Martine, la fille de Gustave, a trouvé le temps de venir nous rendre une petite visite. On a presque terminé la réunion du personnel mensuelle quand elle entre sans frapper dans le réfectoire en brandissant une carte.

— C'est les deux vieilles sur le banc qui m'ont dit que je vous trouverais ici. Qu'est-ce que c'est que cette plaisanterie ? demande-t-elle en jetant la carte sur la table.

Elle est trop loin pour que je voie, mais je sais ce qui est écrit dessus puisque je suis allée les faire imprimer.

Que faites-vous le 11 octobre ?
Louise et Gustave, eux, se marient !
Vous êtes chaleureusement invités à vous joindre à leur bonheur lors de la cérémonie qui se tiendra à 13 heures à la mairie de Biarritz.

Les bras croisés, elle attend une réponse.

— C'est qui ? demande Marine.

— Je suis madame Martine Luret, la fille de Gustave Champagne.

Anne-Marie lui désigne une chaise.

— Asseyez-vous, je vous en prie.

— Je n'ai pas envie de m'asseoir. Quelqu'un peut m'expliquer ?

— Votre père vous l'expliquera sans doute mieux que nous, réponds-je en essayant de ne pas retrousser les babines.

— Mon père est un vieux monsieur qui n'a plus toute sa tête, si tant est qu'il l'ait déjà eue un jour. Je pensais qu'en le plaçant ici je m'assurais la tranquillité. Comment pouvez-vous laisser faire une telle folie ?

Greg intervient :

— Votre père sait ce qu'il fait, vous devriez vraiment en discuter avec lui. Ils sont beaux tous les deux…

— Je n'ai aucune envie de voir mon père jouer les adolescents, merci bien. La dame ne s'est pas trompée, elle n'a pas jeté son dévolu au hasard… Je vous préviens, je vais demander une mise sous tutelle et le placer ailleurs.

— Elle va se calmer, Martine au cirque ? lance Marine en se levant.

Greg pose sa main sur son avant-bras, Anne-Marie écarquille les yeux. La fille de Gustave est écarlate.

— Pardon ? C'est à moi que vous parlez ?

— Non, c'est à ta mère ! Vous vous rendez compte de ce que vous êtes en train de faire ? Votre père est adorable, pourquoi vous voulez gâcher son bonheur, putain ?

— Marine, taisez-vous s'il vous plaît, intervient Anne-Marie.

— Je peux la frapper alors ?

Autour de la table, des gloussements s'élèvent. Je me contiens pour ne pas éclater de rire. Anne-Marie insiste :

— Marine, asseyez-vous s'il vous plaît. Madame, poursuit-elle en direction de la fille de Gustave, nous ne pouvons rien faire pour vous. C'est une histoire que vous devez régler avec le concerné, nous n'avons aucun pouvoir sur les décisions de votre père. Si vous souhaitez en discuter davantage, merci de prendre rendez-vous, nous avons une réunion à terminer.

Martine quitte la pièce sans un mot. La porte claque, les rires fusent, les réactions sont unanimes :

— Quelle furie !

— Pauvre Gustave, il est tellement gentil…

— Faites des gosses…

La réunion se termine quelques minutes plus tard. Je sors fumer avec Marine, qui est toujours montée sur ressorts. Gustave se trouve sur le parking, debout à côté d'une voiture. De l'intérieur, par la portière entrouverte, sa fille lui parle. Louise, assise sur son banc habituel, observe la scène. On la rejoint.

— Vous avez rencontré votre future belle-fille ? je lui demande d'un air moqueur.

— Elle n'a pas voulu me saluer, répond Louise tristement. Gustave m'a tellement parlé de sa fille que je me faisais une joie de la connaître. Il dit qu'elle était différente avant…

— Peut-être que si on tape fort, elle redeviendra comme avant ? propose Marine.

Gustave est encore en train de parler quand la voiture s'éloigne. Il reste quelques instants tout seul, appuyé sur son déambulateur, à regarder la voiture s'éloigner, puis il fait demi-tour et avance vers nous. Il est presque à notre niveau quand la voiture réapparaît en marche arrière. Sa fille ouvre la vitre passager et lance :

— Papa, je te préviens, si tu fais ça, tu peux tirer un trait sur moi !

Il se retourne et lui répond, d'un ton désabusé :

— Ma chérie, ça fait bien longtemps que j'ai tiré un trait sur toi. Je t'aime et je t'aimerai jusqu'à mon dernier souffle, parce que je me souviens de la petite fille câline et rigolote que tu étais. Tu riais tout le temps. Cette petite fille a disparu il y a bien longtemps. Je sais que tu m'en veux, ma chérie, je regretterai toujours de t'avoir fait tant de mal. Je me suis excusé des dizaines de fois, je ne peux pas t'obliger à me pardonner. Je te souhaite d'être heureuse, c'est ce que je souhaite le plus au monde, même si je n'en suis pas témoin. Moi aussi, j'ai le droit d'être heureux et je ne te laisserai pas gâcher ça. Je vais me marier avec Louise, que tu le veuilles ou non, et je vais finir ma vie avec elle. Si tu choisis de ne plus en faire partie, je l'accepte. De toute manière, ma fille me manque déjà depuis des années.

Il se tait. L'espoir se lit dans son attitude, ses mains tremblent sur son déambulateur. Sa fille ne le quitte pas des yeux, impassible. Lentement, la vitre remonte jusqu'à se fermer totalement. Puis on entend une vitesse s'enclencher et la voiture s'éloigne.

Il hausse les épaules et se retourne, l'air faussement détaché.

— Ça fera un repas de moins à payer !

Chapitre 81

— Comment allez-vous ?

Penchée au-dessus de sa table ronde, Louise confectionne des étuis en laine pour les dragées. Je souffle sur le chocolat chaud qu'elle m'a préparé. Ce rituel hebdomadaire me manquera.

— Je vais merveilleusement bien ! Je me souviens parfaitement des préparatifs de mon premier mariage, j'étais la plus heureuse. Je ne pensais pas revivre ça un jour, quel bonheur ! Et vous, comment allez-vous ?

Mes séances avec Louise tiennent plus de la conversation entre proches que de la consultation. À chaque fois, elle s'intéresse à moi, me pose des questions, me demande des nouvelles. C'est la seule patiente avec laquelle je me laisse aller quelquefois à des confidences. Un effet secondaire du chocolat chaud, sans doute.

— Tout va bien aussi. Vous savez si Gustave a eu des nouvelles de sa fille depuis la dernière fois ?

— Il ne m'en a pas parlé, je suppose que non. Et vous, avez-vous eu des nouvelles de Raphaël ?

— De Raphaël ? je répète, surprise.

— Oh, ne faites pas l'innocente, Julia. Quand vous nous avez laissés l'autre nuit, près du potager, nous avons pris les paris sur la date de votre premier baiser.

Je ne sais même pas quoi répondre. Il semblerait que le monde entier soit au courant de quelque chose qui me concerne mais que j'ignore.

— Je vous assure qu'il ne se passe absolument rien avec Raphaël. À vrai dire, ça commence à me fatiguer que tout le monde me parle de lui. Comme si on ne pouvait pas passer un peu de temps avec quelqu'un sans avoir une idée derrière la tête.

Elle soupire.

— Julia, quand vous me posez des questions, j'essaie de vous répondre le plus sincèrement possible. Sinon, ça n'a aucun intérêt. Pouvez-vous faire de même ?

Je hoche la tête.

— Il se passe quelque chose avec Raphaël, n'est-ce pas ?

Je ne m'étais jamais posé la question aussi directement. Il me faut quelques secondes pour savoir y répondre.

— Je ne sais pas… Je crois. Il me plaît. Beaucoup. Trop. Ça me fait peur, alors je préfère le tenir à distance.

Elle pose ses aiguilles et me prend la main.

— Vous avez l'âge de mes petits-enfants. Je vais vous parler comme si vous étiez ma petite-fille. Vous êtes d'accord ?

— D'accord, réponds-je, la gorge serrée.

— Si vous étiez ma petite-fille, je vous dirais que la peur est un sentiment nécessaire, qui peut nous sauver de certains dangers. Mais elle peut aussi paralyser ceux qui lui laissent trop de place. Je ne sais pas ce qui vous est arrivé, Julia, mais vous balisez votre chemin de petits cailloux de peur. Si vous étiez ma petite-fille, je vous dirais que vous devez apprivoiser cette peur. Elle doit vous servir de carburant, pas de frein. Qu'est-ce qui vous fait le plus peur ?

Ses paroles me troublent. On dirait qu'elle s'est promenée dans mon cerveau, elle m'a cernée avec une exactitude impressionnante.

— Je ne sais pas. J'ai peur de souffrir, je crois. J'ai l'impression que je suis toujours sur le qui-vive, comme si je m'attendais à ce qu'un drame me tombe dessus. Ça fait tellement mal quand tout bascule, comme ça, sans prévenir. C'est comme si mon subconscient essayait de s'y préparer en restant en alerte.

— Parce que vous ne vous faites pas confiance. Votre plus grande peur, c'est vous. Si vous étiez ma petite-fille, je vous dirais que, si vous vous débarrassez de cette peur de vous-même, vous n'aurez plus peur de personne. Personne ne vous fera plus souffrir si vous croyez en vous.

Chacun de ses mots me fait l'effet d'un pansement qu'on arrache. Ça fait mal, mais sous le sparadrap la plaie a commencé à cicatriser. Louise connaît mon mode d'emploi mieux que moi-même.

— J'ai oublié quarante ans de ma vie, poursuit-elle. Cela m'a appris une chose primordiale, sans doute le secret du bonheur : la vie, c'est le présent. C'est ici et maintenant. D'hier, il ne faut garder que le positif. De demain, il ne faut rien attendre. On ne peut pas changer le passé, on ne peut pas connaître l'avenir. Nous l'avons malheureusement appris avec Maryline. La peur découle du passé et abîme le futur. Déposez vos valises, ma petite Julia. C'est souvent à la fin de notre vie que nous mesurons la valeur du présent. Vous avez la chance d'être entourée de personnes qui vous ouvrent les yeux. Profitez-en.

Elle caresse ma main. Je pleure. Ça commence à devenir une habitude. Ici, j'ai l'impression de passer plus de temps à pleurer que le contraire. Si ça se trouve, je suis la solution à la pénurie d'eau dans le monde.

Je sors de la séance complètement sonnée. Heureusement, c'était la dernière de la journée. Je regagne mon studio, j'ai quelque chose d'important à y faire avant le dîner.

J'ouvre mon ordinateur, le pose sur mes genoux et tape dans Google : « Comment se débarrasser de ses peurs ».

Chapitre 82

Raphaël est assis à la table de sa grand-mère. Je mâche mes carottes râpées en essayant de ne pas trop le regarder. Il a à peine hoché la tête pour me dire bonjour. Plus froid, c'est un bonhomme de neige.

Je ne savais pas qu'il venait ce week-end. Il ne m'a plus envoyé de mail après celui auquel je n'ai pas répondu. J'ai senti des trucs dans mon ventre quand je l'ai vu tout à l'heure. Pas des papillons. Plutôt de l'ordre de la chauve-souris.

Il sort avant le dessert, son paquet de cigarettes à la main. J'attends quelques minutes et je le rejoins. Il est sur le banc du fond du parc.

— Salut ! je lance d'un ton enjoué. Je ne savais pas que tu venais, tu restes jusqu'à quand ?

— Je repars demain, répond-il laconiquement.

Il regarde droit devant lui. Il est vexé. Je le serais à sa place. Je ne sais pas quoi lui dire pour arranger les choses. Les discussions avec Marion et Louise n'ont pas fait disparaître mes peurs, mais elles m'ont décidée à mettre un grand coup de pied dedans. Sans prendre de risque, le véritable danger est de stagner dans l'espèce de torpeur qui m'enveloppe depuis des mois. Le premier que j'aie envie de prendre, c'est de m'ouvrir à Raphaël. Pas forcément la porte en grand, mais une fenêtre. Une lucarne. Une meurtrière. Comment pourrait-il me faire du mal en passant par une toute petite fenêtre ?

— Ça va mieux à ton boulot ? je demande.

— Ça va.

Le week-end, c'est fait. Le boulot, c'est fait. Je dégaine la météo.

— En plus il fait beau, t'as de la chance, il a plu toute la semaine !

— Je retourne voir ma grand-mère.

Il écrase sa cigarette à moitié fumée, se lève et s'éloigne sans un regard.

Je viens de me faire claquer la fenêtre au nez. Ça fait mal.

Chapitre 83

Je m'apprête à passer un samedi soir sous la couette quand on tambourine à ma porte. J'ouvre, Élisabeth se tient dans l'encadrement, l'air affolé.

— Julia, venez vite, on a besoin de votre aide !

Je ne pose aucune question. Le fait qu'elle ait gravi les marches suffit à me persuader de la gravité de la situation. J'enfile une veste par-dessus mon pyjama à lapins roses et je la suis dans l'escalier. Elle ne sort pas un mot, mais, mon bras passé sous le sien, je la sens trembler. Ou alors c'est moi.

Il n'y a pas un bruit dans le bâtiment principal. La nuit est tombée depuis un moment, après le dîner chacun a regagné son studio. Je la suis dans les couloirs, la peur au ventre. Qu'est-ce que je vais trouver ? Si elle a préféré venir me chercher plutôt que de prévenir la personne de garde, ça ne peut qu'être important. J'ai dans l'idée qu'il pourrait s'agir de leurs petites réunions secrètes. J'espère qu'il n'est rien arrivé à Pierre, Louise ou Gustave.

On arrive devant les portes battantes du réfectoire, elle s'arrête.

— Ma petite Julia, ce que vous allez voir ne doit être divulgué sous aucun prétexte. Nous devons absolument garder le secret jusqu'au bout.

— D'accord, dis-je en sentant mon cœur résonner dans tout mon corps.

— Je dois vous bander les yeux.

— Pardon ? je m'écrie. Pourquoi voulez-vous me bander les yeux ?

— Chut, parlez moins fort, voyons ! Je dois prendre toutes les précautions. S'il vous plaît, Julia, ne posez pas de questions.

Ses yeux m'implorent. Cette histoire est incompréhensible, mais, pour une raison qui m'échappe, je la laisse me nouer autour des yeux un foulard qui empeste l'eau de Cologne.

— Combien j'ai de doigts ? demande-t-elle.

— Aucune idée, mais bientôt vous n'en aurez plus aucun si vous me laissez comme ça.

J'entends la porte s'ouvrir, des chuchotements, plusieurs respirations. J'entends un cognement régulier sur le sol, comme un déambulateur. Je sens mes pieds chercher le sol à chaque pas. Je sens la main d'Élisabeth m'entraîner vers l'inconnu. Puis elle appuie sur mes épaules et me chuchote de m'asseoir. Ensuite, d'autres bruits, des odeurs, des pas. J'ai rarement été aussi angoissée, mon cerveau fonctionne à toute allure et je n'ai aucune piste.

— Un, deux, trois ! fait une voix masculine.

Quelqu'un défait le nœud du foulard et me rend la vue. Il me faut quelques instants pour habituer mes yeux à la luminosité, pourtant faible. Il en faut encore plus à mon cerveau pour décrypter la scène que je découvre.

Je suis assise à une table recouverte de boules de coton et de deux bougies d'anniversaire plantées dans un morceau de pain. Autour, en cercle, Élisabeth, Pierre, Louise, Gustave et Rosa arborent un air satisfait. Face à moi, Raphaël semble aussi hébété que moi.

— On n'avait pas de pétales de roses ni de chandelles, dit Élisabeth. On a improvisé avec les moyens du bord.

— Ça rime à quoi, tout ça ? demande Raphaël.

— Bonne question. Qu'est-ce que vous attendez de nous ?

Gustave prend un air innocent qui ne convainc que lui :

— Rien du tout ! Nous avions juste envie de vous remercier de votre gentillesse en vous concoctant un bon dîner.

— Mais on a déjà mangé ! je m'exclame.

— Tsss tsss, fait Rosa. Il y a toujours de la place pour les bonnes choses. Nous vous laissons profiter de cette soirée, nous sommes dans la cuisine si vous avez besoin.

Ils s'éloignent en gloussant. Je ne peux m'empêcher d'être attendrie par ces personnes âgées qui, ce soir, se sont déguisées en adolescents. Jusqu'à ce que mon regard se pose sur le visage fermé de Raphaël. Je lui ai au moins trouvé un défaut : il est rancunier.

— Ça va ? je lui demande.

— Ça va.

— Toi aussi, ils sont venus te tirer d'une soirée tranquille ?

— Ouais.

Je n'insiste pas, je ne voudrais pas le déranger pendant qu'il chie son cactus.

L'entrée nous est servie par Pierre et Rosa : « Île blonde et sable blanc ». Je regarde Raphaël en souriant :

— Taboulé et tranche de pain, donc. Bon appétit !

— Bon app !

Il ne touche pas à son assiette. Ça me fait de la peine pour les têtes blanches que je vois passer dans l'entrebâillement de la porte, avec plus ou moins de discrétion. On ne va pas pouvoir passer toute une soirée comme ça.

— Je peux te poser une question ? je demande.

— Vas-y.

— Tu trouves ça normal de faire la gueule parce que je n'ai pas répondu à ton mail ? Ça veut dire quoi ? Que si on ne fait pas exactement ce que tu veux, la sanction tombe ? Le libre arbitre, tu connais ?

Il me regarde, l'air choqué.

— Je ne te fais pas la gueule.

— C'est super bien imité, bravo !

Il sourit.

— En ce qui concerne le mail, c'est plutôt à moi que j'en veux. Je l'ai envoyé en pleine nuit, j'étais crevé, quand je l'ai relu le lendemain, j'ai eu honte. Mais c'est autre chose qui me bouffe le cerveau, je suis désolé si tu l'as pris pour toi. J'ai appris juste avant de prendre mon avion que ma boîte déposait le bilan. Je n'ai plus de job : soit j'en trouve un très vite, soit je dois quitter mon appart et Londres. Je suis un peu assommé, en fait.

Là, c'est moi qui ai honte. Heureusement, Élisabeth et Louise arrivent pour débarrasser nos assiettes et servir la suite.

— Froissé de feuille de gibier et son écume d'or, annonce-t-elle.

Autrement dit un jambon blanc-purée de pommes de terre.

— Tout se passe bien ? miaule Louise.

— Très bien, merci ! réponds-je. Pourrions-nous avoir la carte des vins ?

Les deux vieilles dames échangent un regard et retournent en cuisine sans un mot. Gustave apparaît quelques minutes plus tard et dépose une bouteille de rhum sur la table.

— J'ai trouvé ça dans l'armoire à pâtisseries. Bonne dégustation !

Il en restait un fond, suffisamment pour se sentir détendu. Au dessert (« Voie lactée des îles » yaourt à la vanille), Raphaël n'en est pas à rire de son sort, mais il est un peu moins sombre.

— Je n'ai rien dit à ma grand-mère, pas un mot d'accord ?

— Promis. Tu aimerais rester à Londres ?

— Je crois. J'adore cette ville et les Anglais, mais je ne suis pas sûr de vouloir y passer ma vie. C'est peut-être le moment de faire des choix. Et toi alors, t'en es où ?

Je lui raconte mon entretien d'embauche, il éclate de rire quand je lui détaille ce que j'y ai dit.

— Bon, j'y crois moyen, dis-je, mais si ça se trouve, il va aimer ma franchise et me donner le poste.

Louise, Gustave, Élisabeth, Pierre et Rosa nous rejoignent.

— Mademoiselle, monsieur, le restaurant va bientôt fermer. Pouvons-nous débarrasser votre table ?

— Déjà ? s'étonne Raphaël.

— Tout à fait, répond Gustave avec un sourire malicieux. Il est plus de minuit, le personnel doit tenir sa réunion hebdomadaire dans le jardin.

Je hoche la tête. Raphaël écarquille les yeux et s'adresse à Rosa :

— Mamie, tu vas à la réunion, toi aussi ?

— Oui. Je n'en loupe aucune depuis trois semaines !

Il secoue la tête et lâche un rire nerveux.

— Je suis complètement dépassé. Je pense qu'il faut que j'aille me coucher.

En nous raccompagnant jusqu'à la porte, Louise s'agrippe à mon bras et me murmure quelques mots à l'oreille :

— N'oubliez pas, Julia : ici et maintenant.

Chapitre 84

On fume une cigarette devant la porte de l'annexe. Il fait froid, il n'y a pas de lune. On n'a pas allumé la lumière. Parfois, des rires nous parviennent depuis le parc.

Ce soir, j'ai sans doute mangé le menu le plus infâme qu'il est humainement possible d'ingérer. J'ai en face de moi quelqu'un d'un peu fermé, d'un peu ailleurs. J'ai ressenti de la gêne, de l'agacement, de la fatigue. Pourtant, je n'ai pas envie que cette soirée s'arrête. Pour la faire durer, j'allume une deuxième cigarette.

On ne parle pas. Je distingue juste sa silhouette à deux pas de moi. À son tour, il sort une nouvelle cigarette de son paquet. J'allume mon briquet. Il s'avance et plonge sa cigarette dans la flamme en aspirant. Ses yeux sont rivés aux miens. La cigarette s'embrase, j'éteins le briquet. Je ne vois plus son regard, mais je le sens toujours sur moi. Ma respiration se fait plus courte. La sienne aussi. Je sens une chaleur envahir mon ventre. Ne pas s'enfuir. Ne pas se mettre à parler pour détourner la gêne.

C'est ici et maintenant.

J'avale ma salive et fais un pas vers lui. Il ne bouge pas. Son visage s'éclaire à chaque fois qu'il tire sur sa cigarette. Avec ses yeux, il me caresse. Qu'est-ce qu'il attend pour y mettre les mains ?

Nouvelle bouffée. Loooongue nouvelle bouffée. Douce torture. L'excitation monte, chaque parcelle de ma peau attend la sienne. Ses yeux brillent d'envie. Je n'ai jamais autant désiré quelqu'un. Sa main sur ma joue. Doucement, tendrement. Je ferme les yeux. Elle glisse sur ma nuque et remonte dans mes cheveux. Je suis un immense frisson. Il approche mon visage du sien, je sens son souffle sur ma peau. J'ai les jambes qui tremblent. Légèrement, comme une plume, il caresse mes lèvres avec les siennes. Puis sa langue. Bordel, sa langue. Elle joue dans ma bouche, m'arrache un gémissement, je veux qu'il me fasse l'amour, là, maintenant, tout de suite.

Je glisse ma main dans son dos, sa peau est chaude, je le presse contre moi. Il respire de plus en plus fort, j'enfonce mes doigts dans ses muscles, il embrasse mon cou, je vais tomber.

— Viens, me chuchote-t-il d'une voix rauque, en me prenant la main.

Je le suis dans son studio, mon cœur cogne dans mes oreilles, il referme la porte, je suis debout dans le noir, les jambes molles. Il passe derrière moi, relève mes cheveux et embrasse ma nuque, longuement, lentement. Je m'appuie contre le mur, je veux que ça ne s'arrête jamais. Il me lève les bras et retire le haut de mon pyjama, ses lèvres descendent le long de ma colonne vertébrale, avec plus d'ardeur, je gémis, il fait glisser ses mains sur mes seins recouverts de frissons, les caresse, les pétrit, puis se relève et se presse contre mon dos. Je ne pense à rien qu'à ses doigts qui jouent avec mes tétons, qu'à son sexe dur contre mes fesses, qu'à sa langue contre mon oreille, qu'à son bassin qui remue et me fait perdre mon souffle. Je me retourne et défais le bouton de son jean.

Ici et maintenant.

Chapitre 85

Ça faisait longtemps que je ne m'étais pas réveillée dans le lit d'un homme. Il dort encore.

J'ai connu les réveils brutaux dans les lits d'inconnus, à me demander ce que je foutais là, à me sentir sale de leur donner mon corps comme s'il s'agissait d'un objet sans valeur. Il ne m'appartenait plus. Je partais sans faire de bruit, je ramassais ma culotte, mon soutien-gorge, ma robe et mon sac, mais j'essayais d'y laisser un peu de mon mal-être. Il finissait toujours par me retrouver, après avoir un peu grossi.

Ce matin, je n'ai pas envie de partir sans faire de bruit. Au contraire, j'ai envie de faire plein de bruit pour qu'il se réveille et qu'on recommence.

Je tousse.

Il ronfle.

Je souffle sur son visage.

Son nez se fronce, mais il ne se réveille pas.

Je lui donne un coup de pied dans le tibia.

Il se réveille en sursaut.

— T'as fait un mauvais rêve ? je lui demande avec un sourire innocent.

Il a les yeux pleins de sommeil. Il m'attire contre lui, je pose ma tête sur son torse.

— Bien dormi ? je demande.

— Comme un bébé. Même si je suis un peu déçu…

Je me redresse brusquement. J'espère qu'il ne parle pas de ma prestation. Il lève la couette et jette un coup d'œil dessous.

— Ouais, vraiment déçu, poursuit-il. Moi qui pensais dormir avec Pilou…

On passe la matinée au lit, puis nos estomacs nous rappellent qu'il y a une vie à l'extérieur. J'entre dans le réfectoire dix minutes après lui, mais la table des junkies n'est pas dupe. Cinq visages m'observent en souriant. Heureusement, Marine a dormi chez Greg, ils ne sont pas là, sinon je serais démasquée.

Mon téléphone sonne au moment où j'attaque mon assiette de betteraves. C'est un message de Marion.

« *Hello beauté ! Dis, tu recevras un appel officiel demain, tu feras semblant d'être étonnée, mais je ne pouvais pas attendre pour te le dire. J'ai passé la soirée avec Jacques Martin, il te veut pour le poste.* Welcome back to Paris, baby ! »

Chapitre 86

Nous sommes vautrées toutes les deux dans le canapé de Marine, à regarder d'un œil une émission de téléréalité en discutant de choses et d'autres, quand je la vois. Au plafond, juste au-dessus de nous. Immobile. Énorme. Difforme. Terrifiante.

Je suis tétanisée. Même si je ne l'étais pas, je ne bougerais pas. Elle me sauterait dessus, sans aucun doute.

— Marine, j'articule. Marine, il y a une araignée au-dessus de nos têtes.

Elle lève les yeux et lâche un son entre le couinement et le râle.

— Chut, elle va t'entendre. Ne bouge surtout pas.

Elle fait le signe de croix. On ne quitte pas le plafond des yeux. La créature monstrueuse nous observe, je suis sûre qu'elle sourit.

— On dirait une mygale, chuchote Marine.

— On dirait un tourteau.

— Tu sais ce qu'on dit : « Araignée du matin, chagrin, araignée du soir, grosse pute. »

On a un fou rire. Sans un son et sans un mouvement. Pourvu que les araignées n'aient pas d'émission de bêtisier.

— Bon, il faut qu'on bouge, dit Marine. Si on reste là, elle va aller se cacher quelque part. Je ne peux pas continuer à vivre en sachant qu'il y a une araignée chez moi.

— D'accord, mais après on fait quoi ? Tu te sens capable de l'attraper et de la remettre dehors ?

Elle me regarde fixement. Je crois déceler de la pitié dans ses yeux.

— T'es complètement tarée ! s'écrie-t-elle. Faut la buter, c'est tout. Tu crois que le manche de l'aspirateur est assez long ?

Je ne réponds pas.

— T'es pas sérieuse ! couine-t-elle. Je sais que t'as un problème avec la mort, mais c'est une araignée ! T'as dû en tuer des dizaines depuis que t'es née, rien qu'en les avalant pendant ton sommeil.

— Peut-être qu'elle est juste venue chercher à manger pour ses petits…

— Alors je vais foutre le feu au studio, comme ça ils mourront tous ensemble.

Il se peut que l'araignée l'entende, car, au-dessus de nos têtes, la tache sombre se déplace. Ni une, ni deux, mon corps s'éjecte du canapé, bondit jusqu'à la porte et dévale l'escalier. Marine est déjà à l'extérieur quand j'y parviens. Elle hausse les épaules :

— Je préfère vivre dehors, de toute manière.

Une heure plus tard, on n'a toujours pas trouvé le courage de regagner l'étage. On n'a ni cigarette, ni téléphone, ni manteau, autant dire que le bord du gouffre n'est pas loin.

— Julia, je voulais t'avouer quelque chose, déclare Marine d'un ton solennel.

— Quoi ? T'as tué une araignée ? je ricane.

— Arrête, c'est vraiment un truc pas facile à dire. Enfin, c'est rien de grave, mais à chaque fois que je veux t'en parler, j'ai envie de chialer.

— Tu me fais peur…

Elle prend une longue inspiration et débite d'un coup :

— Je pars m'installer chez Greg. On a envie de tenter le coup, je vais laisser mes affaires ici quelque temps, au cas où, mais je passerai toutes mes nuits là-bas. Je préfère partir la première plutôt que te voir partir. Et puis, t'as vu sa baignoire ?

Elle n'attend pas ma réponse et se jette dans mes bras.

Elle avait raison. Araignée du soir, grosse pute.

Chapitre 87

Je lui ai dit que j'étais heureuse pour elle et que je lui souhaitais de l'être avec Greg.

Je lui ai dit que, de toute manière, je n'avais plus que deux semaines à passer ici avant de retourner vivre à Paris.

Je lui ai dit que non, non, promis, je n'étais pas triste.

Je ne lui ai pas dit que j'avais envie de pleurer.

Je ne lui ai pas dit que mon cerveau avait programmé la fin à la date du 10 octobre, que je n'étais pas prête.

Je ne lui ai pas dit que son départ rendait le mien réel.

Marine dort sur mon canapé. Pour sa dernière nuit, elle a préféré ma compagnie à celle d'une araignée. L'amitié.

Moi, je n'arrive pas à fermer l'œil. Les pensées se bousculent dans ma tête et tiennent le sommeil à distance. Je revois mon arrivée ici, paumée mais avec une certitude : il fallait que je sois seule. Je me souviens d'elle, la première fois que je l'ai vue, avec sa teinture sur les cheveux. Elle est si différente de tout ce que je connaissais. Elle ne triche pas, Marine, elle ne s'encombre pas de pincettes, de gants ou autres filtres. Elle y va, droit au but, cash, directe, brutale. Ça m'a déstabilisée, au début. Ça a remué tous les morceaux qui s'étaient brisés à l'intérieur de moi. Je revois nos soirées, nos fous rires, nos frayeurs, nos confidences. En postulant dans une maison de retraite, je venais chercher du calme, des réponses, moi, pourquoi pas un peu de sérénité, mais je ne m'attendais pas à trouver ça. L'amitié. La confiance. Les autres.

Demain soir, je serai la seule habitante de l'étage. Marine ne sera plus de l'autre côté du mur, je ne la verrai plus, accoudée sur son balcon, quand je sortirai fumer, je ne l'entendrai plus chanter faux quand elle se prépare le matin, je ne pourrai plus frapper à sa porte quand j'aurai besoin de rire. Je crois que j'aurais préféré qu'elle me le dise un peu plus tôt. J'aurais pu m'y préparer, on aurait passé une soirée durant laquelle j'aurais passé mon temps à me dire que c'était la dernière fois et à emmagasiner les derniers souvenirs.

J'entends les ressorts de mon canapé grincer. Puis un soupir énervé. Et la voix de Marine :

— C'est impossible de dormir sur ton canapé, il est encore plus mou que la bite de mon ex !

Ou alors cette phrase, comme dernier souvenir, c'est pas mal.

Chapitre 88

De : Raphaël Marin-Goncalves
Objet : Samedi soir

C'était bien. Je ne fais qu'y penser. J'ai hâte de te revoir.
Je t'embrasse,
Raph

Guilis dans le ventre.

De : Julia Rimini
Objet : Re : Samedi soir

Oui, c'était vraiment bien. Moi aussi j'ai hâte.
Je t'embrasse, et Pilou aussi.
Julia

Octobre

« Plus profondément le chagrin creusera votre être,
plus vous pourrez contenir de joie. »

Khalil Gibran

Chapitre 89

Une fois par mois, le minibus se charge de têtes blanches et prend la direction de la piscine municipale. Au programme : aquagym. Quand Greg m'a demandé si je voulais les accompagner, j'ai gloussé. Il était sérieux.

— Allez, il faut profiter de tes derniers moments ici ! a-t-il dit.

Le fourbe.

J'avais prévu de mettre quelques dossiers à jour, rien qui ne puisse attendre, j'ai accepté, à condition de ne pas être obligée de suivre le cours. Il m'a demandé si je n'allais pas m'ennuyer pendant une heure et demie, j'ai répliqué que je me sentais tout à fait capable de rester immobile, à flotter dans l'eau tiède du bassin d'apprentissage pendant trois jours sans éprouver le moindre ennui.

C'est donc ce que je suis en train de faire. Je flotte. Étouffée par l'eau qui immerge mes oreilles, la voix du prof d'aquagym me berce. « Battez des bras, oui, voilà, très bien, allez plus vite, comme un petit chien, non, Gustave, ce n'est pas la peine d'aboyer. » Je ne suis pas loin de l'extase quand une main appuie sur mon front. L'eau s'engouffre dans mes narines, ma bouche et mes yeux, alerte tsunami, je tousse, je crache et Greg me regarde en riant, fier de sa blague.

— Tu viens, on va faire du toboggan ? me propose-t-il.

J'ignore pourquoi, mais mon cerveau dérangé me pousse à le suivre. Ce n'est qu'une fois en haut des marches que je prends conscience que le toboggan de la piscine, ce n'est pas le petit toboggan mignon qu'on remonte à l'envers quand on a trois ans. Non, le toboggan de la piscine, c'est un long toboggan bleu avec des virages qui nous fait atterrir dans le bassin enfants. J'ai froid, je souffle comme un bouledogue asthmatique après avoir monté les marches et j'ai le vertige.

Deux solutions : soit je redescends, ce qui implique que mes jambes doivent cesser de trembler, soit je me lance dans le toboggan qui me tend son tube. C'est ce que fait Greg, en emportant ce qui me restait de courage dans sa glissade.

Je jette un coup d'œil sur le groupe de résidents : ils ont arrêté leurs mouvements et nous observent. Ils doivent garder un souvenir précieux de la seule fois où j'ai partagé un cours de sport avec eux. Il faut que j'assure, sinon ils vont croire que je suis une mauviette.

Je me place au bord du toboggan, je réajuste mon maillot et prends une profonde inspiration, puis pose un pied sur le plastique. Je pensais avoir le temps de m'installer, mais que nenni, l'eau me fait valdinguer et m'emporte, tel un tronc d'arbre dans un torrent. À chaque virage, j'ai l'impression qu'on va me retrouver sur Pluton. J'essaie de me redresser, de m'asseoir, mais la vitesse me colle le dos à la paroi et je sens mes abdominaux et mon périnée rendre leur dernier souffle. Je n'ai même pas la force de crier. Je décide de ne plus lutter et d'accepter mon triste sort quand je suis éjectée du tube. J'ai une pensée émue pour les nains dans les canons. Ensuite, c'est le trou noir. Enfin, plus exactement, la fosse bleue.

J'ouvre les yeux. Je suis vivante. Face à moi, le groupe des résidents me scrute. J'ai l'impression de percevoir du respect dans leurs yeux. Ce qu'ils ont vu, eux, c'est une femme avec du cran, qui n'a pas hésité à plonger dans le danger et qui en ressort victorieuse. Greg me propose de recommencer, je refuse, il est trop facile, ce toboggan, et je sors du bassin la tête haute, presque la main sur le cœur. Avec les jambes qui font des claquettes et le maillot qui se prend pour un string.

Chapitre 90

De : Raphaël Marin-Goncalves
Objet : Nouvelles

Hello Julia,

Comment vas-tu ?

Ici c'est la course, j'ai passé deux entretiens d'embauche, sans succès, et le propriétaire de notre appartement refuse d'aménager le loyer le temps que je retrouve un job. Il faut absolument que j'y consacre tout mon temps, je ne pourrai pas venir le week-end prochain comme c'était prévu, j'en suis désolé… J'aurais aimé te voir.

Je me rends compte que, du coup, la prochaine fois que je descendrai, tu ne seras plus là. Je voudrais continuer à te voir, je sais que ce ne sera pas évident, toi à Paris et moi à Londres, mais si tu es OK, on pourrait tenter ?

À part ça, comment va ma grand-mère ? Je ne sais pas si je lui manque, elle ne dit pas ce genre de choses, mais moi, elle me manque.

Bises,

À très vite j'espère !
Raphaël

De : Julia Rimini
Objet : Déception je crie ton nom

Salut Raphaël,

Je pense que tu manques terriblement à ta grand-mère, qu'elle sera effondrée de ne pas te voir ce week-end, d'autant qu'elle n'est pas en grande forme. Ta présence l'aurait sans doute réconfortée, tant pis, elle pleurera toutes les larmes de son corps, toute seule au fond de son lit ET TOI TU SERAS LOIN.

J'espère que tu finiras à la rue et que tu perdras toutes tes dents.

Adieu.
Julia

Chapitre 91

J'étais dans le bureau d'Anne-Marie, en train de régler un détail administratif concernant la fin de mon contrat quand Marine est venue nous chercher : les résidents demandaient à nous voir.

Ils sont tous réunis dans la salle de vie commune. Assis en rangs, comme le jour où ils m'ont été présentés. Je m'étais demandé comment j'allais faire pour retenir tous ces prénoms. À présent, je me demande comment je vais faire pour les oublier.

Je pense d'abord qu'ils veulent nous faire part d'une nouvelle idée concernant le mariage de Louise et Gustave, comme environ mille fois par heure. Il aura lieu dans quelques jours et tous les résidents se sont mis en tête de participer à l'organisation. Mais je comprends qu'il ne s'agit pas de ça quand mes yeux tombent sur la banderole qu'ils ont tendue sur le mur.

« Ne nous enlevez pas Julia ! »

Marine prend la parole la première, lisant un texte qu'elle tient entre les mains.

— Nous sommes réunis ici pour protester contre le départ de Julia Rimini, psychologue à la maison de retraite des Tamaris. Voici pourquoi.

Élisabeth se lève de sa chaise :

— Parce qu'elle donne de son temps pour faire plaisir aux autres.

Elle se rassoit, Pierre se lève à son tour :

— Parce qu'elle ne se contente pas de hocher la tête, elle s'intéresse vraiment à nous.

Mes larmes me préviennent : « On arrive ! » C'est au tour de Lucienne de prendre la parole :

— Parce qu'elle aime *Plus belle la vie*.

Puis Mohamed :

— Parce qu'elle devine quand on ne va pas bien.

Et Arlette :

— Parce qu'elle articule bien.

Je passe du rire aux larmes, mes émotions ont pris le contrôle de mon corps. Je suis tellement touchée par leur attention, par leurs mots. Jules se lève :

— Parce qu'elle adore se baigner dans l'eau glacée.

Vient ensuite Rosa :

— Parce que mon petit-fils l'apprécie beaucoup.

Ce moment fait partie de ceux que je ne veux jamais oublier. Parfois j'aimerais avoir une caméra vissée sur le front, pour immortaliser à jamais de jolis petits morceaux de vie et me les repasser les jours de petit moral. Tour à tour, chaque résident explique pourquoi il ne veut pas que je parte. Même Léon :

— Parce que j'aime encore moins l'autre psychologue.

Gustave prend sa suite :

— Parce que je n'avais jamais rencontré quelqu'un qui connaisse des blagues encore plus mauvaises que les miennes.

Et enfin Louise :

— Parce que c'est la petite-fille que nous aimerions tous avoir.

Je ne pleure pas, je suis une énorme larme posée sur deux jambes. Je ne sais pas ce qui me touche le plus, ce qu'ils disent de moi, les sanglots que j'ai perçus dans quelques voix, le fait qu'ils aient organisé ceci pour moi ou de prendre conscience que je compte pour eux autant qu'ils comptent pour moi.

Marine a les joues inondées. Elle reprend son texte, la voix chevrotante :

— Pour toutes ces raisons, et d'autres encore qu'il serait trop long d'énumérer, nous refusons que Julia parte. Nous espérons être entendus. Sinon, nous n'excluons pas une grève de la toilette matinale.

Tous les regards se tournent vers Anne-Marie, toujours plantée à mes côtés. Elle retire le crayon de ses boucles. Elle est nerveuse.

— J'entends votre demande et croyez bien que je la comprends. Mais je suis désolée, je ne peux rien faire. Julia nous quittera le 10 octobre.

J'essuie mon nez avec la manche de mon sweat. Je voudrais faire un long discours, leur dire à quel point je suis émue, leur dire à quel point je tiens à chacun d'entre eux. Mais je ne parviens à sortir que quatre mots :

— Vous déchirez, les yeuves.

Chapitre 92

De : Raph
Objet : Question

Julia,
Tu voudras toujours de moi quand je n'aurai plus de dents ?
Raph

Chapitre 93

Élisabeth, Louise et Rosa ont disparu. Je suis la dernière à les avoir vues.

Ce matin, elles étaient sur leur banc habituel. J'ai souri en comprenant que Rosa avait trouvé sa place au sein du gang des mamies. Quand je leur ai demandé ce qu'elles avaient prévu pour la journée, elles ont évoqué un atelier poterie, et c'est tout. En y repensant, rien ne m'a paru anormal, si ce n'est le sac de sport posé sur les genoux de Louise.

Toute l'équipe est mobilisée pour les retrouver et les autres résidents jouent les renforts. On a fouillé chaque pièce du centre, on a ratissé le parc, on a interrogé Pierre, Gustave et les autres, on a arpenté Biarritz en voiture. Rien. Elles se sont volatilisées.

La nuit ne va pas tarder à tomber et trois mamies sont dans la nature. Anne-Marie envisage d'appeler la gendarmerie pour signaler la disparition, je lui demande d'attendre quelques minutes et rejoins Gustave et Pierre, assis sur le banc de leurs moitiés.

— Je suis sûre que vous savez où elles sont.

Ils secouent la tête. On dirait deux petits garçons qui nient avoir mangé du chocolat alors qu'ils en ont jusqu'au front.

— Tant pis, on va être obligés de prévenir les familles. Elles vont beaucoup s'inquiéter… je lâche en m'éloignant.

— Attendez ! appelle Pierre. Je vais vous dire où elles sont.

Gustave lance un regard noir à son complice :

— Heureusement qu'on n'a jamais braqué de banque ensemble…

Une heure plus tard, après avoir prévenu Anne-Marie et rassuré les résidents, je me gare devant le rocher de la Vierge et emprunte la passerelle.

Il n'y a personne, hormis trois femmes assises sur des chaises pliantes face à l'océan. Je ne vois pas leur visage, mais une rousse, une brune et une blonde, toutes trois aux cheveux longs, ce ne sont pas mes mamies. J'approche quand même, sait-on jamais, elles les ont peut-être croisées. La blonde se retourne au moment où j'arrive à leur hauteur. Je pousse un cri. Les deux autres tournent la tête et je manque de m'étouffer de rire. Il faut les voir, mes trois fugueuses, avec leur sourire malicieux et leurs regards innocents sous leurs perruques synthétiques.

— Qu'est-ce que c'est que ça ? je demande quand j'ai repris mon souffle.

— Ça, c'est mon enterrement de vie de jeune fille, répond Louise fièrement.

Je ris de plus belle. Elles m'accompagnent.

— Les perruques, c'est pour quoi ?

— Nous n'allions pas nous déguiser en infirmières, répond Élisabeth. Alors nous nous sommes déguisées en jeunes.

— Mais vous avez fait quoi toute la journée ?

— Nous n'avons pas bougé d'ici, à part pour aller chercher des sandwichs, dit Louise. Nous serions bien allées faire la tournée des boîtes de nuit, mais nous nous sommes dit qu'une journée face à l'océan serait plus raisonnable.

— Pourquoi vous n'avez pas prévenu ? Vous avez le droit de sortir !

— L'adrénaline, répond Rosa. Organiser notre petite fugue et vous imaginer en train de nous chercher nous a fait nous sentir jeunes filles.

Je hoche la tête.

— OK les gamines, maintenant il est temps de rentrer, il commence à faire bien froid ! Je vous ramène chez vos parents ?

— Pas question ! Nous avons pris nos manteaux... Vous n'allez pas nous faire manquer le coucher de soleil tout de même !

Elles sont trois, je suis seule, je ne voudrais pas me faire tabasser. Je m'assois à leurs côtés, sur un rocher. Le soleil touche presque l'horizon.

Rosa attrape son portefeuille dans sa poche et en sort une vieille photo. Dessus, une femme et un petit garçon posent devant le coucher de soleil, au rocher de la Vierge.

— C'est mon Raphaël et moi, il y a bien longtemps. Nous venions ici souvent, c'était notre endroit.

« Mamie, on va voir la dame sur le rocher ? » me demandait-il sans cesse. Il était mignon, n'est-ce pas ?

Je prends la photo.

— Il était *très* mignon. Si j'avais été dans sa classe, je lui aurais filé mon goûter.

Les trois mamies gloussent. Louise dit :

— Il n'est pas trop tard…

— Julia, reprend Rosa, je crois que vous seriez une bonne personne pour Raphaël.

J'éclate de rire. Ça ne leur plaît pas, elles me regardent comme si je venais de blasphémer.

— Si Marine était là, elle vous dirait que vous yoyotez de la touffe ! je rétorque. On se connaît à peine avec Raphaël, je ne suis même pas sûre qu'il ait vraiment envie d'être avec moi…

— Et vous ? m'interrompt Louise. Êtes-vous sûre de ne pas avoir envie d'être avec lui ?

Ces femmes sont folles.

— J'en sais rien. Oui… non… je ne sais pas ! J'aime être avec lui, je pense à lui quand il n'est pas là, mais de là à dire que je veux passer ma vie avec lui… Vous êtes terribles, vous me faites parler de ma vie amoureuse, ce n'est pas dans mes habitudes !

— Alors c'est nous qui allons vous en parler, intervient Élisabeth. Dans quelques jours, vous partirez et nous n'aurons plus l'occasion de partager notre expérience avec vous.

Les deux autres hochent la tête. Mamies gourous.

— Vous n'avez pas le recul nécessaire pour vous en apercevoir, reprend Louise, mais nous vous observons depuis plusieurs mois. Si vous passez à côté de cette histoire, ce sera une erreur.

— Je l'avoue, dit Rosa, il y a une part d'égoïsme de ma part. Je préfère le savoir dans vos bras que dans ceux de cette horrible Anglaise qui lui a brisé le cœur.

Elle n'a pas volé sa place dans le gang des mamies, celle-ci. Comme si l'évocation d'une ex allait me faire réagir.

Ne pas réagir. Ne pas réagir.

— S'il vous plaît réellement, déclare Louise, ne le laissez pas passer. On ne tourne pas le dos à l'amour.

— Mais je ne tourne le dos à rien du tout ! Je ne m'emballe pas, c'est tout. Je vous rappelle qu'il vit à Londres et moi bientôt à Paris, pas l'idéal pour commencer une relation.

— Nous en avons déjà parlé, répond Élisabeth, la vie à deux est un chemin semé d'embûches. Mais cela vaut le coup ! Si ce jeune homme est le bon, vous surmonterez tout et, lorsque vous aurez notre âge, vous pourrez donner des conseils à des petits jeunes pleins de certitudes.

— Et puis moi, je pourrai mourir tranquille, assène Rosa, l'air de rien.

Le soleil a commencé sa traversée, il ne reste qu'une petite tache orange qui disparaît sous nos yeux. Je ne m'en lasserai jamais.

— Un jour, nous aurons tous disparu, me dit Louise. Nous, vous, tous ceux que nous connaissons... Le soleil continuera à enchanter les gens, mais nous ne serons plus là. Le temps passe, et on passe avec. Il est souvent trop tard quand on se rend compte que l'on est passé à côté de sa vie. Ne ratez pas votre chance, ma petite Julia.

— On ne vous dit pas tout cela pour vous ennuyer, ajoute Élisabeth. Au contraire, c'est parce que nous tenons beaucoup à vous.

Je me lève et tape dans mes mains.

— Allez, on y va, sinon je vais me jeter dans l'océan ! Je vous remercie pour ce joyeux petit interlude, je me sens mieux maintenant.

Les trois vieilles dames se lèvent, plient leurs chaises et m'en chargent les bras. Je ferme la marche en les observant traverser la passerelle sous leurs perruques, leurs petits pas mal assurés claquant sur la structure métallique. Je prends brutalement conscience que c'est l'une des dernières fois que je les vois. Pourvu qu'elles ne se retournent pas.

Chapitre 94

Jules fête ses quatre-vingt-dix-neuf ans.

À cette occasion, sa famille et les résidents sont réunis autour de lui dans la salle de vie commune. Il voulait attendre l'année prochaine, faire une belle fête pour son centenaire, mais il a changé d'avis. « À nos âges, il faut fêter chaque anniversaire comme si c'était le dernier. On devrait même fêter chaque jour. »

Jules est le doyen des Tamaris, pourtant il semble faire partie des plus jeunes. Il ne porte pas de lunettes, marche sans assistance et a encore la vivacité d'esprit d'un jeune homme, si l'on exclut ses radotages.

— Presque cent ans, il lui en a fallu du courage pour traverser autant d'années… murmure Lucienne.

— C'est vrai, répond Mina. Il est en forme pour son âge, c'est beau !

Je souris en me rendant compte qu'elles n'ont que dix ans de moins que lui, mais le considèrent comme bien plus âgé. On est tous le vieux de quelqu'un. J'avais vingt-trois ans la première fois qu'on m'a appelée Madame. J'ai failli enterrer ma joie de vivre, ce jour-là.

Greg dispose les bougies sur le gâteau au chocolat. C'est la recette de la mère de Jules, il y a droit chaque année.

— Il y a plus de bougies que de gâteau ! s'amuse Gustave.

On aurait pu déposer deux *9* en cire sur le chocolat, mais, symboliquement, planter une bougie par année vécue nous a semblé plus joli. Jules gonfle ses joues fines, souffle sur les flammes, s'y reprend à plusieurs reprises, postillonne un peu, appelle en renfort son arrière-petit-fils et finit par les éteindre toutes. Quatre-vingt-dix-neuf flammes. Quatre-vingt-dix-neuf années. Une vie.

— Le discours ! Le discours ! Le discours ! clame Élisabeth en tapant dans ses mains.

Elle se penche vers moi :

— Il nous sert le même chaque année, au mot près. Mais il est tellement beau qu'on en redemande !

Le vieil homme se lève et se racle la gorge. Son corps tremble d'émotion, frêle château de cartes qui menace de s'effondrer, mais, quand sa fille lui fait signe de s'asseoir, il l'ignore. Il tient à être debout.

— Je me suis couché hier soir, j'avais vingt ans. Je me réveille ce matin, j'en ai quatre-vingt-dix-neuf. Même quand elle est longue, la vie paraît bien courte. Lorsque j'étais enfant, ma grand-mère, qui me semblait terriblement âgée alors qu'elle était beaucoup plus jeune que je ne le suis aujourd'hui, ne cessait de me répéter : « La vie est courte, mon garçon, et on n'en a qu'une, il ne faut accorder du temps qu'à ce qui en vaut vraiment la peine. » Tout au long de ma vie, j'ai gardé ce conseil dans ma tête comme un trésor. Nous n'avons pas assez de temps pour honorer pleinement tout ce qui remplit une vie. Il faut faire des choix. Devais-je privilégier le travail ou l'amour ? Mes enfants ou mes loisirs ? La lecture ou la pêche ? Qu'est-ce qui en valait vraiment la peine ? Certaines réponses sont évidentes, d'autres moins. J'ai fait des erreurs, inévitablement, mais j'ai toujours essayé d'écouter mon cœur plutôt que ma raison.

Il s'interrompt et boit une gorgée d'eau. Tout le monde l'écoute comme si c'était la première fois.

— Régulièrement au cours de mon existence, poursuit-il, je me suis demandé si je serais satisfait si elle s'arrêtait là. C'est cela, le secret : se demander si l'enfant que nous avons été serait fier de nous. Je ne suis plus à l'âge des projets, mais à celui des bilans. Lorsque je regarde tous ces sourires autour de moi, ceux des personnes chères à mon cœur, je n'ai aucun regret. Je sais que j'ai fait les bons choix.

Les applaudissements retentissent avant qu'il ait prononcé le dernier mot. Il n'est manifestement pas le seul à connaître son discours par cœur. Tour à tour, tous les convives étreignent Jules et lui souhaitent un joyeux anniversaire. Ses joues creuses cognent contre les miennes, il me sourit et passe aux suivantes, sans se douter de la leçon qu'il vient de me donner.

Je ne veux pas arriver au bout de ma vie en regrettant de m'être laissé guider par la peur. Ce n'est pas ce que j'envisageais, lorsque j'étais petite. Il est temps de faire les bons choix.

Chapitre 95

Le taxi noir me dépose dans le *borough* londonien d'Islington, devant l'adresse indiquée par Rosa. Je reste quelques minutes plantée devant l'entrée du petit immeuble, à ne pas savoir si je dois sonner ou m'enfuir. La première solution semble la plus sage, si l'on considère que je ne connais personne d'autre ici que Raphaël.

Je ne l'ai pas prévenu. Ça m'a pris sur un coup de tête. À l'origine, ça me semblait être une très bonne idée de débarquer, coucou c'est moi, vu que tu ne pouvais pas venir, je me suis dit que j'allais te faire une surprise, mais les doutes ont commencé à faire surface dans l'avion et ont fini de m'envahir dans le taxi. Et s'il n'était pas là ? Et s'il n'avait pas envie de me voir ? Et s'il vivait avec sa femme, leurs trois enfants et leur perroquet ?

Je sonne à l'interphone. Un clic, la porte s'ouvre. Je monte les escaliers à la recherche de la porte 2B. Arrivée devant, je serre dans ma main moite la poignée de ma valise et frappe.

C'est un grand roux qui ouvre. Soit Raphaël a beaucoup changé, soit ce n'est pas lui…

— *Hello !* dit-il.

— *Hello, I'm looking for Raphaël*, réponds-je avec un accent qui ne laisse aucun doute quant à ma nationalité.

— Ah, tu es française ! Je suis Laurent, son colocataire. Entre, je vais le chercher.

Je reste dans l'entrée pendant qu'il emprunte un couloir et tape à une porte. J'espère que ça ne va pas durer longtemps, je suis en train de me liquéfier en imaginant sa réaction.

— Julia ?

Raphaël fait irruption devant moi, l'air inquiet.

— Il est arrivé quelque chose à ma grand-mère ?

— Non, non, pas du tout ! C'est à moi qu'il est arrivé quelque chose : je crois que je suis devenue complètement folle. Je me suis dit que ce serait une bonne idée de venir te faire une surprise, j'aurais dû t'appeler…

Il sourit. Je reprends consistance.

— Tu as bien fait, ça me fait vraiment plaisir de te voir ! C'est un cadeau pour moi ? demande-t-il en désignant le petit paquet emballé que je tiens dans ma main.

Je le lui tends en hochant la tête. Il l'ouvre, sous les yeux de son colocataire qui nous observe, appuyé contre le chambranle de la porte. En sortant l'objet de sa boîte, il éclate de rire.

— Comme ça, même quand tu n'auras plus de dents, tu me plairas encore, dis-je.

Il fait mine de porter le dentier à sa bouche, Laurent hoche la tête d'un air entendu.

— Tu m'as menti sur elle. Elle n'est pas cool, elle est hyper cool.

Je suis validée. Pour la peine, les deux *Frenchies* me font entrer dans le salon et me débarrassent de mon manteau. Je balaie la pièce du regard.

— La déco te plaît ? me demande Laurent.

— C'est décoré avec beaucoup de goût.

Je ne mens pas, c'est décoré avec beaucoup de goût. Celui d'un enfant de dix ans. Visiblement satisfaits, mes hôtes m'entraînent vers le canapé de cuir noir, dans lequel je m'assois, entre un vaisseau spatial LEGO et une vitrine de voitures miniatures. J'aurais dû prendre mes chaussons à tête de chat.

Chapitre 96

On passe le week-end à visiter Londres. Buckingham, Westminster, Madame Tussauds, British Museum, London Eye, on enchaîne les lieux au pas de course, ne nous arrêtant que pour avaler un hamburger ou un café.

C'est ce que je dirai à ceux qui me demanderont de leur raconter mon séjour à Londres. La vérité, c'est qu'on ne met pas un pied hors du lit de tout le week-end. Laurent a proposé de nous laisser l'appartement en allant passer deux jours chez sa *girlfriend*. On a fait mine de refuser, non, non, c'est gentil, mais tu n'as pas à faire ça, il a insisté, on a rejeté sa proposition plus mollement, oh non, ça nous gêne, il a rempli un sac et est parti, non sans nous avoir conseillé le confort de la table de la cuisine.

Nous, on préfère le lit. Le matelas par terre, devrais-je dire. À peine Laurent a-t-il claqué la porte que Raphaël se jette sur moi et m'embrasse comme s'il venait de sortir de prison. Je perds ma chemise sur le canapé, mon soutien-gorge au milieu du salon, mon jean dans le couloir, ma culotte à l'entrée de la chambre et la tête dans le lit. Tout au long du week-end, on recommence plusieurs fois, pour s'assurer qu'on ne s'est pas trompés, que c'est vraiment fabuleux. Ça l'est. On discute aussi, beaucoup.

On fait l'amour, il me parle de son boulot, on fait l'amour, je me confie sur mon père, on fait l'amour, il évoque ses projets, on fait l'amour, je partage les miens. Il écoute vraiment. Lorsque je discutais avec Marc, j'avais souvent la désagréable impression qu'il attendait que j'aie terminé pour parler de lui. Il n'attendait pas toujours que j'aie terminé, à vrai dire. J'étais son miroir. Raphaël s'intéresse, me pose des questions, compatit, rit à mes traits d'humour. Il me met en confiance, alors je lui livre mes sentiments, Maminou, ma remise en question, ma mère, les raisons de ma présence aux Tamaris. Lui me parle de ses parents, de sa grand-mère, de son ex, de lui. Il est aussi beau à écouter qu'à regarder. Je ne m'ennuie pas une seconde, je pourrais passer des jours dans cette chambre, à faire l'amour, parler et manger. Mes fesses peut-être un peu moins.

— Tiens, j'ai une idée, lance-t-il alors qu'on attaque la dernière pizza du congélateur. D'habitude, quand les gens font connaissance, ils essaient de donner une bonne image. Si on faisait le contraire ?

— Comment ça ?

— Si on faisait la liste de nos défauts ? Comme ça, pas de surprise, on sait à quoi s'attendre !

Je glousse, pensant qu'il plaisante. Il est sérieux.

— Tu sais qu'il va falloir beaucoup plus d'un week-end pour que je liste tous mes défauts ? dis-je.

— J'ai tout mon temps.

Alors j'énumère.

À la fin de la pizza, il sait que je suis paresseuse, râleuse, que j'aime bien les magazines people, que je suis championne du monde de procrastination, que j'ai une jambe plus courte que l'autre et une oreille plus haute que l'autre (ceci explique peut-être cela), que je suis malade en voiture, que j'aime les légumes uniquement recouverts de fromage, que mes cheveux apprécient les bondes des baignoires, que je fume trop, que j'aime avoir le dernier mot, que je suis dépensière, ceinture noire d'anxiété, que je ris à mes propres blagues, que je possède toute la discographie de Lara Fabian, que j'ai toujours envie d'aller aux toilettes au moment de partir, que je ne me démaquille pas tous les soirs, que je ne peux pas m'empêcher de raconter la fin du film, et deux ou trois autres choses sorties de ma bouche avant que je ne percute qu'elles pourraient me porter préjudice.

Lui, il m'apprend qu'il lui arrive, à l'occasion, d'être de mauvaise foi et d'avoir une haleine de fennec le matin. Ah, et qu'il ronfle aussi, des fois.

— C'est tout ?

— C'est tout.

— T'as oublié modeste, je crois.

Il m'attire vers lui en riant et m'embrasse. Je n'ai plus du tout envie de connaître ses défauts, là, tout de suite.

— On va tester la table de la cuisine ?

Dans le taxi qui me raccompagne à l'aéroport, dimanche soir, il ne lâche pas ma main. Je ferme les yeux et pose ma tête sur son épaule. Peut-être que Marion a raison. Peut-être qu'il peut vraiment m'arriver autre chose que des drames.

Chapitre 97

Bernadette est coiffeuse. Elle vient s'occuper des têtes des résidents une fois par semaine. Aujourd'hui, c'est la mienne qu'elle tient sous ses ciseaux.

Ce matin, comme tous les autres, les membres du gang des mamies sont les premières personnes que j'ai saluées. Postées sur leur banc, les trois femmes m'ont accueillie avec leur douceur habituelle.

— Vous n'avez pas dû beaucoup vous reposer pendant ce week-end à Londres, a attaqué Élisabeth.

— C'est surtout les cheveux qui ont l'air fatigués, a renchéri Rosa.

— Vous ne comptez tout de même pas venir à mon mariage coiffée ainsi ? s'est inquiétée Louise.

Dans trois jours, mon contrat se termine. Dans quatre jours, Louise et Gustave se marient et je quitte mon appartement, direction Paris. Aujourd'hui, je m'occupe de mes cheveux.

Rosa m'accompagne. Pendant que la coloration noire pose sur sa tête, Bernadette me demande ce qui me plairait. Je lui explique que je veux juste qu'elle coupe les pointes, attention pas trop court, hein, au niveau des épaules ce sera parfait, non merci, je ne veux pas de mise en plis, non merci, je ne tiens pas à faire une permanente, non merci, je n'ai pas besoin de balayage, non, des mèches non plus, non merci, ne touche pas à ma frange ou je te bute.

— On ne fait rien pour les cheveux blancs ? demande-t-elle en inspectant mes racines.

Elle est désagréable, Bernadette.

— Je n'ai pas de cheveux blancs.

— Ah si si ! Et pas qu'un seul, si vous ne les voyez pas, les autres les voient. Je vous fais les racines ?

Encore sous le choc de la terrible annonce, je réfléchis. Rosa intervient :

— Je suis sûre qu'un petit balayage vous irait très bien.

— Tout à fait ! roucoule Bernadette. Cela illuminerait votre châtain un peu tristounet.

C'est toi qui vas être tristounette si tu continues.

— Regardez, insiste-t-elle en sortant un dossier de sa sacoche. Je vous verrais bien avec ceci.

Sur la photo, une jeune femme arbore un carré long naturel et lumineux.

— Vous pouvez me faire ça ?

— Bien sûr que je peux ! Je suis coiffeuse !

Je ne quitte pas le miroir des yeux pendant qu'elle s'active au-dessus de moi.

— Alors Rosa, je demande, vous continuez à taper sur le gogole ?

— Sur Google, vous voulez dire ? Je me connecte tous les jours.

— Vous allez sur Internet ? fait Bernadette avec admiration. Moi je n'y comprends rien du tout, mon fils a essayé de m'expliquer, mais j'ai laissé tomber. Vous y faites quoi ?

— Je rencontre des hommes.

Bernadette s'interrompt quelques secondes. Je lui demande si tout va bien, j'aimerais éviter, autant que possible, de finir scalpée. Elle hoche la tête et se remet au travail.

— Et alors ? Vous avez trouvé l'amour ? je demande.

— Toujours pas, mais j'ai trouvé quelque chose de très précieux : de la compagnie. Je ne connais rien de pire que se sentir seul. J'ai fait la connaissance de plusieurs hommes qui fuient eux aussi la solitude et n'attendent rien de plus que de simples échanges.

— Mais ils n'existent pas vraiment ! s'exclame Bernadette. Enfin, ça ne vaut pas les vraies gens !

— Et moi, je n'existe pas ? Derrière les écrans, je vous assure qu'il y a de vraies gens. Cela vous semble peut-être étrange, mais à l'heure où ceux que je côtoie ont regagné leur studio, je me sens seule. Échanger avec des personnes qui me manifestent de l'intérêt me fait beaucoup de bien. Vous savez, lorsque mon mari est décédé, j'ai été tentée de m'isoler, mais cela n'apporte rien, au contraire. Les autres sont importants, il vaut mieux trop leur ouvrir la porte que la leur fermer au nez.

Elles continuent à débattre pendant que mes pensées me mènent à ma mère. Je lui ai fermé la porte au nez. C'est exactement ça. Depuis mon week-end chez elle, on s'appelle régulièrement, j'y suis retournée deux fois, on se retrouve, mère et fille, comme avant. Un samedi, ma sœur et mon filleul sont venus. On a fait la cuisine à quatre, on a ri, on s'est baladés, on a regardé des photos et on n'a même pas pleuré, ça sentait le bonheur, ce jour-là. Ça sentait la famille. Moi je croyais qu'elle n'existait plus. Ma sœur espérait que je profiterais de ce moment pour dire la vérité à ma mère. Je n'ai pas pu. Je n'étais pas prête. Les mots de Rosa me font comprendre que je le suis, maintenant. Je vais lui ouvrir la porte. Reste à trouver le bon moment et espérer qu'elle me pardonnera.

— Ça vous plaît ? me demande Bernadette en attrapant le sèche-cheveux.

Je me regarde. Je regarde la fille de la photo. Je me regarde. Je regarde la fille de la photo. Je me regarde. Je ne vois strictement aucune différence avec ce que j'avais avant, et aucune ressemblance avec ce que j'ai demandé. Mais je suis polie, alors je m'extasie, je paie et je laisse un pourboire. Pour la peine, Bernadette m'offre une dernière douceur :

— Dommage que vous partiez, il faudra que vous trouviez quelqu'un pour s'occuper de vos cheveux blancs à Paris.

Chapitre 98

C'est mon dernier jour de travail aux Tamaris.

C'est la dernière fois que je bois mon café matinal sur ce balcon face à l'océan.

C'est la dernière fois que je descends les escaliers en organisant mentalement les consultations qui m'attendent.

C'est la dernière fois que je m'arrête discuter quelques minutes avec le gang des mamies.

C'est la dernière fois que je frappe à ces portes en sachant que, de l'autre côté, quelqu'un m'attend pour me confier ce qu'il ressent.

C'est la dernière fois que je soupire en découvrant le menu du jour.

C'est la dernière fois que je vois ces murs, ces couloirs, ces meubles, ces fenêtres, ces arbres, ces visages qui me sont devenus familiers.

Je n'aurais jamais cru en arrivant ici il y a huit mois qu'un jour ça deviendrait chez moi.

La journée défile comme si le temps voulait en finir au plus vite. Je referme mon bureau à clé, une dernière fois, il est seize heures, c'est terminé. La journée se termine plus tôt, car un pot de départ est prévu.

— Julia ! m'interpelle Marine depuis le bout du couloir, tu viens, on t'attend !

Dans le réfectoire, ils m'attendent tous. Depuis ce matin, je cherche un prétexte pour m'y soustraire. Je n'ai pas envie, mais encore moins le choix, alors je colle un sourire factice sur mon visage et j'entre dans le silence le plus complet. Face à moi, ils ont tous des mines sombres. J'ai l'impression d'assister à mon propre enterrement.

Gustave, fidèle à lui-même, me demande si ça va, Lise, je ris exagérément, d'autres me suivent, on sait que ce n'est pas drôle, mais si on ne rit pas, on pleure. Il ne faudrait pas qu'on garde de nous une image brouillée.

Ils viennent tous me parler, à tour de rôle. Ils me disent des banalités, vous avez vu il fait encore bon, demain on va faire la fête, les petits-fours sont délicieux, mais les mots ne sonnent pas comme d'habitude. Ils sont doux, ils s'attardent, ils sont accompagnés d'un regard appuyé ou d'une main posée sur mon avant-bras. Ils sont enveloppés de tendresse, ils sont fourrés à l'émotion.

Il y a une boîte sur une table, je dois l'ouvrir.

— C'est un petit cadeau pour que vous ne nous oubliiez jamais.

Comme si c'était possible de les oublier.

La boîte est remplie de polaroids. Un pour chaque résident, un pour chaque collègue. Ils prennent la pose, sérieux, mutins ou gênés, pour que j'emporte un petit bout d'eux avec moi. Derrière sa photo, chacun a écrit un mot.

— Merci pour tout.

— Je suis heureux de vous avoir connue.

— Je vous souhaite la belle vie que vous méritez.

— Vous m'avez apporté beaucoup.

— Vous allez me manquer.

Je parcours les lignes la vue floue. Ils disent des choses qui mettent à mal mes efforts pour ne pas m'effondrer. Ils ont tous les yeux braqués sur moi, à guetter ma réaction.

— Un petit discours ? lance Isabelle.

Je repense au discours détaché et professionnel que j'ai fait le premier jour, pour me présenter. Ça me semblait insurmontable. C'est encore plus le cas aujourd'hui. Finalement, il est plus facile de s'exprimer devant des personnes que l'on ne connaît pas. Je tousse pour éclaircir ma voix. Mon menton tremble.

— Le jour de mon arrivée aux Tamaris, je n'arrêtais pas de me demander ce que je faisais là. Aujourd'hui, je le sais : je venais vous rencontrer. Vous dites que je vous ai beaucoup apporté. J'en suis heureuse, mais la vérité, c'est que c'est vous qui m'avez énormément apporté. Vous m'avez fait grandir, vraiment. Vous, Gustave, avec vos blagues pourries ; vous, Élisabeth, avec votre sagesse…

Ma gorge se serre, j'inspire un grand coup et poursuis :

— Vous, Louise, avec votre tendresse ; vous, Lucienne, avec votre humour ; vous, Jules, avec votre jolie façon de voir la vie ; toi, Marine, avec ton franc-parler et ton amitié ; vous, Anne-Marie, avec votre générosité ; toi, Isabelle, avec ta fraîcheur ; toi, Greg, avec ta gentillesse… Tous, vous m'avez enrichie. Ici, j'ai pris une leçon de vie. Les Tamaris, ce n'est pas une maison pour personnes âgées, c'est un lieu où vivent des personnes qui ont une histoire, une philosophie, un caractère et des particularités qui les rendent si attachantes. Vous allez tellement me manquer…

Certains yeux se mettent à briller. S'ils s'y mettent, je ne peux plus lutter. Je hoquette, les larmes coulent, en cadeau de départ je leur offre mon visage déformé de chagrin. Une main se pose sur mon épaule. Gustave.

— Pleure, tu pisseras moins, me dit-il avec tendresse.

Greg s'approche.

— On a prévu une petite activité pour ta dernière journée. Va chercher ton maillot et rejoins-nous sur le parking.

Une heure plus tard, la plupart des résidents et du personnel grelottent, le corps presque nu offert au vent frais d'octobre.

— Vous êtes des malades, dis-je.

— On a commencé comme ça, il fallait bien qu'on termine de la même manière ! répond Élisabeth.

— Ouais, mais cette fois vous n'allez pas me lâcher !

Au top départ, on forme une longue ligne, on se tient la main et on s'élance tous ensemble dans les vagues. L'eau est glacée, on hurle mais on avance, jusqu'à ce qu'elle dépasse la taille.

— Putain de merde, qu'est-ce qu'elle est froide ! lâche Marine.

— Vous avez raison, putain de merde ! confirme Élisabeth, sous le regard effrayé de son mari.

— Tu fais une attaque, ma chérie ?

On rit, on s'éclabousse, le froid engourdit tout, les membres et la douleur. Je prends mentalement une photo de cet instant. Gustave serré contre Louise, Isabelle qui propose qu'on fasse tous pipi pour réchauffer l'eau, Léon qui nage à des mètres de nous, Greg qui envoie Marine dans les vagues, Rosa qui rit comme une gamine, Élisabeth qui adresse un coucou à son amie Maryline dans le ciel, Lucienne qui saute les vagues. Pour ne jamais oublier.

Chapitre 99

Je prépare ma tenue pour demain. Une combinaison bleu pétrole et des escarpins jaunes. J'ai laissé dans la salle de bains mes produits de toilette et le maquillage. Tout le reste est dans des sacs dont certains sont déjà dans ma voiture. Demain, après le mariage, je prends la route pour Paris.

Décrocher les photos du mur, poser mes vêtements au fond d'un sac, jeter ce qui n'est pas indispensable, retirer tout ce qui a fait de cet endroit mon foyer n'a pas été simple. Alors, pour contrebalancer, je fais la liste des points positifs à retourner à Paris.

1. Le canapé de Marion est confortable. Moins que mon lit ici, certes, mais sans doute plus qu'un trottoir.

2. Je n'aurai qu'une heure de trajet pour aller travailler. C'est soixante fois plus qu'ici, certes, mais moins que ceux qui ont trois heures de transport.

3. La vue sur Nation est agréable. Moins que celle sur l'océan, certes, mais plus que sur un mur.

Je peine à trouver un quatrième point positif quand quelqu'un ouvre la porte sans frapper. Marine et Greg apparaissent, les bras chargés de bonbons, de gâteaux, de friandises et de bouteilles.

— Tu croyais quand même pas qu'on allait te laisser partir sans une dernière soirée colocs ? lance Marine.

Je suis tellement heureuse de les voir que je dirais oui s'ils me proposaient une partouze.

— Whaou, ça fait vide ! lâche Greg en inspectant mon studio. Ça va, pas trop dur ?

— Un peu, mais ça va aller. Je reviendrai vous voir !

— J'espère bien ! réplique Marine. Ne pense surtout pas que tu vas te débarrasser de nous comme ça.

On passe la soirée à se forcer à grignoter et à faire comme si elle était identique aux autres. Ils me racontent leur vie à deux, m'interrogent sur Raphaël, j'évoque les projets à Paris : rien ne laisserait penser que c'est notre dernière soirée colocs si notre bonne humeur ne sonnait pas faux.

En partant, aux alentours de minuit, Marine envoie valser les apparences. Elle me serre dans ses bras, en pleurs, et y reste de longues secondes.

— Je t'aime vraiment beaucoup, me glisse-t-elle.

— Moi aussi, j'articule entre deux reniflements.

Greg a les larmes aux yeux. Je lui dis qu'il jouait mieux dans sa pub. Il m'étreint.

— Tu vas nous manquer.

Ils disparaissent dans l'escalier, je referme la porte sur le silence. La déprime s'installe confortablement dans mon cerveau. Je suis abattue, j'ai l'impression d'être arrachée au premier endroit où je me sens à ma place. Je n'ai pas envie d'aller à Paris, je n'ai pas envie de travailler avec des gens qui vont me parler de leurs cheveux, je n'ai envie de rien. Même la perspective du mariage de demain ne parvient pas à me réconforter. Je vais sur le balcon et allume une cigarette. Mais qu'est-ce que je fous, putain ? Alors voilà, ça n'a servi à rien ? Je me recroqueville dans ma zone de confort, à maudire le monde pour ce qui m'arrive. À ne voir que le négatif. Pendant des mois, j'ai trouvé admirables toutes ces personnes qui traversent les orages en continuant à sourire. Ces gens qui repèrent la percée de soleil à travers les nuages. Il serait peut-être temps de prendre exemple sur eux.

Je suis triste. Ils vont me manquer. Mais j'ai surtout beaucoup de chance de les avoir croisés sur mon chemin.

Chapitre 100

Leurs rires me parviennent alors que j'écrase ma cigarette. C'est vendredi, ils avaient sans doute besoin de se détendre avant le mariage. Ça tombe bien, moi aussi.

Gustave, Louise, Élisabeth, Pierre, Rosa et un invité sont assis autour de la table de jardin. Léon tire sur le joint. Pris de panique en me voyant, il le jette sur Rosa. Les autres jouent le jeu.

— Promis, on peut tout vous expliquer ! dit Gustave. C'est Léon qui nous a forcés !

L'accusé vire à l'écarlate. Il bégaie :

— Mais pas du tout, je n'ai rien fait ! C'est seulement la deuxième fois que je viens, eux se réunissent régulièrement !

— Gustave dit la vérité, intervient Élisabeth. Léon nous a menacés des pires sévices si nous ne venions pas fumer le cannabis qu'il fait pousser dans le potager.

Ses yeux vont sortir de ses orbites. Il regarde ses camarades à la recherche d'un peu de compassion.

Je décide de mettre fin à ses souffrances en me saisissant du joint et en tirant une longue taffe dessus.

— Ne vous inquiétez pas, Léon, si vous fumiez régulièrement, ça se saurait. Vous seriez bien plus cool.

Les cinq autres rient. Léon aussi, un tout petit peu. Je m'assois avec eux et garde le joint. Il me faudra bien ça pour trouver le sommeil.

— Au fait, Léon, demande Rosa, vous avez changé d'avis pour demain ?

— Pas du tout. Je ne viendrai pas.

Personne n'insiste. Il me fait presque de la peine, isolé dans son aigreur.

— C'est dommage, dis-je. Ça aurait pu être l'occasion de vous ouvrir un peu aux autres. Je ne vous comprendrai jamais... Vous êtes entouré de gens adorables et on dirait que vous faites tout pour finir votre vie seul.

Il reste silencieux quelques secondes, je tire sur le joint et le passe à Élisabeth.

— Vous êtes toujours aussi naïve... Arrêtez donc de croire qu'un gentil se cache au fond de moi, cela fera des vacances à tout le monde. Je me fous des autres, je me fous de finir ma vie seul, je suis très bien comme je suis et je ne changerai pas. Si vous ne le comprenez pas, je vous conseille de reprendre vos études. Sur ce, je vous souhaite une bonne nuit.

Il se lève et s'éloigne. Rosa hausse les épaules.

— Dommage qu'il soit aussi avenant qu'un avis d'imposition. Il pourrait être plutôt charmant.

Il est deux heures du matin quand on décide d'aller se coucher.

— Je vous rappelle que nous avons un mariage demain, dit Louise. Notre mariage !

Tandis que les autres rentrent directement, Gustave tient à me raccompagner jusqu'à la porte de l'annexe. Je me sens flotter, comme sur un nuage.

— Ma fille m'a appelé, dit-il.

— Ah ? Elle sera là demain ?

— Non, elle ne viendra pas. Elle a pris une décision radicale : elle ne veut plus jamais me voir. Elle a tenu à m'expliquer ses raisons, quelque part j'en suis soulagé. Cela lui fait trop de mal. Je ne la juge pas, elle a ses raisons.

— Ses raisons ? je m'écrie. Je ne vois pas ce qu'elle peut vous reprocher, vous êtes la gentillesse incarnée !

— J'ai fait des erreurs, je ne suis pas tout blanc. Il y en a une qu'elle ne parvient pas à me pardonner. Je la comprends, je ne me la pardonne pas non plus.

— Mais qu'est-ce que vous lui avez fait pour qu'elle vous en veuille à ce point ?

Il soupire.

— Quand notre fils a eu son accident, elle avait vingt ans. Elle venait de partir en vacances avec la famille de son fiancé. Il est resté dans le coma trois jours avant de mourir. Mon épouse voulait qu'on la prévienne, mais je n'ai pas eu le cœur à gâcher ses vacances. Elle n'a pas pu lui dire au revoir à cause de moi.

— Je ne sais pas quoi vous dire, Gustave. Vous avez fait ce que vous pensiez le mieux à l'époque…

— Si c'était à refaire, j'agirais autrement. Je lui dirais la vérité de suite. Les personnes que l'on aime méritent la vérité.

Il se penche par-dessus son déambulateur et plante une bise sonore sur ma joue.

— Bonne nuit Julia. À demain pour le grand jour !

Je monte les marches tant bien que mal, mes jambes sont en coton et ma tête en est remplie. Une seule chose y tourne en boucle : « Les personnes que l'on aime méritent la vérité. »

Je n'attends pas d'atteindre ma porte pour composer un SMS.

« Je suis prête à tout révéler. Rendez-vous demain matin, 10 h sur le parking. Je t'm »

Et je l'envoie à ma sœur.

Chapitre 101

De : Raphaël Marin-Goncalves
Objet : Aujourd'hui

Julia,

J'ai pensé à toi toute la journée, j'espère que ça s'est bien passé. J'ai hâte de te serrer dans mes bras.

Je pense fort à toi
Je t'embrasse
Raphaël

De : Julia Rimini
Objet : Re : Aujourd'hui

Merci Raphaël, ton soutien me touche beaucoup.

Ça a été dur, mais rien par rapport à ce qui m'attend demain. Tu sais, ce dont je t'ai parlé l'autre fois… c'est décidé, je vais tout leur dire. J'aurais tellement voulu que tu sois là.

Hâte d'être au mois prochain pour te voir.
Je t'embrasse fort,
Julia

Chapitre 102

Il faudrait que je dorme. Demain, à dix heures, j'aurai besoin de toute mon énergie. Mais je n'y arrive pas.

Je tourne dans mon lit depuis des minutes, des heures, j'essaie de me concentrer sur ma respiration, mes orteils, des moutons qui sautent, rien à faire, la réflexion s'invite, les idées s'imposent. Alors je me lève, je prends une feuille et un stylo et je laisse l'encre délivrer mes pensées.

Lettre à moi quand j'aurai 80 ans

Chère Julia de 80 ans,

Ici la Julia de 32 ans. Je ne sais pas si tu liras cette lettre un jour, si c'est le cas je t'imagine en train de sourire en te remémorant cette nuit où je l'ai écrite, avec mon pyjama en pilou et mon cerveau en ébullition. Je ne parviens pas à croire que j'aurai 80 ans un jour, mais, dans le doute, j'avais envie de m'adresser à toi.

J'espère que tu vas bien. J'essaie de t'imaginer physiquement, ce n'est pas facile... Est-ce que tu as pris les rides autour de la bouche de Papa ou plutôt les pattes-d'oie de Maman ? Est-ce que tu as renoncé à t'occuper de tes racines ? Et ce corps, que j'ai tant maltraité à coups de cigarettes et de malbouffe, est-il toujours en bon état ? À vrai dire, peu importe. La seule chose qui compte, et pour laquelle j'ai du mal à trouver le sommeil, c'est : est-ce que tu es heureuse ?

J'espère que tu l'es. J'espère que tu regardes derrière avec reconnaissance et devant avec enthousiasme. J'espère que ce que j'ai appris ces derniers mois t'a accompagnée tout au long de ta vie.

J'espère que tu t'émerveilles encore face à l'océan, un enfant qui sourit, la forme d'un nuage ou un joli film.

J'espère que tu vis dans un endroit que tu aimes. Chez toi ou ailleurs, pourvu que tu t'y sentes bien. Si les Tamaris existent encore, le studio 8 offre une superbe vue, même si un râleur l'habitait autrefois...

J'espère que tu es entourée. J'espère de tout mon cœur que tu as eu des enfants, qu'ils vont bien et qu'ils sont présents aujourd'hui. Parfois, j'aimerais juste faire un bond de quelques minutes dans le futur et revenir à ma place. Le plus inquiétant, c'est de ne pas savoir. J'espère que ta sœur chérie est toujours à tes côtés et que vous faites des soirées filles avec Marine et Marion. Si vous voulez, il y a des plantes sympas dans le potager des Tamaris.

J'espère que tu as connu l'amour. Le grand, celui dont tu rêvais depuis toujours. Raphaël, peut-être. Ou un autre, pourvu que tu te couches chaque soir en étant reconnaissante de la chance que tu as de l'avoir rencontré. C'est un grand monsieur nommé Pierre qui m'a appris ça, il y a longtemps.

J'espère que tu as lâché tes peurs, que tu es plus sereine. J'y travaille, tu sais, mais je suis encore loin de parvenir à ne plus tout anticiper, à ne plus angoisser. J'espère que tu as semé la peur derrière toi tout au long du chemin.

J'espère que tu chéris tes souvenirs comme un trésor. J'essaie de t'en fabriquer de jolis chaque jour.

Nous sommes le 10 octobre 2015. Je suis à une croisée des chemins. J'espère ne pas me tromper. J'espère qu'un jour tu me diras que j'ai fait les bons choix.

Je t'embrasse, prends soin de toi. À bientôt.

Julia

Je pose le stylo, plie la feuille, la range dans mon portefeuille, me glisse dans mon lit et m'endors comme si on m'avait assommée.

Chapitre 103

Dix heures. On y est.

Le moment que je repousse depuis presque un an est là.

Carole m'attend devant l'entrée de l'annexe. Je l'entraîne au fond du parc, sur le banc face à l'océan. Il est déchaîné. Moi, pas loin.

— T'es sûre que tu veux faire ça aujourd'hui ? me demande-t-elle.

— Je crois.

— Ça va bien se passer.

— J'espère. J'ai peur.

— De quoi tu as peur ?

— Que mes raisons ne soient pas comprises. De décevoir.

— Ça risque d'être un peu déstabilisant, mais je n'ai aucune inquiétude. Dans quelques minutes, tu seras dans des bras que tu aimes, totalement rassurée. On y va ?

— On y va.

On longe les couloirs jusqu'à la porte bleue. Mon cœur bat tellement vite que je ne le sens plus. Je ne sens plus rien, à vrai dire.

C'est Carole qui frappe à la porte.

« Entrez ! »

Elle ouvre la porte.

Au milieu de la pièce à vivre, ma mère me fixe, la bouche grande ouverte, figée un bras en l'air, un voile à la main.

— Qu'est-ce que tu fais là ? articule-t-elle.

Je ne parviens pas à lui répondre. À côté d'elle, dans sa jolie robe blanche, Louise me fixe en souriant. Mes larmes jaillissent tandis que je me jette dans ses bras.

— Oh Maminou !

J'enfouis mon visage dans son cou, ça sent le Chanel N° 5 et mon enfance. Elle caresse mes cheveux de sa main tremblante.

— Bonjour ma chérie. Tu en as mis du temps…

Chapitre 104

Ma mère s'est éclipsée, entraînée par Carole. « Julia t'expliquera plus tard », lui a-t-elle dit. D'un regard, je l'ai remerciée : j'avais besoin de me retrouver seule avec Maminou.

Je pleure sans aucune retenue, bruyamment, le dos secoué de spasmes. Comme quand j'avais cinq ans. Face à moi, ma grand-mère est plus digne, mais son visage est inondé de larmes.

— Heureusement que je ne me suis pas encore maquillée ! fait-elle pour tenter de détendre l'atmosphère. Je te fais un chocolat chaud ?

Je secoue la tête. Je serais incapable de l'avaler.

— Tu savais qui j'étais ? je demande entre deux sanglots.

Elle m'entraîne vers le canapé, sur lequel on s'assoit, puis prend mes mains dans les siennes.

— Je ne t'ai pas reconnue de suite. Le jour de ton arrivée, j'ai pensé que tu avais le même prénom que l'une de mes petites-filles, mais c'est tout. Vu que tu portes le nom de ton père, que j'ai oublié, car ta mère a conservé son nom de jeune fille, je n'ai pas fait le rapprochement.

Elle me caresse les mains avec douceur.

— J'ai ressenti quelque chose de particulier à chaque fois que je te voyais, poursuit-elle. J'étais en confiance, et je voyais que toi aussi. Mais je pensais qu'il s'agissait seulement d'affinités. Et puis, il y a eu la photo…

— Ne me dis pas que tu m'as reconnue sur cette photo de famille ! dis-je en désignant du menton le cadre posé sur le buffet. J'avais dix-sept ans, dix kilos de moins et les cheveux noirs jusqu'à la taille. Je suis méconnaissable !

Elle sourit. Mes larmes commencent à se tarir. Maintenant, je me retiens de me blottir dans ces bras qui m'ont tellement manqué.

— Pas sur celle-ci, répond-elle. Tu te souviens de cette fois où tu es venue me voir ici alors que je m'apprêtais à aller fêter les soixante ans de mon fils – ton oncle ?

— Je me souviens bien. Tu avais mis tous tes bijoux, tu rayonnais ! J'aurais tellement voulu venir, mais je ne pouvais pas, ça aurait tout fait capoter. Comme d'habitude, j'ai décliné en disant que je devais rester à Paris à cause du travail.

Elle hoche la tête.

— Pour l'occasion, reprend-elle, ta mère souhaitait offrir un cadeau personnalisé à son frère. Elle avait besoin de photos de chaque membre de la famille et se souvenait que j'en avais une magnifique de toi. Évidemment, j'ai oublié, mais selon ta mère c'est moi qui l'ai prise, sur la plage, il y a deux ou trois ans.

Je me souviens de ce moment. J'étais descendue passer un week-end chez mes parents et j'avais profité d'une éclaircie au milieu de la pluie pour aller me promener sur la plage avec Maminou. Je m'étais moquée d'elle quand elle avait sorti son appareil photo jetable. Elle avait appuyé sur le déclencheur au moment où j'éclatais de rire. Je n'ai jamais vu le résultat.

Elle continue son récit. Je pourrais l'écouter pendant des heures, comme quand elle me racontait des contes de fées avant ma sieste. Encore une histoire, Maminou, s'il te plaît !

— Ta mère a cherché la photo dans mes albums. J'en ai plusieurs, rangés dans le buffet. Je n'ai pas eu le courage de les consulter depuis mon accident. Quand elle me l'a montrée, après l'avoir décollée, j'ai cru défaillir. C'était toi, Julia. Tu étais ma petite-fille !

Mes yeux débordent à nouveau.

— Ta petite-fille tout en couleurs... Maman n'a rien remarqué ?

— J'ai vite vu qu'elle n'avait pas l'air au courant, alors je n'ai rien dit. Ce n'était pas à moi de le lui apprendre. Je me suis dit que tu avais tes raisons et que le moment viendrait...

Je serre ses mains un peu plus fort.

— Je savais qu'elle venait te voir tous les dimanches, alors je me faisais petite ces jours-là. J'avais toujours peur de la croiser dans un couloir. J'irai lui parler, après. Mais, d'abord, je dois t'expliquer pourquoi j'ai fait ça.

Alors je lui explique.

Quand ma mère m'a appelée, il y a un an, pour me dire que Maminou avait fait un AVC, j'ai immédiatement décidé de descendre. Jusqu'à ce qu'elle m'explique qu'elle avait perdu quarante ans de sa mémoire. Pendant des jours, j'ai réfléchi, pendant des nuits, je n'ai pas dormi, j'ai cliqué sur « Réserver les billets » des centaines de fois avant de me rétracter. La vérité, c'est que j'étais morte de peur. Les souvenirs que je partageais avec Maminou faisaient partie des choses que je chérissais le plus. Savoir qu'elle avait oublié tous nos moments, tous nos mercredis, tous nos câlins, qu'elle m'avait oubliée, moi, c'était trop violent. J'essayais de guérir de mon père, j'étais en rémission, j'avais peur de rechuter.

— Je ne voulais pas être une inconnue dans tes yeux, dis-je entre deux crises de larmes. Je ne pouvais pas. Et puis, j'ai vu cette offre d'emploi : un poste de psychologue dans ta maison de retraite. Je n'ai pas hésité, sans trop savoir si c'était la bonne chose à faire. Tu me manquais trop, c'était l'occasion d'être avec toi, mais sans être ta petite-fille.

Elle sourit, de ce sourire que j'aime tant. Je ne parviens plus à me retenir : je me blottis dans ses bras, recroquevillée contre cette femme que j'ai eu tellement peur d'avoir perdue. Elle a l'air surprise.

— On faisait toujours ce câlin quand je venais te voir, ça faisait partie de notre rituel du mercredi.

Elle m'entoure de ses bras et me serre contre son cœur.

— Je compte sur toi pour me rappeler tous nos souvenirs. Et nous allons nous en faire plein d'autres, ma chérie.

Nous sommes dans cette position depuis plusieurs minutes quand quelqu'un frappe à la porte.

— Entrez ! crie Maminou, qui, tout comme moi, n'a pas l'air d'avoir envie de desserrer notre étreinte.

Gustave apparaît, élégant dans son costume gris, une rose à la boutonnière.

— Ma future épouse est-elle prête ? demande-t-il avant de nous apercevoir.

— La petite a enfin révélé son secret, lui dit Maminou.

Il hoche la tête en souriant.

— Ah quand même ! Elle va enfin pouvoir m'appeler Papinou !

Chapitre 105

Ma mère conduit la voiture jusqu'à la mairie. Je suis sur le siège passager, dans mes petits escarpins.

— Tu m'en veux, Maman ?

— Non… je pense que j'ai besoin d'un peu de temps pour comprendre. Tu m'avais dit que tu ne pouvais pas venir au mariage de ta grand-mère, ça m'a fait un choc de te voir. Carole m'a expliqué que tu étais là tout ce temps…

Elle tente de le cacher, mais je perçois la tristesse dans sa voix. Je baisse la tête. Je l'ai blessée.

— Je suis désolée, Maman, ce n'est pas contre toi. J'avais besoin d'être seule, de me retrouver, et d'être près de Maminou. Pour faire comme avant. Et puis, je ne voulais pas que tu t'inquiètes. Je ne savais plus où j'en étais. J'espère que tu me pardonneras…

— Je ne t'en veux pas, ma grande. Tu as géré comme tu as pu. On a tous géré comme on a pu. Ça ne se juge pas. Tu vas mieux, c'est le principal. Je suis juste triste de ne pas avoir pu profiter de toi avant que tu repartes.

— Je viendrai te voir souvent, je te le promets. Et tu viendras aussi, on se promènera dans Paris, ce sera bien !

Le silence s'installe durant de longues minutes. À plusieurs reprises, du coin de l'œil, je la vois tourner la tête et me regarder. Une fois, même, elle ouvre la bouche et la referme. Je sais ce qu'elle a envie de me dire. Les mots bouchonnent dans sa gorge, ça doit la brûler, mais ça ne sort pas.

Je repense aux mots de Maminou. Ici et maintenant.

Ne pas attendre les événements pour dire les trois mots à ceux qui comptent.

C'est le moment.

J'ouvre la bouche et, d'une voix mal assurée, je dis les trois mots à celle qui compte plus que tout.

— Je t'aime, Mamoune.

En fixant la route, droit devant. Faut pas trop m'en demander d'un coup.

Chapitre 106

La mairie est pleine.

Il y a toute la famille de Maminou. *Ma* famille. Ma mère, ma sœur, mon filleul, mes oncles et tantes, mes cousins. Gustave n'a jamais été aussi sérieux, comme s'il n'avait plus besoin d'enfiler son costume de clown. En passant à côté de moi pour rejoindre sa chaise face au bureau du maire, il me murmure à l'oreille :

— Beaucoup de gens me souhaitent la bienvenue dans votre famille. Ça fait tourner la tête, mais je m'y plais déjà ! Moi qui pensais ne plus en avoir…

Ma mère ne me lâche pas la main. Je ne m'échapperai plus, Maman. Tout à l'heure, elle a arrangé ma coiffure, puis m'a fixée droit dans les yeux pendant un long moment. Ma sœur nous a prises en photo pile à cet instant, puis mon filleul lui a enlevé l'appareil. « Je vais vous prendre en photo toutes les trois ! » a-t-il dit de sa petite voix. Il en a pris quatre, elles sont soit floues soit mal cadrées, imparfaites mais vraies. Un jour, je les tiendrai dans mes mains ridées et je me souviendrai de cet instant magique où nous étions toutes les trois réunies, ma mère, ma sœur et moi, avec en chacune de nous un petit peu de Papa.

Il y a les résidents, aussi. Tous, sauf Léon et Mina, qui ne se sentait pas bien. Ils ont sorti des robes et des costumes qu'ils ne pensaient plus jamais porter, ils sont passés chez le coiffeur ou le barbier, fiers d'annoncer qu'ils étaient de mariage. Ils ont dans les yeux cette petite particularité propre aux grands moments, mélange de fierté, de bonheur et de fatigue. Ils se sont assis aux rangs du fond, pour ne pas prendre la place de la famille. Et pourtant... Aucun ne porte le même nom, ils n'ont pas de parent en commun, aucun vieux souvenir non plus, mais là, assis tout droits au fond de cette mairie, c'est bien une famille que je vois.

Il y a le personnel, qui ne pensait jamais voir ça, un mariage aux Tamaris, ça, c'est de l'activité originale. Greg et Marine se lancent des regards lourds de sens, je ne serais pas surprise d'être invitée à un autre mariage d'ici peu. Pourvu que le DJ ne passe pas *Dirty Dancing*.

La musique retentit dans la mairie, Isabelle applaudit. Franck Michael se met à chanter. Lucienne s'agite :

— C'est « Il est toujours question d'amour », sa plus belle chanson ! Où est-il ?

— Il est dans le poste, lui répond Marine, brisant tous ses rêves.

Tous les regards se tournent vers la porte. Louise doit y faire son entrée au bras de mon oncle. Quand la mairie leur a demandé s'ils souhaitaient une cérémonie sommaire ou quelque chose de plus traditionnel, avec musique et décoration, ils sont immédiatement tombés d'accord : « On veut la totale. »

Je vois mon oncle d'abord. Puis la silhouette frêle de Maminou, qui semble presque déguisée sous son long voile blanc. Elle remonte l'allée d'un pas assuré, son regard mouillé posé sur un Gustave ému. Mes larmes coulent. J'ai cru qu'elle avait disparu, j'étais persuadée que, sans ses souvenirs, elle ne serait qu'une étrangère dans l'enveloppe de ma grand-mère. En vivant à côté d'elle sans être sa petite-fille, j'ai appris à la connaître autrement. J'ai fait connaissance de la femme qu'elle est. J'ai découvert Louise. C'est une Maminou différente, une relation nouvelle, mais elle est là, vivante, heureuse. Je peux me blottir dans ses bras, je peux écouter sa voix, je peux boire son chocolat chaud. Nos souvenirs, je les porte pour deux. Maintenant, on va en fabriquer d'autres.

— Louise, Marguerite Dutisse, acceptez-vous de prendre pour époux Gustave, Marius, Jacques Champagne ici présent ?

— Oui !

— Gustave, Marius, Jacques Champagne, acceptez-vous de prendre pour épouse Louise, Marguerite Dutisse ici présente ?

— Oui, je le veux, jusqu'à ce que la mort nous sépare. Mais je te préviens, je ne veux pas d'enfant.

— Je vous déclare mari et femme ! Vous pouvez vous embrasser !

Tandis qu'ils obéissent avec un plaisir non dissimulé, les applaudissements retentissent. S'ensuivent les félicitations et les accolades de tous les invités aux jeunes mariés. Quand arrive mon tour, Maminou me serre dans ses bras pendant de longues secondes, puis elle recule la tête et me dévisage.

— Je suis fière d'avoir une petite-fille aussi généreuse et courageuse que toi. Ma petite-fille tout en couleur…

Je me félicite d'avoir mis du mascara *waterproof*.

Maminou et Gustave sortent les derniers, sous les pétales de roses et les déclencheurs des appareils photo. J'ai pris du recul pour filmer l'ensemble de la scène avec mon téléphone. Un message s'affiche sur l'écran. C'est Raphaël.

« Tu penses que je manque à ma grand-mère ? »

Je souris. J'avais raison pour Pomponette.

« J'en suis sûre. Elle aimerait que tu sois là. »

Nouveau message.

« Dis-lui de regarder sur le trottoir d'en face. »

Chapitre 107

— Tu es venu…

— Bien sûr que je suis venu ! J'aurais voulu être là ce matin, pour le grand moment, mais il n'y avait pas de vol plus tôt. Ça s'est bien passé ?

— Mieux que bien. Merci d'être là…

Il me prend dans ses bras, je l'embrasse.

— Tu pars quand pour Paris ?

— Ce soir, après la réception.

— T'as de la place dans ta voiture ?

— Un peu, pourquoi ?

— J'ai un entretien d'embauche à Paris lundi, je me disais que je pourrais te servir de copilote. Au cas où on croiserait des requins…

Je ne sais pas quoi lui répondre à part un sourire niais. Il doit être content de se retrouver face à Bob l'éponge.

— Bon, tu me présentes ta famille ?

Je l'attrape par la main et on traverse la route en direction du groupe en liesse. J'ai le cœur qui fait une danse de la joie.

Il faudra quand même que je vérifie sur Google si ça fait mal quand on explose de bonheur.

Épilogue

Six mois plus tard

« Bonjour Papa.

Je t'ai apporté une nouvelle orchidée, la dernière était toute fanée.

Je suis désolée de ne pas être venue te rendre visite le mois dernier, je ne suis pas descendue, Maman et Carole sont venues me voir à Paris. On a passé un super week-end, tu nous aurais vues toutes les trois, à jouer les touristes, l'Arc de Triomphe, les Champs-Élysées, le bateau-mouche… C'était parfait, jusqu'à ce que Maman se mette en tête de faire la tour Eiffel. On a essayé de la dissuader, mais tu la connais. Une fois en haut, elle nous a dit qu'on avait raison. C'était juste avant qu'elle fasse une crise d'angoisse à cause de la hauteur.

Tu nous as manqué, même si tu étais avec nous. On a parlé de toi. On parle de plus en plus de toi, il arrive même qu'on rie en partageant des souvenirs. Comme la fois où tu avais demandé à madame Broca, la voisine, de combien elle était enceinte et qu'elle t'avait répondu "de dix kilos de graisse".

Tu sais, Papa, les souvenirs qui me manquent le plus, c'est ceux que l'on n'aura pas. Mais j'avance, je te promets.

Mon boulot n'est toujours pas très excitant, mais les collègues sont sympas et c'est bien payé. Les Tamaris me manquent, surtout ses résidents… Je suis contente de réussir à descendre au moins une fois par mois, à chaque fois ils me reçoivent comme si j'étais leur petite-fille à tous. Je ne sais plus si je te l'ai dit, mais ils ont fait une pétition pour que je revienne, et Léa, celle que je remplaçais, est tombée dessus. Elle ne l'a pas très bien pris, apparemment elle a menacé de refaire un bébé. Du coup, les résidents lui ont offert un paquet de tests de grossesse. J'ai pleuré de rire quand ils m'ont raconté ça, avec leur air innocent. J'espère qu'elle va vite s'en servir.

Sinon ça y est, Maminou a emménagé avec Gustave. Les travaux ont duré plusieurs semaines, mais ça valait le coup, ils ont un grand studio tout neuf. L'autre couple de la maison, Élisabeth et Pierre, a tellement aimé que la directrice leur a proposé de rénover entièrement le leur. Je te laisse imaginer la réaction de tous les autres… Tu l'auras compris, l'ensemble des Tamaris va être refait à neuf. Ça coûte cher, donc les résidents ont proposé de participer aux frais. Pourvu qu'ils ne touchent pas au potager, j'en connais cinq qui ne s'en remettraient pas !

Ce soir, je vais manger chez Greg et Marine, tu sais, mes amis qui vont se marier. Ils ont adopté un chiot et ils veulent absolument que j'aille le voir. C'est un bouledogue, on dirait qu'il fait tout le temps la gueule. Du coup, ils l'ont appelé Jean-Léon. J'ai hâte de les voir !

Mais, avant, j'aimerais te présenter quelqu'un. Mon Raphaël. Il attend dans la voiture que je lui fasse signe. Depuis le temps que je t'en parle… Ce n'est pas rien pour moi, je voulais être sûre. Il m'a fallu du temps pour faire sauter tous mes verrous, mais ça y est, je n'ai plus aucun doute. Je suis dingue de lui. On a commencé à visiter des apparts, pour l'instant pas de coup de cœur, mais, même si j'adore Marion, j'ai hâte de quitter son canapé et de la laisser roucouler tranquillement avec Issa, et Raphaël n'en peut plus de sa chambre de bonne. Je suis sûre qu'il te plaira. Le voilà qui approche.

Tu te souviens, tu me répétais tout le temps : "Tu comprendras quand tu seras plus grande", et ça avait le don de m'énerver. T'avais raison, Papa. J'espère que tu es fier de moi. Je crois que ça y est, je suis grande. »

FIN

REMERCIEMENTS

Je n'irai pas jusqu'à comparer un livre à un bébé, mais tout de même, il y a un peu plus d'un an, quand j'ai lâché la main de mon premier roman pour qu'il vive sa vie sans moi, je me sentais un peu comme une maman qui laisse son enfant prendre son indépendance. J'étais heureuse, fière, excitée, mais aussi pleine d'appréhension. Allait-il être bien accueilli ? Et s'il n'était pas sage ? Et si personne ne l'aimait ?

Comme si vous l'aviez senti, vous m'avez vite rassurée : photos à l'appui, vous m'avez donné des nouvelles de mon livre. Il était chez vous, vous le prêtiez à des personnes chères à votre cœur, il vous accompagnait dans des moments importants, il vous permettait de vous évader, il vous faisait passer un bon moment. Quelques mois plus tôt, dans une interview, j'avais dit : « Je crois que si je m'endormais chaque soir en sachant que je fais du bien aux gens, ça me ferait du bien à moi aussi. » Vous me faites du bien.

Écrire un roman, c'était un rêve d'enfant. J'avais souvent imaginé l'émotion qu'on devait ressentir en voyant son nom sur une couverture, dans une librairie. Je ne m'étais pas trompée : c'était fort, la première fois comme les suivantes. Mais les émotions les plus puissantes, ce sont vos messages qui me les ont procurées. Chacun de vos mots m'a émue, fait rire, fait des guilis dans le ventre. Sans ça, sans vous, cette aventure n'aurait pas eu la même saveur.

En posant le point final de mon premier roman, j'avais ressenti un mélange de tristesse et de bonheur. Tristesse de quitter les personnages qui avaient accompagné mon quotidien durant des mois, bonheur d'avoir raconté leur histoire. Je ressens la même chose aujourd'hui, au moment de vous présenter Julia, Marine, Louise, Raphaël, Gustave, Léon et les autres. Il paraît que j'ai les yeux qui brillent quand je parle d'eux, comme s'ils existaient vraiment. Ils existent vraiment, pour moi. Et je sais que, chez vous, ils seront bien. C'est donc à vous, chers lecteurs, que j'adresse ce premier remerciement. Merci de vivre cette aventure avec moi. Elle est vraiment chouette à vos côtés.

Merci mon fils de me faire voir la vie à travers tes yeux d'enfant. Merci de venir parfois t'allonger près de moi pendant que j'écris, ta petite tête posée sur mes cuisses. Mes mots ne sont jamais aussi justes que dans ces moments-là, je crois. J'ai envie de t'écrire une belle vie.

Merci A. de m'avoir appris que le bonheur ne se repoussait pas au lendemain et qu'il fallait le chercher dans les petits moments du quotidien. Tu es toujours avec moi.

Merci mon amour d'avoir toujours cru en moi, même – et surtout – quand je n'y croyais pas moi-même. Merci pour tes étoiles dans les yeux quand tu parles de moi, merci d'être mon premier relecteur, de m'encourager, d'être si arrangeant, si patient, de me donner des idées, de t'occuper de tout quand je suis plongée dans l'écriture, de m'écouter parler de mes personnages pendant des heures, comme si on les connaissait vraiment. Merci de rendre ma vie si jolie.

Merci ma chère famille de partager ma joie. Maman, Papa, Marie, Mamie, Papy, Mimi, les cousins, les oncles et tantes… Merci pour vos encouragements, les coupures de presse sur le frigo, les étoiles dans les yeux, les magazines achetés en masse, votre fierté, votre intérêt, vos avis, votre joie sincère. Merci, surtout, de m'avoir toujours laissée libre d'y croire. J'ai beaucoup de chance d'être née dans tant d'amour.

Merci Papy d'avoir un jour couru à en perdre haleine pour recroiser cette belle jeune femme de l'avenue de Paris, à Tunis. Merci Mamie d'avoir accepté son invitation, malgré son coup de folie. Merci d'être mes grands-parents. Je vous aime fort.

Merci Mamie Arlette de m'avoir autorisée à raconter ton histoire. Tu nous oublies un peu plus chaque jour, mais Helmut ne quitte plus tes pensées. J'espère que tu as raison, qu'il t'attend et que tu seras enfin heureuse avec lui.

Merci Mutti d'avoir accepté de prêter vos prénoms à ce couple attachant.

Merci à Constance, ma bonne fée, tu n'y es pas pour rien dans tout ça. Et tu es le meilleur carburant en cas de panne.

Merci à mes relecteurs de choc pour vos suggestions, vos encouragements, votre amitié et votre présence : Arnold, à toute heure, mille fois ; Maman et Mamie, les premières ; Marie, ma puce ; Mimi et tes fous rires ; Faustine, ma paupiette ; Alexia et toutes tes corrections ; Emma et tes mots qui boostent ; ma petite Maïne, toujours à fond ; Serena, Sophie, Cynthia, mes Bertignac chéries ; Constance et Camille, toujours là... C'est précieux d'avoir vos avis, d'entendre vos rires, de lire votre émotion. Merci de partager cette aventure avec moi. J'ai hâte de vous faire lire le prochain !

Merci Alexandrine de m'avoir envoyé ce mail, un vendredi. Merci de ta passion, de tes conseils, de ta disponibilité. Merci de me permettre de crâner en disant : « Mon éditrice, vous savez, chez Fayard ! »

Merci Claire d'avoir été l'une des premières à y croire, et d'être toujours là pour rappeler mon inspiration quand elle se fait la malle.

Merci à Jean-Claude de m'avoir soufflé une bien jolie phrase, et à Seb de m'avoir fait pleurer de rire avec son histoire de loup-garou, un soir sur une terrasse.

Merci Fayard et Le Livre de Poche (Alexandrine, Sophie, Sophie, Véronique, Audrey, Constance, Marie, Pauline, Carole, Ariane, Agathe, Sylvie, David et les autres que j'ai hâte de rencontrer) de votre confiance, de votre énergie et de votre excitation.

Merci aux représentants et aux libraires qui permettent à mes histoires de rencontrer leurs lecteurs.

Merci mes personnages de vous être imposés à moi et de m'avoir accompagnée partout, nuit et jour, pendant des mois. Vous allez me manquer.

De la même autrice :

Le Premier Jour du reste de ma vie…, City, 2015.

Le parfum du bonheur est plus fort sous la pluie, Fayard, 2017.

Il est grand temps de rallumer les étoiles, Fayard, 2018.

Chère mamie, Fayard/Le Livre de Poche, 2018.

Quand nos souvenirs viendront danser, Fayard, 2019.

Et que ne durent que les moments doux, Fayard, 2020.

Chère mamie au pays du confinement, Fayard/Le Livre de Poche, 2020.

Les Possibles, Fayard, 2021.

Le Livre de Poche s'engage pour l'environnement en réduisant l'empreinte carbone de ses livres. Celle de cet exemplaire est de :
300 g éq. CO_2
Rendez-vous sur
www.livredepoche-durable.fr

Composition réalisée par NORD COMPO

Achevé d'imprimer en France par
CPI BRODARD & TAUPIN (72200 La Flèche)
en juin 2022
N° d'impression : 3048812
Dépôt légal 1re publication : mai 2017
Édition 35 - juillet 2022
LIBRAIRIE GÉNÉRALE FRANÇAISE
21, rue du Montparnasse – 75298 Paris Cedex 06

31/9667/2